U0462708

聚焦三农：农业与农村经济发展系列研究（典藏版）

农产品营销渠道冲突与整合研究

李崇光　青　平　李春成　著

科学出版社

北京

内 容 简 介

渠道冲突控制与渠道整合是农产品营销渠道管理的重要理论问题和实践问题。全书立足于管理学与社会学的交叉研究，在营销管理研究中引入社会学理论与方法，对转型期中国文化背景下农产品营销渠道成员间的个体冲突与群体冲突进行讨论，对农产品营销实践中渠道冲突的产生、存续、诱因、作用机制、解决办法控制机制进行分析，对农产品营销渠道冲突与渠道绩效的关系以及渠道模式的整合等问题进行阐述，以期丰富对渠道冲突与整合的理解和认识，并为农产品营销渠道冲突多发频发寻求解决之道。

本书可供政府农业部门，农业经济管理等相关领域科研院所及高校师生参考。

图书在版编目（CIP）数据

农产品营销渠道冲突与整合研究／李崇光，青平，李春成著．—北京：科学出版社，2011.2（2017.3 重印）
（聚焦三农：农业与农村经济发展系列研究：典藏版）
ISBN 978-7-03-030018-8

Ⅰ.①农… Ⅱ.①李… ②青… ③李… Ⅲ.①农产品－市场营销学－研究 Ⅳ.①F762

中国版本图书馆 CIP 数据核字（2011）第 008682 号

责任编辑：林 剑／责任校对：郭瑞芝
责任印制：钱玉芬／封面设计：王 浩

科学出版社 出版
北京东黄城根北街 16 号
邮政编码：100717
http://www.sciencep.com
北京京华虎彩印刷有限公司 印刷
科学出版社发行 各地新华书店经销
*
2011 年 1 月第 一 版 开本：B5（720×1000）
2011 年 1 月第一次印刷 印张：13 1/2
2017 年 3 月印 刷 字数：250 000
定价：88.00 元
（如有印装质量问题，我社负责调换）

总　序

农业是国民经济中最重要的产业部门，其经济管理问题错综复杂。农业经济管理学科肩负着研究农业经济管理发展规律并寻求解决方略的责任和使命，在众多的学科中具有相对独立而特殊的作用和地位。

华中农业大学农业经济管理学科是国家重点学科，挂靠在华中农业大学经济管理学院和土地管理学院。长期以来，学科点坚持以学科建设为龙头，以人才培养为根本，以科学研究和服务于农业经济发展为己任，紧紧围绕农民、农业和农村发展中出现的重点、热点和难点问题开展理论与实践研究，21世纪以来，先后承担完成国家自然科学基金项目23项，国家哲学社会科学基金项目23项，产出了一大批优秀的研究成果，获得省部级以上优秀科研成果奖励35项，丰富了我国农业经济理论，并为农业和农村经济发展作出了贡献。

近年来，学科点加大了资源整合力度，进一步凝练了学科方向，集中围绕"农业经济理论与政策"、"农产品贸易与营销"、"土地资源与经济"和"农业产业与农村发展"等研究领域开展了系统和深入的研究，尤其是将农业经济理论与农民、农业和农村实际紧密联系，开展跨学科交叉研究。依托挂靠在经济管理学院和土地管理学院的国家现代农业柑橘产业技术体系产业经济功能研究室、国家现代农业油菜产业技术体系产业经济功能研究室、国家现代农业大宗蔬菜产业技术体系产业经济功能研究室和国家现代农业食用菌产业技术体系产业经济功能研究室等四个国家现代农业产业技术体系产业经济功能研究室，形成了较为稳定的产业经济研究团队和研究特色。

为了更好地总结和展示我们在农业经济管理领域的研究成果，出版了这套农业经济管理国家重点学科《农业与农村经济发展系列研究》丛书。丛书当中既包含宏观经济政策分析的研究，也包含产业、企业、市场和区域等微观层面的研究。其中，一部分是国家自然科学基金和国家哲学社会科学基金项目的结题成果，一部分是区域经济或产业经济发展的研究报告，还有一部分是青年学者的理论探索，每一本著作都倾注了作者的心血。

本丛书的出版，一是希望能为本学科的发展奉献一份绵薄之力；二是希望求教于农业经济管理学科同行，以使本学科的研究更加规范；三是对作者辛勤工作的肯定，同时也是对关心和支持本学科发展的各级领导和同行的感谢。

李崇光

2010 年 4 月

前　言

営销渠道研究领域的权威学者斯特恩（Louis W. Stern）教授说过："我们现在有一个普遍的共识，即营销渠道是任何希望在中国取得成功的企业的关键。"中国是世界上最大的农产品生产和消费国，农产品渠道活动关系到农业和涉农企业的生存与发展，没有一个成功的企业不重视渠道问题。因此，农产品渠道管理已经成为当前我国农产品流通与营销的生命线，是一个具有深远理论与实践意义的重要研究课题。

渠道冲突与控制是渠道管理的一个重要问题。冲突是人类基本的行为模式之一，对人类冲突现象的研究远可追溯到齐美尔、韦伯、帕累托等社会科学巨匠；中间经过凡勃伦、帕克等名家的传承和发展；到现代，米尔斯、科塞、达伦多夫、柯林斯等著名学者进一步把冲突研究发扬光大，可谓流派纷呈、名家辈出。管理学在渠道冲突研究过程中，不断吸取以上学术大家的思想养料，初步形成了渠道冲突管理的理论框架。应该注意的是，学者们在注重冲突研究的同时也关注冲突的化解，参与冲突各方的整合是冲突研究的传统。研究冲突是为了求得和谐，虽然哲学上认为不平衡是绝对的，平衡是相对的，但毕竟只有将渠道冲突控制在一定程度和范围内，农产品流通才有可能正常地进行，渠道成员才可能获益，因此我们把渠道冲突和渠道整合结合起来开展研究，并寻求两者之间的内部联系。

目前，我国农产品渠道冲突问题还比较突出，这严重影响渠道成员的公平竞争、和谐发展，并直接影响农民收入的增长和消费者福利的最大化。渠道冲突导致农产品渠道流通不畅，农产品市场的供求关系失衡，渠道成员利益分配不合理，渠道效率低下。因此，农产品渠道系统内部以及相互之间的冲突问题已经成为农产品营销研究的重要问题和学术前沿。

中国的农产品渠道冲突与整合具有经济转型时期自己的特点。冲突作为一种社会经济现象与一个国家的社会文化、宏微观经济环境和生产者、经营者和消费者的心理等都有密切的联系。了解转型经济时期特殊的经济、社会和文化背景下农产品渠道冲突的特点，分析这些特点产生的原因以及解决路径，是目前我国农产品营销研究的一个重要任务。营销渠道的冲突归根结底是人与人之间的冲突，但是中国社会是一个强调人际关系和谐的社会。著名华人学者杨国枢曾经指出，中国人习惯于尽量避免人与人之间的直接冲突。中国文化的和合性落实在社会经济关系上便是强调追求所有人际关系的和谐。中国人在面对不和谐或者冲突时会产生一种焦虑或恐惧，可以称之为"不和焦虑"或"冲突恐惧"。在这种普遍强调和谐性人际关系的社会文化氛围中，营销渠道成员之间的冲突是如何发生、发展和解决的？它们与西方发达国家的渠道冲突理论有什么相同和不同之处？这是一个值得关注的问题。同时，Weitz 和 Jap 等知名学者已经注意到，自 20 世纪 90 年代中期以来，市场营销渠道研究的重心开始由买卖双方的交易过程向关系营销转移。这与营销实践中渠道成员的绩效变化相一致，那么，渠道冲突怎样影响渠道运作？渠道冲突与渠道绩效关系如何？中国的渠道成员解决渠道冲突有什么特点？这些渠道问题的解决方式与渠道绩效的关系如何？此外，受气候条件、技术水平、生产方式等多方面的影响，我国农产品供给很不稳定，而农产品渠道对保鲜、储藏的要求较高，但农产品营销渠道的基础设施不完善，从业人员良莠不齐，这些对于农产品渠道的冲突与整合有何影响？学术界目前还没有对这些问题给出满意的回答，这突出了对中国农产品渠道冲突与整合进行研究的重要性和紧迫性。

本书是国家自然科学基金项目"农产品营销渠道绩效评价与整合研究"（编号：70473027）和"农产品营销渠道变革与模式选择研究"（编号：70773046）的阶段性研究成果。前一课题重在研究农产品营销领域渠道绩效及其渠道冲突对渠道绩效的影响，偏向渠道行为领域；后一课题则集中讨论渠道结构调整变革的原因及其对渠道模式选择的启示，偏向渠道结构方面；而渠道结构和渠道行为之间互相影响，并且二者共同对渠道绩效产生影响。

基于这样的思路，本书立足于从渠道行为角度讨论渠道冲突对渠道绩效的影响。拟出版的下一专著将讨论渠道变革及其对渠道模式选择的启示。

本书通过问卷调查、访谈和观察法收集材料，并采用数量研究方法和个案研究方法，分析了农产品营销渠道的冲突和整合问题。

本书采用历史主义的分析方法和视角，总结归纳了营销渠道理论及实践的发展，对营销渠道、农产品渠道尤其是渠道冲突的理论流派、主要观点和代表人物进行了梳理，对渠道冲突的重要研究成果和理论观点进行了评述。

本书对中国农产品营销渠道成员的冲突观念进行了归纳，认为冲突观包括四类：针锋相对冲突观、权变策略冲突观、尚和退让－交换待机冲突观、因人而异冲突观。激进的冲突观容易引发频繁和激烈的渠道冲突。在渠道成员中，持针锋相对冲突观的成员最多，持尚和退让－交换待机冲突观的最少。

本书分析了导致我国农产品渠道冲突的五类原因：窜货与目标分歧、契约意识、职能事项、退货库存和行情判断与短期利益。本书研究发现，在渠道成员中，因为窜货与目标分歧而发生渠道冲突的比例最高。此外，本书还比较分析了中国与西方发达国家的渠道冲突原因，认为中国营销渠道冲突原因的种类多于发达国家。发达国家的渠道中态度性分歧比非结构性分歧导致了更多、更激烈的渠道冲突，但是中国的情况则刚好相反。

本书借鉴渠道权力理论，结合实际调查数据，认为中国农产品营销渠道中存在奖赏权力、惩罚权力、感召权力、专家权力、法律权力和信息权力这六种渠道权力，它们可划分为强制权力和非强制权力。强制权力比非强制权力引发了更多、更激烈的渠道冲突行为，这与发达国家营销渠道权力状况基本一致；但中国的农产品渠道中强制权力由惩罚权力和法律权力共同组成，而且有时与专家权力联合使用，而发达国家的营销渠道中强制权力一般即指惩罚权力。另外，目前农产品营销渠道成员中具有强的经营管理能力的成员很少，使得专家权力成为渠道中宝贵的稀缺资源。

本书运用个案研究方法，分析了单个渠道成员之间的冲突如何通过一系列中间环节逐渐演化为渠道群体性冲突的过程。本书认为渠道冲突由隐性冲突转变为显性冲突的过程是由两个过程组成的：一是渠道成员逐渐认识到自己的外显利益；二是有相同利益的渠道成员逐渐结合为冲突群体。冲突群体由准团体发展为利益团体也必须满足三个条件，即领导条件、纲领条件和沟通条件。社会网络的存在为核心人物发动渠道团体冲突提供了便利。

　　本书还考察了目前中国农产品渠道中五种最常见的渠道冲突解决方式：与经销商沟通与交流；第三方调解；制定大家共同认可的行为规则；给经销商或经销商的负责人好处；设身处地考虑经销商的利益。研究发现，在当前解决渠道冲突的过程中，沟通和交流方式的运用频率最高；第三方参与冲突的解决是目前农产品营销渠道中解决冲突的有效方式。与常识相反，在很多场合下通过给予经销商好处的方式来解决渠道冲突的效果很不理想。当与经销商存在初级社会关系时，渠道成员更倾向于采取给予好处的方式解决渠道冲突。

　　在其他各章，本书还讨论了渠道冲突与渠道绩效的关系、渠道冲突的控制机制，以及农产品营销渠道的整合问题。

　　在本书写作过程中，研究生胡华平、席利卿、郑鹏、袁玉坤、张均涛等在文献收集整理、章节编校等方面做了大量的工作，部分文字和资料来源于他们的调研成果。

　　本书的部分内容以论文形式分别发表于《中国农村经济》、《农业经济问题》、《农业技术经济》、《中国流通经济》和《营销科学学报》等学术期刊。

　　由于作者学术水平有限，本书难免存在一些缺陷和不足，敬请读者批评指正。

李崇光

2010 年 8 月，武汉

目　　录

绪　　论

0.1　研究的目的与意义

0.1.1　研究的意义

营销渠道（marketing channel）是产品及相关服务通过一系列相互依存的组织或个人，从其生产者或提供者转移到消费者的途径、过程以及相互关系（Stern et al.，2001）。营销渠道连接生产和消费，是产品价值实现的关键，也是企业取得营销成功的关键。罗森布洛姆认为："渠道战略是基于渠道成员关系和组织结构的长期战略；对于竞争对手来讲，营销渠道在短期内难以模仿；对于获取竞争优势来说，它比其他因素更能提供潜在力量。"（Rosenbloom，1990）在营销实践中也一直有"渠道为王"的说法，足见其重要性。

营销渠道研究在整个市场营销学研究占据重要位置。营销渠道理论的研究主要有两大领域：第一是研究渠道结构，探讨企业营销渠道的设计、构成和选择问题；第二是研究渠道行为，探讨渠道成员为了履行渠道职能、完成渠道任务进而实现各自组织目标所进行的渠道领导、激励和控制活动以及互动行为。渠道结构与渠道行为二者互为因果，共同决定着渠道效率。

渠道结构只是渠道的形式和表象，其实质是不同的渠道参与者所扮演的角色和发挥的功能；而渠道行为是渠道成员间的关联和互动行为。显而易见，相比渠道结构，渠道行为更为复杂；当存在利益冲突时，渠道成员间的控制与反控制、争夺与较量、互动与博弈等渠道行为，往往成为改变原有渠道关系、打破渠道权力平衡进而变革旧有渠道结构的导火线。从这个意义上来讲，渠道行为研究是整个营销渠道研究的制高点。

有关渠道冲突与控制机制的研究是渠道行为研究中的焦点和热点。营销渠道是市场营销四因素（产品、价格、促销、渠道）中唯一直接向消费者传递企业产品的因素，如果渠道运行过程普遍存在冲突而又缺乏有效的冲突解决机制，渠道必然流通不畅，甚至造成渠道"短路"或者"拥堵"的问题，直接影响产品价值顺利地从生产者向消费者的传递与转移，从而严重阻碍企业营销目标的实现。因此，关注渠道冲突的成因和表现形式、化解渠道冲突对于提高渠道效率有着重要意义。

0.1.2 研究的目的

（1）"本土化"的渠道冲突研究

冲突作为一种普遍的社会现象与一个国家的社会文化、居民消费心理、经济环境等都具有密切的联系。因此，了解不同渠道冲突的特点，并进而分析产生这些特点的原因以及在具体社会文化环境中如何解决渠道冲突，应该成为营销渠道研究的一个重要任务。

渠道冲突是渠道成员的冲突，归根结底是人与人之间的冲突。但是，中国社会是一个强调人际关系和谐的社会，中国人习惯于尽量避免人与人之间的直接冲突，重视"和合性"——强调人与人、人与天之间维持自然而和谐的状态；中国文化的基本运作法则是均衡与和谐的追求，中国文化的"和合性"落实在社会经济关系上便是强调追求所有人际关系的和谐。中国人对于不和谐或者冲突会形成一种焦虑或恐惧，可以称之为"不和焦虑"或"冲突恐惧"；中国人会尽力维护他人的面子从而避免可能的冲突，如果一旦不幸破坏了和谐，他们会立即设法补救以尽快恢复和谐。中国人对于社会关系不和谐的恐惧不仅受历史因素的影响，而且还与农耕社会特别需要安定的家族与社会有关。在这种普遍强调和谐性人际关系的社会文化氛围中，企业营销渠道成员之间的冲突是如何发生、发展、解决的？它们与目前来自西方发达国家的渠道冲突理论有什么相同和不同之处？这些问题非常值得关注。显然，刻意忽略中国与西方国家间在文化、环境等方面的诸多差异，简单搬用植根于西方社会文化土壤中的冲突理论是渠道理论研究中突出的"水土不服"问题。因此，本书立足于丰富和充实有关中国社会文化情境下营销渠道冲突的管理与控制研究。

（2）农产品流通领域的渠道冲突

与一般工业品相比，农产品具有与生俱来的差异和特点，这使得一般的市场营销策略与方法不完全适用于农产品领域。农产品具有的生物性和自然性特点，对储藏保鲜和快速销售条件的要求严格，而且由于受自然气候与条件影响较大，生产、经营的季节性变化大，常常出现"供销脱节"以及市场的波动。显然，农产品营销渠道研究无法照搬一般的营销渠道理论。

与企业组织主导的一般性渠道系统相比，农产品渠道中的参与者有着显著差异。在农产品流通领域，分散的、从事小规模生产的农户无力构建有利于实现自我赢利目标的渠道结构模式，也无力改变乃至打破旧的不利于自身利益的渠道体系，而只能参与到现有的由具有成熟组织形态的采购商、批发商和零售商等搭建的营销平台或销售通路，借助并依靠现有组织和渠道形式将自己生产的产品销售出去。近年来，在政府的推动下，类似于"农民专业销售合作社组织"、"农超对接"等形式的农产品营销渠道形式在全国一些地方开展起来，反映了农产品营销渠道形式新的变革，这种变革也是渠道组织价值分配变化引起的渠道冲突和整合的必然反映。

理论上，农产品营销渠道中不同利益主体、渠道模式、渠道系统等内部和相互之间的冲突、竞争、控制，以及关系整合已成为农产品营销学理论研究的重要问题。研究农产品营销渠道的冲突，对于了解中国企业尤其是农业企业营销渠道冲突的特点，寻找具有中国特色的渠道冲突控制机制具有重要意义。

实践中，农产品营销渠道冲突问题严重制约我国农业和农产品营销的发展。农产品渠道内部组织利益分配不合理，导致渠道效率低下；农产品营销渠道流通不畅，直接影响农产品市场供求关系的顺利实现。总地来说，我国传统农产品营销渠道已不能适应新的市场经济形势，新的渠道形式和渠道关系亟待建立。农产品营销渠道建设处于一种新与旧、破与立的交替和变革时期，许多现实的渠道问题亟待研究和解决，进而指导农产品营销的具体实践。

本书立足于研究中国文化情境下农产品营销领域的渠道冲突与整合问题，尝试对如下几个问题作出回答和解释：①渠道冲突是如何产生的？②渠道冲突与渠道绩效关系如何？③中国的渠道成员解决和控制渠道冲突具有什么特点？④农产品营销渠道有哪些整合途径？

0.2 研究内容与基本框架

本书的主要内容可以概括为六个方面：①营销渠道的相关理论与动态；②农产品营销渠道冲突的产生、存续和作用机制；③农产品营销渠道冲突的结果或影响；④农产品营销渠道冲突与渠道绩效的关系与影响；⑤农产品营销渠道冲突控制和解决方式；⑥农产品营销渠道的整合途径。

围绕上述六方面研究内容，本书的主要研究结构与框架如图 0-1 所示。

绪论。介绍研究目的和意义、研究内容和框架、研究方法、路线和创新点。

第 1 章：农产品营销渠道理论回顾。采用历史主义的分析方法和视角，对营销渠道、农产品营销渠道的理论进行梳理，对渠道冲突的重要研究成果和理论观点进行评述。

第 2 章：农产品营销渠道冲突及冲突观。对农产品市场进行实证研究，阐述四类主要冲突观及其特征。

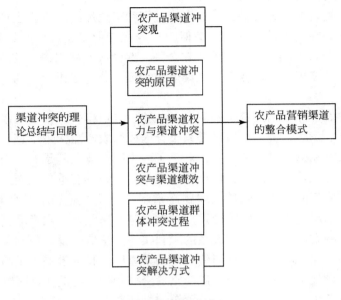

图 0-1　研究框架

第 3 章：农产品营销渠道冲突的原因。分析引发渠道冲突的主要原因，比较国内外渠道冲突原因作用机制的差异。

第 4 章：农产品渠道权力与渠道冲突的关系。探讨不同渠道权力特征下的渠道冲突反应及特征。

第 5 章：农产品渠道群体性冲突过程。阐述小规模、单个渠道成员之间的冲突，如何通过一系列中间环节，在一系列特定条件和环境下，演变为规模较大的群体性冲突。

第 6 章：农产品营销渠道冲突对渠道绩效的影响。分析渠道冲突如何影响渠道绩效以及两者的关系，分析渠道协同背景下对渠道冲突的调节、控制与化解，及其对渠道绩效的作用机理与效果。

第 7 章：农产品营销渠道冲突的解决方式。分析渠道冲突解决方式的来源，比较不同冲突解决方式的效果，阐述人际关系对渠道冲突解决方式的影响。

第 8 章：农产品营销渠道冲突的控制机制。提出基于冲突观念优化的冲突控制机制，分别从渠道权力使用、渠道基础设施建设、人际关系等方面论证冲突控制的可能性。

第 9 章：农产品营销渠道整合模式。借鉴已有的渠道整合概念模型，从渠道结构、渠道关系等多视角认识农产品营销整合模式。

0.3　研究方法和主要特色

0.3.1　研究方法

本书立足于营销渠道行为理论范式，采用"理论—假设—新理论"的演绎方法，具体运用实证研究方法，主要包括以下两种方法。

1）统计研究方法。本书运用社会研究方法和统计方法，借助市场调查数据，通过频次分析、列联表分析、聚类分析和相关性分析等分析工具对渠道冲突观的测量与分类、渠道冲突的原因与影响因素等内容进行了实证研究。

2）模型分析方法。在实证分析过程中，变量间的关系探讨以及有关概念模型的构建和验证主要运用结构方程模型方法（SEM）。本书在讨论渠道权力与冲突的关系、渠道冲突和渠道绩效的关系时，构建了相互影响的概念模型，并利用实证数据和结构方程分析工具 LISERAL 进行了验证分析；在阐述渠道关系整合概念模型的构架中，使用了 AMOS 结构方程分析工具；在营销渠道整合模式以及生鲜农产品渠道终端选择的影响因素分析中，使用了验证性因子分析，并使用 LOGIT 概率回归分析说明消费者的渠道终端选择概率。

0.3.2　研究的主要特色

1）本书较系统地讨论了我国农产品营销实践中渠道冲突的产生、存续、诱因、作用机制、解决办法和控制机制，这是对经典营销研究主题进行"本土化"研究及应用的重要尝试。首先，本书认为我国农产品营销渠道成员具有五类冲突观念，并指出人们的冲突观念会对渠道冲突产生深刻影响，对当前国内外较少涉及渠道成员冲突观念的经验研究是一个重要补充。其次，本书总结了我国农产品营销渠道冲突的五类原因，并分析了它们与冲突行为的关系，对于中国农产品营销渠道冲突原因的结构性分析具有探索意义。最后，本书指出中国农产品营销渠道中渠道成员倾向于把法律权力归类于强制权力，而且中国农产品营销渠道成员普遍存在的"面子"心理和"面子"行为，运用良好的人际关系手段可视为解决渠道冲突的重要方式之一，这些结论与西方学者一贯认同的传统观点都存在一定差异。

2）本书分析了渠道冲突如何影响渠道绩效以及两者的关系，讨论了渠道协同策略对渠道冲突具有调节与控制作用，并有助于提高渠道绩效。本书认为，渠道冲突的频繁程度和激烈程度与渠道绩效有着显著的相关关系，频繁发生、高强度的渠道冲突会对农产品流通效率和渠道成员关系质量产生消极影响；垂直渠道冲突和水平渠道冲突对渠道绩效的影响不一。这些研究为进一步探讨渠道冲突的解决方式和控制机制提供了理论解释，对提高我国农产品营销渠道系统运作的效率和效益具有理论参考价值。

3）本书在探索我国农产品营销渠道整合模式上进行了拓展，构建了营销渠道的整合模型框架，明晰了渠道整合的内容构成，并重点从渠道结构整合、渠道关系整合和渠道终端整合三大视角阐述渠道整合的理论依据和寻求实证经验的检验。其中，基于渠道结构和渠道关系的渠道整合观点被尝试纳入对我国农产品营销渠道的整合领域，并进行了详尽地实证分析。

4）本书尝试管理学与社会学的交叉研究，在营销管理研究中引入社会学的理论与方法，结合社会经济文化情境，对渠道成员间的个体冲突与群体性冲突进行讨论。企业营销渠道的冲突归根结底是人与人之间的冲突，本书以渠道成员间的个体和群体性冲突作为研究对象，并将其置于转型期中国文化背景下加以分析，既符合当前我国农产品营销领域的实际情况，也体现了本书的独特性和特色。

第1章
农产品营销渠道理论回顾①

1.1 营销渠道基本概念

1.1.1 渠道结构

营销渠道的根本任务，就是把生产经营者与消费者或用户联系起来，使生产经营者生产的产品或提供的服务能够传递给消费者，从而实现价值转移；而产品价值的转移和渠道功能的实现需要依托一定的组织形式，即渠道结构。

不同的学者对渠道结构的理解不同，如 Bucklin（1965）将渠道结构视为组成渠道机构的特定形式、数目与组织；罗森布洛姆（1990）认为，渠道结构是指一系列承担分销任务的渠道成员间的一种集合组成关系；安妮·T. 科兰（2003）认为，渠道结构描述了渠道中各种类型的成员，市场上共存的每一类成员的密度和数量，以及市场上共存的不同渠道的数量。

综合来看，渠道结构可说是产品或服务由制造者到消费者过程中有关渠道成员阶层、数目与彼此间权利义务关系的表现，具体包含两层含义：一是指企业使用渠道的类型以及各类型渠道在企业销售中所占的比重和覆盖范围；二是指企业某一条渠道的层次、参与者和覆盖范围。

1.1.2 渠道职能

渠道职能包括三类：交易职能、实体职能和辅助职能。产品从生产者到最终消费者，需要经过不同的阶段，其职能相应由营销渠道的各个环节共同或分别承担。渠道职能一方面是增加价值的活动，创造了产品的形式效用、时间效用、地点效用以及占有效用；另一方面，职能的执行也导致了成本的增加。

---

① 农产品营销渠道的基本理论和学术思想主要来源于一般性营销渠道理论，本部分主要对营销渠道理论进行梳理和总结，并为后续各章的研究奠定理论基础。

有关营销职能的研究最早可以追溯到 1915 年，职能学派创始人美国经济学家阿奇·萧在其著作《市场分销中的若干问题》中首先提出了"中间商职能"的概念，以研究中间商所从事的有益的工作。其后，1916 年，韦尔达在《农产品市场营销》一书中提出了市场营销职能，研究如何使农产品得以销售以及中间商在此销售系统中的作用。

1932 年，著名营销学者克拉克和韦尔达在《美国农产品营销》一书中指出，市场营销系统的主要目标是"使农产品从种植者那里顺利地转移到使用者手中。这一过程包括三个重要而相互关联的过程：集中（农产品收购）、平衡（调节供求）和分散（化整为零销售）"（郭国庆，2009）。其后的 1942 年，克拉克在《市场营销原理》一书中把渠道职能归纳为三类：交换职能——销售（创造需求）和收集（购买）；物流职能——运输和储存；辅助职能——融资、风险承担、市场信息沟通和标准化。

Bucklin（1966）出版的《分销结构理论》一书对职能学派的学术思想进行了完善，其目的是解释分销渠道的演变。他使用微观经济学的职能主义方法，根据运送时间、货物数量和市场分布来分析分销渠道的服务产出，从而论证为了实现运输、盘存、查询和生产等产出而必需的职能活动。

菲利普·科特勒（1995）在《未来营销渠道的职能与发展》一文系统总结和提出了渠道的七种职能：信息研究、促进销售、寻求接触、配套服务、交易谈判、资金调配、预见风险；其中，前五种职能是协助达成交易的必要手段，而后三种职能则是完成交易时的关键。

20 世纪 70 年代以后，营销职能学派被管理学派所代替而渐渐淡出，但是营销职能及其职能研究方法在今天仍然有理论价值。

1.1.3　渠道关系

营销渠道关系指的是渠道组织间的关系，而不是组织内的关系，它发生在不同的组织法人之间。

渠道关系主要表现为渠道成员间的交换关系，由于专业化分工，渠道成员间分散独立，承担某种渠道功能，出于共同的目标和利益要求，需要紧密联系和合作。关系营销理论的提出，赋予了渠道关系更多的内涵，渠道成员间的信任、承诺和满意等成为研究的重点。

渠道关系有四种不同的形态：横向关系、纵向关系、类型间关系和多渠道关系。横向关系指的是同一渠道、同一层次、相似企业之间的关系；纵向关系指同一渠道、不同层次的企业之间的关系；类型间关系指同一渠道、同一层次、不同类型企业之间的关系；多渠道关系指一个企业不同渠道之间的关系

（庄贵军，2007）。

1.1.4　渠道行为

在营销渠道理论中，渠道行为特指营销渠道纵向关系中不同层级组织之间的关联和互动行为。

渠道关系和行为从主体层面可划分为两种：一种是渠道组织层面的关系和行为；另一种是渠道组织内个体层面的关系和行为，这种个体层面的关系和行为会通过直接或间接、显性或隐形的方式影响渠道组织层面的关系和行为（庄贵军，2000）。

从作用方向来看，渠道行为可分三种：第一种是合作，即对另一方渠道成员的要求予以配合和协助，双方围绕共同的营销目标一起努力，相向而行，实现双赢；第二种是竞争，即以某渠道成员作为竞争对手，通过提高分销能力、降低成本费用、提高需求响应速度等从而超越对手获得更多的市场空间；第三种是对抗，指由于自身与其他渠道成员和整个渠道系统的目标不相一致乃至完全背离，出于自身利益的最大化而采取对抗、投机、破坏等行为方式，打压乃至消灭对手夺取其市场空间。

具体到渠道行为理论研究，涉及的概念和内容包括：渠道成员之间的相互依赖、互依结构与渠道权力，渠道合作与冲突；渠道中的投机行为与渠道控制；渠道关系与渠道满意；渠道公平及影响；渠道结构对渠道行为的影响；环境因素对渠道行为的影响等（庄贵军，2007）。

1.1.5　渠道治理

渠道治理是指渠道交易的制度安排，包括渠道建立、维持和结束的约定，以及约定在不同渠道成员之间的洽谈、监督和执行等（Heide，1994）。可以把渠道治理理解为为了达到预期的营销目标，对约定的监督和执行。

（1）渠道激励

渠道激励是渠道治理的重要手段和方式。渠道激励一方面使企业内部的渠道管理人员和销售人员为企业目标而努力工作，另一方面要促使渠道上下游的合作伙伴积极与本企业在共同的目标框架下展开合作。

从渠道激励的内容上，可分为内部渠道激励和外部渠道激励（庄贵军，2007）。内部激励主要是通过企业内部的各项政策和措施促使渠道管理和销售人员为企业的营销目标而努力，其激励的内容与企业管理的激励职能在内容上具有重叠性，如协调内部关系、提高渠道人员工作的积极性、给渠道人员创造一个良好的工作环境等。而外部激励（也称为跨组织激励）则是通过一定的方式对合作伙伴的行为施加影响，鼓励其做出对企业目标有利的积极行为。

从渠道激励的手段上看，渠道激励又可分为直接激励和间接激励。直接激励更偏重于物质激励，如返利政策、价格折扣、开展促销活动等，其目的是让渠道内外成员获得经济利益，从物质上强化渠道成员对营销目标的积极行为。间接激励则侧重于精神激励，从情感上施加影响，如对渠道成员的培训，为其提供更大发展空间，对经销商提供营销支持等。

（2）渠道控制

营销渠道控制是一个渠道成员对另一个渠道成员的行为与决策变量成功施加影响的过程，其本质是对渠道成员（组织）的行为进行控制，同时它也是一种跨组织控制、相互控制（或交叉控制）和结果导向的行为过程（张闯，2006）。渠道控制是解决渠道冲突、进行渠道治理的有效手段，其目的是获取较高的渠道绩效。

1.1.6　渠道效率

最早关于渠道效率的研究可以追溯到韦尔达，他在《农产品市场流通》一书中首先论及农产品营销渠道的效率问题，他认为中间商职能专业化有利于农产品营销经济效益和效率的提高，专业化的中间商所从事的分部营销因而是合理的。

其后，随着新制度经济学研究的热衷与兴起，为营销渠道效率的研究提供了更广阔的视角。一些学者开始基于渠道成员的关系构建、维持和治理，从交易费用角度探索营销渠道的效率问题。也有学者运用微观经济学中的契约理论、委托－代理理论从关系治理角度研究渠道效率和效益问题。

Frazier 等（1989）认为，营销渠道理论研究有两大领域：一是研究渠道结构，探讨企业的渠道是怎样构成；二是研究渠道行为，探讨渠道成员的互动和关系。至于是渠道结构决定渠道行为，还是渠道行为决定渠道结构，学术上还存有争论，多数学者认为是渠道结构和渠道行为之间互相影响，并且二者共同对渠道效率产生影响（庄贵军等，2004）。从经济学的角度看，渠道效率主要是指渠道成员的生产技术效率（销售成本、规模经济等）和渠道治理效率（交易成本）（蒋青云等，2006）。

1.2　营销渠道范式演进

营销渠道理论研究已有近百年的历史，美国学者 Wilkinson（2001）按照学者们所关注的营销渠道研究重点的演进，将 20 世纪的营销渠道研究历史大致划分为三个阶段，梳理出营销渠道研究的范式演进①。

1.2.1 结构范式下的营销渠道理论研究

（1）渠道结构与职能分析

1954~1973 年是早期渠道结构理论研究的一个高峰。Alderson 和 Barldston 认为：经济效率标准是影响渠道设计和演进的主要因素，企业须以参与市场的相对效率和内部管理控制为标准评价渠道方案（王朝辉，2003）。Bucklin（1965）最早开创性地用延期和投机的概念解释了渠道结构的形成，他认为渠道成员对渠道结构的选择取决于延期和投机的收益比较，因为渠道成员的延期和投机行为产生了收益比较，才使得渠道职能发生转变。科兰等（2003）在总结前期渠道相关理论研究的基础上，从探讨渠道中各种类型的成员入手，明确提出渠道结构主要由市场上共存的每一类型成员的密度和数量，以及市场上共存的不同渠道的数目所决定。

（2）渠道均衡和渠道演化分析

McCammon（1964）认为，可以用公司型、管理型和契约型三种方式来有效地协调营销渠道系统。Zusman 和 Etgar（1981）指出，分销渠道结构和渠道成员职能的变换密切相关，可以通过渠道成员职能的变换预测渠道结构的变化；而专业化和竞争性行为会导致渠道结构的循环演化；现代营销环境下，渠道系统特征变化和消费者的渠道选择行为互相作用。

（3）渠道结构与设计

20 世纪 60 年代，有学者开始研究外部环境（如经济环境、消费者市场变迁）如何影响和推动渠道结构变化。Slater（1968）从渠道结构与职能、渠道流程等方面对渠道设计问题进行了一般性研究；认为渠道设计是一个系统过程，必须根据条件和环境的变化对所设计的渠道进行修正、调整甚至重新设计（夏春玉，2003）。Heide（1994）认为，渠道管理结构治理和设计的重点是通过优化渠道管理结构来提高效率和效益，按照交易费用理论，渠道管理中的治理被视为设计一种特殊的机制来支持渠道成员之间的经济交易。

在结构范式主导下，渠道研究以渠道效率和效益为中心，主要使用经济学的方法研究营销渠道的管理产生、结构演变、渠道管理设计等问题；试图运用经济理论和产业组织分析方法，着重研究销量和利润、价格和成本、产品和技术、服务和营销、内部组织结构、外部经营环境等经济因素；试图从经济学的角度寻求提高渠道效率和效益的途径。早期结构范式的缺陷在于忽略了渠道成员之间的相

---

① 本部分在于梳理渠道研究的大致脉络和发展过程；不同研究阶段有所重叠。

互关系，单个企业被看做是"黑箱"或函数集，只考虑已存在的功能上的相互依赖，而没有考虑企业之间的关系，对营销渠道中的行为变量缺乏相关研究。

结构范式下的渠道理论研究持续时间最长，从渠道管理结构研究的奠基人——韦尔达（Weld，1916）开始，至今已有近百年历史，几乎贯穿于渠道研究的整个过程。在渠道结构范式下，研究关注点发生了一系列的转移和演进，即由初始时的技术层面转向系统的结构设计；再到将节约交易费用作为判断标准；效率因素由技术指标分析转向经济指标分析（郭毅等，2005）；最后到与渠道关系和渠道行为研究相融合。

1.2.2　行为范式下的营销渠道理论研究

20世纪60年代末，渠道权力、冲突与治理开始成为研究的焦点问题。Kim和Hsieh（2003）等以权力和冲突为研究重心的学者将渠道看做渠道成员间既有合作又有竞争的联合体。权力依赖、冲突、满意、表现效果、营销目标、渠道网络特性成为这一时期的研究热点（Lusch，1976；Wilkinson，1981；Pearson and Monoky，1976；Hunger and Stern，1976）。

Stern（1969）是较早对渠道行为进行研究的营销学者之一，其经典著作《分销渠道：行为维度》突破了以主流应用经济学研究渠道理论的分析框架，将行为科学方法引入渠道研究领域，使渠道研究进入了行为学研究范式；将渠道权力、渠道冲突等概念在该书中进行论述，他认为，渠道由一组专业机构组成，劳动分工广泛，渠道成员既相互依赖又相互合作，渠道权力正来源于这种依赖和合作，而依存和承诺是理解渠道中权力关系的关键。

McCammon和Little（1965）研究了非经济关系如何对交换关系、渠道制度以及渠道管理和协调产生影响。McCammon（1970）认为，传统的营销渠道由孤立自治的决策单位所组成，因而在渠道活动中难以协调统一；如果渠道权力水平低下，相互依赖关系也会低下，渠道企业间就不会有合作的动机。Mallen（1973）对渠道垂直关系，尤其对渠道垂直价格、权力、冲突和协调进行了深入研究。此外，Sturdivant和Granbois（1968）还分别对渠道控制和渠道交互（channel interactions）做了探讨。

Robicheaux和EI-Ansary（1976）以及Cadotte和Stern（1979）还提出了具有较大影响力的渠道成员互动一般概念模型（general conceptual models of interfirm relations），为分析渠道成员间的互动行为提供了一个分析框架。

20世纪80年代，学术界掀起了第二次渠道行为研究的高潮（Wilkinson，2001）。

新制度经济学理论的发展，为这一时期学者们研究渠道行为和关系提供了另一理论视角。交易成本（Williamson，1981）、机会主义（John，1984）、契约理论

（McNiel，1980）、委托－代理理论（Bergen et al.，1992）等理论的提出更加深化了对渠道行为的研究（郭国庆，2009）。Brown 等（2000）认为机会主义行为往往取决于渠道成员对所有权、专用性资产和不确定性的认知差异。Keysuk（1999）等认为渠道成员的合作，除了要求资源和能力相匹配外，还要求渠道成员目标兼容、相互信任并践行允诺。

尽管行为范式为渠道研究提供了新的视角和观点，但也仍然遭到批评。行为范式着重研究行为现象，脱离渠道行为发生的环境，而把行为现象与行为发生的前因后果割裂开来，缺乏对前因和后果的研究；另外，在渠道行为理论文献中，除了 Moore 等（1989）之外，很少有人注意到环境变量的作用，以及在什么条件下哪一种权力策略是最合适的，没有提供某种治理策略（如关系治理）比其他治理形式更合适采用的具体条件。

1.2.3 关系范式下的营销渠道理论研究

20 世纪 80 年代末 90 年代初，伴随着营销理论研究的焦点开始从交易营销向关系营销的范式转变，关于营销渠道研究的范式也在发生重大变化。关系范式强调的是买方、卖方乃至整个分销网络长期、互利的关系，它关注这种互动关系建立和发展过程中信任、合作、承诺和依赖等变量的影响。

在早期对渠道权力、渠道冲突等所谓"渠道病态"（channel sickness）研究的基础上，之后学者们将顾客价值、渠道合作、渠道承诺、渠道信任等作为研究的重点，拓展了渠道理论研究的视野。Johanson 和 Silver（2003）把渠道研究范式转型的情况具体进行归纳，如表 1-1 所示。

表 1-1 渠道研究范式的转型

范 式	原有研究范式		新的研究范式		
研究的核心概念	权力	冲突	承诺	信任	合作
核心概念及其示例	权力是某一渠道成员控制或影响其他渠道成员的能力（Hunt and Nevin，1974）	冲突是两个或多个渠道实体间的紧张关系（Gaski，1985）	渠道成员对关系延续的期盼（Dwyer，1981）	愿意信任而且依赖选择的渠道成员（Moorman et al.，1992）	在相互依赖的关系中采取相似或互补的行动使得双方都能获益（Anderson and Narus，1990）
核心概念特点	拥有对其他渠道成员进行奖励或惩罚的能力	渠道成员的目标、价值观或利益不同	坚信有些事情值得延续，因此排除了其他的选择	具有从心理上关注另外一个成员的良好意愿和能力	两个渠道成员之间进行合作并为同一目标奋斗

范　式	原有研究范式		新的研究范式		
研究的核心概念	权力	冲突	承诺	信任	合作
研究指标	控制、顺从、强制、影响、领导	不满意、不一致、沮丧、敌意、紧张	适应、分享资源和信息、相互投资、作出牺牲	宽容、信赖、良好意愿、忠诚、可靠	合作、共同工作、协调、互动、联合行动

资料来源：Johanson M，Silver L. 2003. From Sick Channel to Healthy Relationship：The Development of Channel Research. Journal of Euromarketing，13：3-20.

整个20世纪90年代，渠道理论研究中关系、网络的研究范式兴起。这一时期对渠道关系的研究也更加深入：关系之间的密切度、关系范畴、网络演进、网络的发展和便利化、价值的创造、网络的竞争力等成为研究热点。与此同时，渠道关系的研究维度也突破了先前的权力依赖、冲突等范畴，拓展到了满意、合作、信任、承诺、关系持续性、互惠等。Anderson 和 Narus（1990）认为，渠道关系应该包含"组织关系"和"个体层面关系"两个维度；渠道成员对渠道关系认知存在较大差异，因而分析和测度渠道核心关系显得尤为重要。同时，一些研究者开始结合具体地区研究渠道关系和网络，地区文化特色便成了这些研究的一个显著特点。如 Johnson 等（1993）在研究亚洲渠道关系的时候，增加了一些关系维度以便能体现研究地区的特色，这些维度包括义务性契约（obligational contracting）、关系和面子、现存观念的限制等。

值得注意的是，这一时期在国内亦有一些学者开展了这方面的研究：王桂林和庄贵军（2004）研究了中国营销渠道中企业间信任的概念模型，并总结了一些影响渠道信任的关键变量，包括渠道决策结构、渠道中的依赖与权力、合作与沟通、机会主义、冲突、承诺、企业成绩效果和满意度。戚译和王颖越（2005）对渠道中的关系承诺进行了研究，认为渠道成员间的关系承诺受到多种因素的影响；根据决定性因素的性质可以把这些因素分为两类：经济因素和非经济因素。经济因素对算计性承诺产生影响，而非经济因素则对情感性承诺产生影响。但是总的来看，中国学者在这方面的研究才刚刚起步，研究的理论基础和实证材料有限。

近年来，关系范式和结构范式、行为范式等理论学派趋向交叉融合，渠道研究在深度和广度上不断得以推进，丰富和完善了原有渠道理论体系。

1.3　渠道冲突研究动态

1.3.1　渠道冲突的概念

（1）泛学科的渠道冲突概念

渠道冲突是许多学科的研究议题之一，这些学科主要包括经济学、管理学、心理学和社会学。

社会学理论是现代社会冲突现象研究的重要起源。社会学家们曾经对冲突现象进行了深入研究，这方面的著名学者包括齐美尔（Simmel，1904）、科塞（Coser，1989）、达伦多夫（Dahrendorf，1959）、柯林斯（Collins，1975）等，这些人构成社会学三大理论流派之一的"冲突学派"的中坚力量。该派理论强调对人类冲突行为、冲突功能、冲突现象与社会结构关系的研究。他们认为，营销渠道是一个"超级组织"，因而渠道行为也具有复杂社会组织或社会反应系统的各项特征。Goldman（1966）就把渠道冲突定义为两个成员之间的一种社会关系，其中至少有一方感知到另一方开始实施企图中和、伤害或消除对手的行为，并争夺其稀缺的地位、权力和资源。Raven 和 Kruglanski（1970）则认为渠道冲突是两个或两个以上成员之间的紧张关系，这种紧张关系一般来源于行为及其感知反应的不兼容性。总之，在社会学家看来，冲突是人类最为普遍的行为方式之一，是广泛存在于人类社会经济生活各个领域的重要现象，其本质是斗争和对抗。

经济学认为组织成员的冲突是理性人追寻各自目标利益最大化的普遍后果。寻租行为（rent-seeking）可能导致目标不兼容甚至剧烈冲突，不过更多地也实现了行为激励机制，减少监督成本。Stern 和 Heskett（1969）甚至认为没有冲突也就不存在创新和进步。渠道效率是在既定的渠道决策下，各项必要投入最大化后的产出水平，而冲突对组织效率基本上存在一个积极性的作用区间，但是超过阀值之后又会转换为消极作用（Rosenbloom，1973）。科塞（1937）及以后发展的新制度经济学认为：渠道成员间的产权分配实际上决定了帕累托的效率改进路径，冲突也伴生于产权集的转换。正如 Stergios（1992）假设，在没有产权条件约束下，代理人就会在市场行为和强制行为间摇摆，合作与冲突也将变得不确定。层级管理的事业部制公司，往往同时面临事业部之间的冲突和事业部内部的利益冲突，"搭便车"式的寻租行为也会减低冲突的感化消减作用（Roman et al.，2007）。此外，经济学博弈方法也被用于分析渠道冲突问题，它强调理性人之间的冲突和合作策略，是两个或多个成员之间福利和局势互动的数理分析（朱秀君，2002）。

此外，心理学则认为，渠道冲突是个人间或团体间的心理矛盾表面化后，发生的一种以压倒对方为目的的对抗行为。

由上可知，冲突是普遍和广泛存在的，因而人们对渠道冲突的认识视角也是多种多样的。不过，多学科或者跨学科的内涵阐述都表明，渠道冲突首先表现在不同主体之间的行为互动，它产生于个人与个人之间，或者个人与组织之间，又或者组织和组织之间。一方对另一方的敌对或对抗，必然引发相当的反应，如同作用力与反作用力的相互性；同时，渠道冲突往往存在一个内化和外化的过程。无论是社会学所强调的"紧张"到"敌对"，或者经济学概念下的"不确定性"

到"博弈"，又或者心理学范畴中"背景"到"行动"的发展过程，似乎都隐约给出了冲突发生的"阀值"，冲突既是量化的连续积累，也是质化的跳跃发展。

（2）营销学范畴的渠道冲突概念

渠道冲突是营销渠道运作过程中的普遍现象。目前所知的最早关于营销渠道冲突的比较正式的论述是著名营销学家 Stern 和 Gorman（1969）提出的，他们认为，"当我们把市场营销渠道视为一个社会系统时，至少从定义上讲，渠道成员就构成了一个相互依赖的网络。任何一个渠道成员的行动都将影响其他成员的利益，这种相互依存的关系实际上是渠道冲突产生的基础"。基于此，他们认为渠道冲突是系统变化的过程，包括任务环境和成员的变化。尽管不太明确，但是他们至少谈及两个重点：①冲突是二元化的，存在于成员的利益比较之中；②冲突是两面性的，渠道系统中的成员不得不相互依赖，但同时又不可避免要相互冲突。

Stern（1969）还研究了分销渠道管理中的冲突问题，即冲突与合作相伴相生，渠道成员之间要进行必要的合作，矛盾和冲突就难以避免，没有合作与接触，冲突则无从谈起；他认为，渠道管理成员被锁定在相互依存的网络中，如果一个成员认为其他成员阻碍其实现自身目标，将不可避免地发生冲突。

Vinhas 和 Anderson（2005）认为，渠道冲突是多种因素作用的结果，可能来自于多渠道对同一个客户群的争夺，也可能来自于消费者对多渠道竞争的偏好和额外期望。

Lusch（1976）较为成功地减少了对渠道冲突概念认识上的普遍模糊性。他指出，人们通常说的冲突都是显性冲突，即某一方与其他成员关系中，为了获取关乎自身利益的优势地位时，明显表现出来的程序上的一种行为现象。其实，情感性冲突（一方给另一方带来压力、紧张或不友好的情感感知）或潜在冲突（显性冲突的早起表征）也是普遍存在的，而且两者经常会被混淆。

Eliashberg 和 Michie（1984）进一步丰富了渠道冲突的内涵，他们采纳了冲突的动态观和跨组织观，认为它是渠道成员互相感知、形成情感、做出行动并产生后果的动态过程，且在跨组织的各个层面上普遍存在。由于目标和价值不兼容，或者都对同一个目标的实现表现出一定控制力，因而双方都呈现以对手为中心的对抗态度。

Gaski 和 Nevin（1985）第一次较为全面地总结了学者们对渠道冲突的各种观点。他提到的其他学者的论述主要有：Mallen（1963）的交易行为冲突观，即交易行为本身就构成了冲突的要素，如议价的冲突就很难保证双方都同时满意；Brown（1977）的"挫败—概念化—行为—结果"动态冲突时序观，即某个渠道成员发现其他某个或某些渠道成员正在阻止或妨碍自己完成任务；Etgar（1979）的比超冲突观，即渠道成员感知到对手即将实现目标或取得自己在例常模式下的成就时所产生的压力和紧张。

Stern 和 El-Ansary（1992）在更大程度上把渠道冲突看做渠道成员间的敌对意识或敌对情绪。

后期的研究则开始跳出传统二元关系下的冲突认识，提出了基于组织网络的冲突观点。Anderson 等（1994）认为买卖双方关系或其他的企业间关系都是嵌入在某个复杂网络之中的。Hadjikhani 和 Hakansson（1996）就指出，冲突是某个特定成员间二元关系在网络系统中不断扩散和传递的产物，各种直接和间接的影响互相纠结。

庄贵军和周筱莲（2002）总结了西方营销理论的渠道冲突概念界定：渠道冲突是一个渠道成员意识到另一个渠道成员正在阻挠或干扰自己实现目标或有效运作；或一个渠道成员意识到另一个渠道成员正在从事某种伤害、威胁其利益的行为，或者以损害其利益为代价获取稀缺资源的活动。这个定义已经得到国内众多学者的广泛接受。

因此，我们可以总结渠道冲突的概念内涵有如下 4 点：①渠道冲突是以对手为中心的，即渠道成员一方将另一方视作对手时，冲突也就产生了；②渠道冲突是一种认知，即渠道成员必须确确实实感知到的冲突；③渠道冲突既是一种表现状态，同时还是一个动态过程，它是片断性和连续性的统一体；④渠道冲突存在于复杂网络系统中，相互进行着直接或间接的关联。

（3）渠道冲突和渠道竞争的关系

渠道竞争是与渠道冲突经常一起出现的一个概念，二者也往往容易引起相互混淆。一方面，二者有本质内涵上的区别。渠道竞争是各企业之间、各系统之间相同目标下的行为互容，渠道冲突则往往被描述为目标不一致性下的行为互斥。渠道竞争是一种间接的、不受个人情感因素影响的、以目标为中心的渠道行为；渠道冲突是一种直接的、受个人情感因素影响的、以对手为中心的渠道行为，因而是否有干预对方的行为，可作为区分二者的重要标准（王方华和奚俊芳，2005）。另一方面，渠道竞争和渠道冲突往往又会相互转化甚至互为诱因。显然，渠道竞争并不必然带来渠道冲突，渠道合作也会出乎各方期望地带来难以预料的渠道冲突，渠道竞争演化为渠道冲突则早已是企业实践中司空见惯的现象。渠道竞争一旦突破"规则"，或者当一个成员需要跨越的障碍是另一个渠道成员而不是"市场"时，"正和双赢"的结果就随即转换为"零和或负和单赢"的结果（周筱莲和庄贵军，2004）。此外，渠道冲突也可以被用做改变旧有"竞争规则"的有效工具。一般而言，竞争规则被打破，可能意味着市场机制存在某种纰漏，如垄断带来的不公正等。渠道成员一旦意识到这种不公正，就可通过渠道冲突的表达而达到对"规则"或"制度"的纠偏，期望建立新的良性竞争秩序，从而保障渠道成员利益分配的公正性。

在商业实践中，渠道冲突和渠道竞争之间的界线变得更加模糊，尤其是在功能性渠道冲突和渠道竞争之间。现代冲突理论认为，冲突是组织存在和发展不可避免的现象，而且适当的冲突有助于保证系统活力（朱赛和李立，2007）。因而，功能性冲突与良性的渠道竞争都会表现出"鲇鱼效应"，可以为渠道效率和效益作出重要贡献。

由上，我们可以认为，渠道冲突和渠道竞争是两个既相互联系又互相区别的概念，绝不能简单地加以等同视之。渠道冲突可以是功能性或者破坏性的，而渠道竞争也可能是良性或恶性的，两者都在各自范畴上表现为一个连续谱，由弱到强或由好到坏，同时这两个连续谱又互相衔接和转化。

1.3.2 渠道冲突的类型

Rose 和 Shoham（2004）认为渠道冲突有两种类型，即情感冲突和任务冲突，它们将会阻碍渠道战略实施和渠道绩效提升。

由上述对渠道冲突概念的阐述可以发现，其内涵的丰富性和多维性，与此相对应的关于渠道冲突分类的认识也是多种多样的，不同的学者从不同的视角提出了多种分类体系。孙伟和陈涛（2006）对一些代表性的划分进行了一个有益的归纳（表1-2），尽管另外一些新的研究进展没有引起足够的注意。这些划分依据主要有渠道冲突的焦点问题（Rosenberg and Stern，1971）、渠道冲突发展的阶段（Emest and Stern，1979）、渠道组织形态差异（Kotler，1995）、渠道冲突的性质（Coughlan，2003）、冲突层次（Mangrath and Hardy，1989）。

表1-2　渠道冲突的类型

代表人物	依　据	类　别
Larry J Rosenberg 和 Louis W. Stern（1971）	渠道冲突的焦点问题	日常行为问题冲突（如主导权、主动性、灵活性、地位、沟通等）和特定的业务问题冲突（如价格保护、库存、利润水平和促销等）
Cadotte Emest R. 和 Louis W. Stern（1979）	渠道冲突发展的阶段	潜在的冲突、察觉的冲突、感觉的冲突、显形的冲突和冲突的结果
Philip Kotler（1995）	渠道组织形态差异	垂直渠道冲突、水平渠道冲突和多渠道冲突
Anne T. Coughlan 等（2003）	渠道冲突的性质	功能性（或称建设性）渠道冲突和病态性（或称破坏性）渠道冲突
Mangrath 和 Hardy	分歧强烈程度、重要程度和经常性	三个层次冲突，即高度冲突区、中度冲突区与低度冲突区

资料来源：孙伟，陈涛．2006．营销渠道冲突管理理论研究述评．武汉科技大学学报（社会科学版），8（1）：27-31

（1）根据冲突的发展阶段分类

Pondy（1967）最早提出了如下五阶段的冲突程序观。①潜在冲突。主要来源于资源稀缺性，如对稀缺资源的竞争、自主性要求、目标不一致。②感知冲突。只要潜在冲突存在，感知冲突也无条件存在。③情感冲突。个人性的冲突感觉，表现为不安和敌视。④显性冲突。一种/组会阻碍其他成员目标实现的行为。⑤冲突后果。对冲突情节/事件的舒缓或压制。Thomas（1976）提出了"挫败－概念化－行为－结果"动态冲突时序观。Cadotte 和 Stern（1979）也类似地将冲突描述为一个前后连续的过程，包括潜在的冲突、察觉的冲突、感觉的冲突、显形的冲突和冲突的结果。此外，Eliashberg 和 Michie（1984）实际上较早地把冲突的动态观应用于跨组织之间的分析，认为它是渠道冲突在跨组织的多部门/多层级间的普遍存在。而后来的学者则更多集中研究渠道权力－依赖、信任－满意与渠道冲突的关系，讨论在上述动态过程中渠道冲突在感知、概念化和显化中的发展变化，如 Zhou 等（2007）的实证研究认为供应商－零售商二元关系下冲突感知的概念化差异是非对称性的。

尽管学者们普遍认同冲突的动态性和时序性这一特点，然而以此作为冲突分类的思想却多少引起研究上的混乱。其中一个问题是，在非常宽泛的范围下（从萌芽时的心理感知到显化后的行为及结果）讨论渠道冲突，这本身导致了区分的模糊化和抽象性，难以在实证中加以明确测量和应用。另一个问题是，由于大量使用心理学背景中的挫败、感知、感觉和概念化等概念，探讨这些环节之间的关系已经变得极其困难。正如 Eliashberg 和 Michie（1984）所指出的，但凡沿袭 Pondy（1967）和 Thomas（1976）的冲突流程时序分类的观点，其必要的一个重点就是坚持成员个体的感知差别（如渠道成员怎么看待冲突并赋予其何种意义）；但是在进一步分析多个渠道成员，甚至是跨组织/部门时，这种分类办法带来的混乱就极其明显了。

（2）根据渠道结构加以分类

根据渠道结构中的渠道长度、宽度和密度三大变量，可以将渠道冲突相应划分为垂直渠道冲突、水平渠道冲突和多渠道冲突。垂直渠道冲突是指同一渠道中不同层次成员之间的冲突，如生产商与零售商或批发商与零售商之间的冲突。Rosenberg（1974）等把渠道冲突分为任意两个渠道成员间的动态交互过程，主要有厂商与分销商、厂商与代理商、分销商与代理商之间的冲突。水平渠道冲突是指在同一渠道模式中，同一层次上不同成员之间的冲突。由于未对目标市场的中间商数量或分管区域作出合理的规划，使中间商为各自的利益互相倾轧，往往造成同级批发商或同级零售商之间的冲突。多渠道冲突是在向同一目标市场销售产品时，同时存在的不同渠道之间形成的冲突。当然，Goldkuhl（2007）[①] 分析

---

① 他的博士论文详细讨论了互联网环境下制造商和零售商的二元关系。

了互联网新环境下制造商多渠道的二元关系，他的实证研究也印证了传统理论观点，如目标不兼容或沟通不够将带来多渠道冲突。

总之，根据渠道结构来划分渠道冲突，界限划分较为清楚，但这种划分没有识别哪种冲突要加强控制管理，哪种冲突应该鼓励，还不足以有效地管理冲突。

（3）根据渠道冲突程度加以分类

一般认为，渠道冲突有程度上的差异。Magrath 和 Hardy（1989）最早根据冲突分歧的强烈程度、重要程度和经常性，将渠道冲突划分为高冲突区、中冲突区与低冲突区三个层次（图 1-1）。冲突分歧的强烈程度被描述成小分歧、偶尔激烈的分歧和相当激烈的分歧；冲突分歧的重要程度由低到高排列；冲突分歧的频率有不经常的、偶尔的和持续性的。这种划分有一定的合理性，但是三个层次间的划分界限很模糊，如 Rosenbloom（1987）认为，低水平冲突对渠道效率没有大的影响，中等水平的冲突对渠道效率有好的或建设性的影响（如可以促使渠道成员增强适应性，对市场机会更加敏感等），而高水平的冲突则对渠道效率有坏的或破坏性影响（如渠道成员之间相互拆台、相互伤害和报复等）。显然，这种对渠道冲突的划分是一种静态的划分，它取决于冲突对渠道的影响程度；然而，渠道冲突的性质是变化的，低冲突可能由于其他因素的影响转化为高冲突，这就妨碍了对冲突的及时协调。Brown（1981）认为，衡量冲突最有效的方法是观察争议频率和冲突强度。

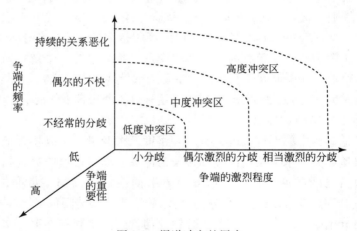

图 1-1　渠道冲突的层次

资料来源：［美］斯特恩，安瑟理，库格伦．2000．市场营销渠道（第 5 版）．赵平等译．
北京：清华大学出版社，186-193.

（4）根据引发渠道冲突的原因加以分类

Peter（1998）有关冲突管理的研究认为，冲突的引发主要来源于六个核心要素，而且同样适用于营销渠道冲突。这六类冲突分别是：①结构冲突，是由组织结构或处理程序上的原因引起的；②资料或信息冲突，是对信息看法不同，可能是关于信息本身的，或是关于信息收集的方式，或是关于信息的应用方式，或是这几种不同看法的组合；③价值判断冲突，是一个团体试图将其自身的价值观强加给另一个团体时出现的冲突现象；④利益冲突，是真实的或认为的需求的差异；⑤关系冲突，源于利益团体对对方的看法，并受到交往方式的影响，经常由于误解或缺乏沟通等原因而引发；⑥情绪冲突。

根据是否存在利益冲突和对抗性行为进一步将冲突分为四种类型：冲突、潜伏性冲突、虚假冲突和不冲突。①冲突，指同时存在对抗性行为和彼此冲突的利益。②潜伏性冲突，指存在冲突的利益，但不存在对抗性行为。③虚假冲突，指发生在不存在利益冲突，但是双方有对抗性行为的情况。④不冲突，指对抗性行为和冲突的利益都不存在。

许多原因可能导致渠道冲突。从本质上讲这些原因都可以纳入七种基本原因中的一种或多种（罗森布洛姆，2006），如角色对立、资源稀缺、感知差异、期望差异、决策领域有分歧、目标不一致、传播障碍等。

（5）根据冲突结果加以分类

Robbins 和 Coulter（1999）曾把冲突分为关系冲突、任务冲突和过程冲突，并指出绝大多数的关系冲突是功能性失调的。依据这一思路，根据渠道冲突的结果，我们可以将渠道冲突分为功能性冲突和破坏性冲突。

功能性冲突，通常被描述为一种驱动渠道成员去适应、成长、抓住新机会的动力，是可控制的。Assael（1969）曾经将功能性冲突可能产生的效果归纳为以下几点：促使对组织政策进行调查；改善沟通机制和不满发泄机制；规范冲突处理模式；平衡资源和权力的分配。其他研究还表明，功能性冲突可能在渠道成员之间产生整体感、提高渠道财政绩效、保持渠道对环境的响应能力等作用。Thomas 和 Schmidt（1976）提出了功能性冲突的三个特点：一是渠道成员认为这种冲突不会带来很高的成本；二是相互分歧的观点可以带来更好的见解；三是双方的对抗性行为并未失去理性，结果也并非破坏性的。

破坏性冲突是渠道成员之间敌对情绪和对抗行为等超过了一定限度，并且对渠道关系和渠道绩效产生了破坏性影响的渠道冲突。在渠道冲突管理机制不存在或不健全的时候，渠道冲突经常会表现出破坏性的特点，损害渠道关系的协调和运行。Hunt 进一步归纳出判断冲突是功能性还是非功能性的三个标准：冲突来源、冲突水平和冲突大小。

1.3.3 渠道冲突模型

（1）Etgar 的渠道冲突模型

Etgar（1979）将冲突定义为一个过程，当一方正在或者将要影响另一方关注的利益时，冲突就发生了。Etgar 构建了一个普遍使用的渠道冲突模型（图 1-2）。他第一次把渠道冲突的来源归纳为两大类：①态度性根源，主要与渠道角色（成员行为应该怎样进行的描述性集合）、期望（意味着成员的信息能力）、感知和沟通相关。②结构性根源，包括目标不一致、自治或控制的欲望、争夺稀缺资源。总体上来看，Etgar 的渠道冲突模型是对冲突过程说的典型阐释，它厘清了冲突来源的两大领域，为开展进一步的冲突过程研究开创了新思路。

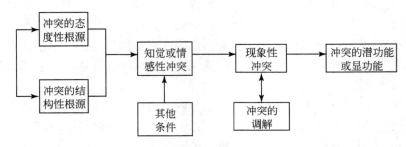

图 1-2　Etgar 的渠道冲突模型

资料来源：Michael E. 1979. Sources and types of intra-channel conflict. Journal of Retailing, 55（1）：61-78.

后来的学者对这一模型进行了完善和扩展。Katsikeas（1992）借鉴并扩展 Etgar 模型用于比较分析国内和国际渠道下的冲突流程。Rose（2004）等细化了 Etgar 关于冲突的前置变量的论述，他们引入中央化（centralization）程度来测度结构性根源中的灵活性和自治能力，以及团队精神（team spirit）来测度态度性根源中成员的角色认知。

（2）Rosenberg-Stern 渠道冲突模型

Rosenberg 和 Stern（1971）通过一个模型（图 1-3）分析哪些渠道问题是引发冲突的主要原因，阐明不同的原因会造成不同程度的冲突水平，而不同程度的冲突会对绩效造成不同的影响。该模型表明，特定的冲突原因导致特定的冲突水平，而特定的冲突水平带来特定的冲突结果。Rosenberg 和 Stern 认为，渠道冲突有以下几种原因：①成员目标不相容；②成员角色冲突、不一致和区域划分失效；③在制定决策过程中对现实的认知差异；这些起因和渠道组织的结构是密切

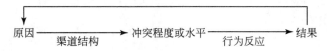

图 1-3　Rosenberg-Stern 模型

资料来源：Rosenberg L J, Stern L W. 1971. Conflict measurement in distribution channels. Journal of Marketing Research, （Nov.）：437-442.

相关的。冲突的实际原因通常是很难被觉察的，不过作为冲突原因具体表现形式的征兆却很容易感知。冲突的征兆是指以要求、抱怨和不满表现出来的问题；这些起因和问题会带来某种特定水平的冲突，冲突的水平取决于起因的严重性程度。

（3）Kenneth Thomas 冲突过程模型和冲突结构模型

Thomas（1976）把冲突看成是一个反复循环的过程，并且认为冲突的过程模型就是识别并且检查每一个冲突周期内的各个事件。在这个过程中，双方的行为又是互动的。他提出了有助于管理组织和行业冲突的模型，并且认为某领域的冲突行为与其他领域的冲突行为具有相关性。

Thomas 等又进一步指出把冲突模型细分为过程模型（图1-4）和结构模型（图1-5）（Thomas and Pondy，1977；Kilmann and Thomas，1978；Thomas et al.，1978）。过程模型是从冲突本身的发展过程来考察冲突，研究冲突过程中的每一个具体事件，并且分析这一事件可能给下一个事件带来什么样的影响；行为者意图特征被认为是冲突事件中的一个关键因素，它会诱发其他方的调整反应（如敌对或报复），而且渠道成员大多表现为意图偏向的，即倾向于认为自身是合作的和友好的，而设想其他人都是竞争的和不友好的。而结构模型是从冲突发生的主

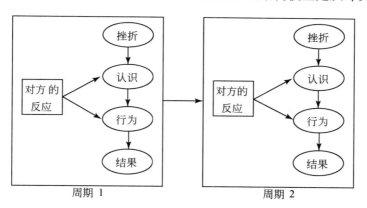

图 1-4　Kenneth Thomas 的冲突过程模型

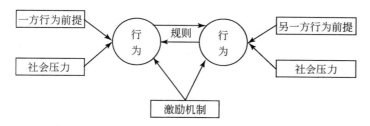

图 1-5　Kenneth Thomas 的冲突结构模型

资料来源：Thomas K. 1976. Conflict and Conflict Management. M. Dunnette（ed）Handbook of Industrial and Organizational Psychology. Chicago：Rand Mcnally College Publishing Co；912.

体和外在环境因素来系统地研究冲突，考察哪些主体因素和外在因素会给渠道冲突带来影响，并且在这种影响下会出现哪些渠道行为；结构模型特别关注的是对冲突双方产生影响的各种压力和限制因素，并且认为每一方的行为都是这些因素变化的结果。

1.3.4 渠道冲突的原因

目前已有的关于渠道冲突原因的研究大致概括如表 1-3 所示。列表所示的各种观点既有差异，又有共通之处。因此，我们在此援引了著名营销学者 Stern 和 EI-Ansary 的代表性的概括，他们将渠道冲突主要归类为三种原因：①目标的不相容。渠道成员所追求的目标不同，扮演的角色不同，所关心的重点也不同。②活动领域的不同。渠道成员所定义的活动领域不同，具体又可分为四方面，如服务的人群不同、覆盖的地区范围不同、执行的功能和任务不同以及分销上的技术水平不同。③对事实知觉的不同。不同的状况有不同的行动基础，不同的知觉会反映不同的行动，此时冲突就会发生。

表 1-3　营销渠道冲突原因的多种观点

学　者	原　因
Robert W. little（1968）	传播误差、渠道成员不同目标和分歧、联合决策过程的失误
Stern 和 Gorman（1969）	角色不一致、资源稀缺、知觉差异、期望差异、决策范围不一致、目标不协调、沟通困难
Rosenberg 和 Stern（1971）	目标不一致、范围分歧、知觉不同，其他事项
Robicheaux 和 EI-Ansary（1975）	角色描述不同、事件处理的差异、知觉差异、目标不一致
Lusch（1978）	渠道成员权力的博弈，非强制权力的使用易于缓解冲突，而强制权力则加剧冲突
Etgar（1979）	态度方面来源：渠道角色、期望、认知、沟通 知觉方面来源：目标分歧、追求自主权、对稀缺资源的竞争
Bowerson（1980）	目标不一致、范围和地位角色不一致、沟通不良、知觉差异、观念差异
Stern，Brown 和 EI-Ansary（1989、1996）；Webb（2002）	目标不相容、归属差异、对现实的不同理解
Bert Rosenbloom（1999）	角色对立、资源稀缺、感知差异、期望差异、决策领域分歧、目标不一致、传播障碍等
Joel R. Evans（2001）	成员目标不一致，特别是厂商和中间商的目标不一致，具体体现在定价、购买条件、货架空间等 16 个方面
Philip Kotler（2001）	成员目标不一致、不明确的任务和权力、在感觉上的差异和相互之间的高依赖性

资料来源：Stern L W, EI-Ansary A I, Coughlan A T. 2001. 市场营销渠道（第五版）. 赵平，廖建军，孙燕军译. 北京：清华大学出版社.

1.3.5 渠道冲突的结果

（1）经济影响

冲突通过影响资本投入而影响渠道效率。所谓"渠道效率"，前文已提及，Rosenbloom（1973）认为它是"实现分销目标所需资本投入的最优回报率"。渠道冲突的经济影响可以通过许多指标来衡量，这些指标主要是渠道成员企业的财务指标，如学者们曾经采用的销售额、资产和投资回报率、资产周转速度、销售毛利润、市场份额、客户服务、客户满意程度等指标。Rosenbloom 曾经提出过一个概念模型，其主要观点是，渠道冲突对渠道效率的影响表现为类似倒"U"的结构，即先是水平的中性作用，然后是一个向上的积极性刺激作用，最后随着渠道冲突的急剧增加而呈现负向的拖累作用（图1-6）。

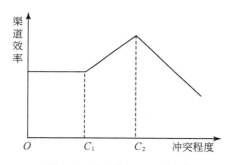

图1-6　冲突与渠道效率图

资料来源：Rosenbloom B. 1973. Conflict and channel efficiency：some conceptual models for the decision maker. Journal of Marketing，37（7）：26-30.

（2）非经济影响

渠道冲突的非经济影响是相对于前述的经济影响而言，它一般较难进行定量的衡量。然而，一般的研究观点，主导或决定冲突发生的非经济影响聚焦于以下三大间接变量观测：满意、信任和承诺。

其中，满意通常被定义为一个渠道成员对其与另一个渠道成员合作产生的全部结果的评价，又包括经济满意和社会满意两个方面。经济满意是指某一渠道成员对于渠道合作所产生的经济成果的积极的、情感性的反应。经济满意的渠道成员认为该渠道在实现目标方面是成功的，它对于渠道效率以及成果是满意的。而社会满意是渠道成员对渠道关系社会心理方面的评价。满意的渠道成员将会彼此信任，从而对渠道关系产生正面的预期。

另外，信任被认为是一方对另一方动机和目的的信念，即认为另一方是善意并且诚实的。Anderson 和 Narus（1990）曾把信任定义为："认为伙伴公司会采取有利于本公司的行为，而且不会采取不利于本公司的行为的一种信念。"Weitz（1995）等认为，信任是一方认为自己的需要可以通过另一方的行为来满足的信念。许多学者相信在人际关系和组织间关系中，信任是对成员行为影响最大的因素；信任对方的渠道成员会使短期的自身利益服从于长期的渠道利益（Crosby et al.，1990），而且会避免对渠道伙伴产生负面影响的行为。

同时，承诺是经济关系中一方保持并强化这种关系的愿望。承诺不仅意味着拥有当前的忠诚关系，还涉及对未来进行合作的信心，以及以其他机会为代价而对伙伴进行投资的意愿。

如前所述，渠道冲突的非经济影响较难得到精确测量，但是在定性方面的研究则已基本达成广泛的共识；这种共识可根据 Geyskens 和 Kumar 等（1999）的研究得到展示（图 1-7），他们认为，剧烈的渠道冲突与上述三个变量间具有如下关系：冲突会降低渠道成员的满意程度；同时冲突不仅直接影响渠道成员之间的信任，而且通过降低满意程度进一步影响了渠道信任；不信任的渠道成员关系往往会破坏渠道的承诺关系，从而使渠道成员之间的长期合作变得困难。

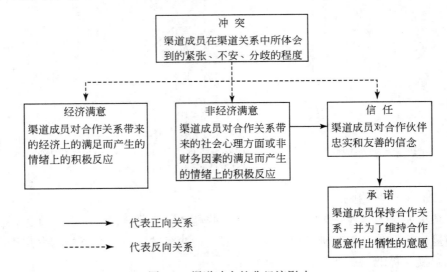

图 1-7　渠道冲突的非经济影响

资料来源：Geyskens I, Steenkamp J E M, Kuman N. 1999. A meta-analysis of satisfaction in marketing channel relationships. Journal of Marketing Research, 36（May）: 223-238.

1.3.6　渠道冲突实证研究进展

为了有效研究渠道冲突，学者们最关心的是渠道成员之间的分歧、不一致性，这是西方学者研究营销渠道冲突时反复出现的研究主题。

西方学者提出了目前占支配地位的所谓"冲突－绩效"假说,其核心思想是冲突将降低渠道绩效。如 Kelly 与 Peters（1977）的研究发现渠道冲突与渠道绩效间存在负相关;但是有学者提出了相异的观点,如 Person（1973）的经验研究未能发现渠道冲突与渠道合作给渠道带来不同的渠道绩效,且在一些特定的冲突事项上,冲突具有建设性功能。Duarte（2003）等通过实证研究验证渠道冲突与渠道绩效的关系并提出了"阀限理论";该理论认为,冲突的缓慢上升引起渠道绩效的下降,一旦阀限下降突破某个阀限值,渠道冲突就会突然快速上升,从而对渠道造成严重的破坏。因此,关于渠道冲突与渠道绩效的关系就出现了两派观点,一派认为渠道冲突只有纯粹的负功能,而另一派则认为在一定范围和条件下渠道冲突具有正功能。

关于冲突程度究竟如何影响渠道效率的实证研究并没有得到一致的结论,渠道冲突与渠道绩效之间的非确定性关系有许多解释。例如,Stern（1973）曾经对渠道冲突与渠道绩效的这种关系做出过理论解释,他认为:一方面,渠道冲突可能产生积极的影响,没有渠道冲突,渠道将失去可行性和活力,渠道成员将失去创新精神而走向消极被动;因为冲突促使渠道成员审视自己的行为、打破旧的习惯、分析自身的不足,并加强与渠道伙伴的沟通。另一方面,冲突毕竟是以对手为中心的行为,很容易导致破坏、妨碍对方的行为,这种行为必然影响对方分销目标的实现,从而降低渠道效率。

20 世纪 80 年代后,经销商越来越多地掌握针对制造商的主动权并给后者带来诸多不便。Rosson 和 Ford（1980）开展相关研究并把研究重点置于以下四个方面:①产销双方在市场营销活动方面的分歧（如信息交换、价格制定、销售策略、库存水平、发货日期、售后服务等）;②生产商与不同经销商之间产生分歧的频率及差异;③产销双方解决分歧的意愿;④产销双方相互依赖的程度。

Stank 等（1999）对食品企业的供应链进行实证研究发现,供应链成员之间的合作将提高以下三方面的营运效率从而对提高渠道绩效有明显影响:降低库存商品数量、降低库存商品种类、降低从订货到收到货物的时间。但是,他们没有发现合作能改善交易成本和订购成本等其他的供应链营运指标。他们还发现供应链内的沟通水平对改善库存状况、促进成员的长期合作也能产生良好作用。

Philip（2001）对美国猪肉产业渠道冲突与整合的状况进行了分析。他指出,目前美国猪肉产业的结构特点是:为了避免过多的渠道冲突,渠道成员采用了市场集中化和企业垂直整合策略。该结构特点暗示着美国猪肉市场的非完全竞争。在非完全竞争的市场条件下,政府对猪肉生产经营者的补贴政策其功能是存在差异的。补贴政策可以划分为两类:一类是其功能的发挥与企业的市场行为无关,而另一类则与企业市场行为有关。如果政府政策的目的是提高猪肉生产者的利益，则应该保护猪肉自由贸易和自由市场。

Lee（2001）对中国海南岛的啤酒营销渠道进行了实证研究。这是一个少见的对中国食品营销渠道进行的研究。他认为中国的食品营销渠道的外部环境有两个突出特点：一是市场不确定性高，渠道成员面临着比较高的经营风险；二是渠道成员的相互依赖程度比较低。他检验了渠道权力、冲突与渠道满意度的关系，认为强制性使用渠道权力将导致更多的渠道冲突并降低渠道满意度，这一点与西方国家的渠道状况并不存在明显差别。

Kevin 和 Webb（2002）对混合渠道冲突的研究发现，渠道冲突对渠道绩效和渠道满意度都会产生影响，但是这种影响会受渠道冲突阶段的限制。渠道冲突的数量和频率——而不是冲突的激烈程度，对于渠道的整体绩效有负面影响。

从冲突中情感卷入的角度看，以往的研究一般把冲突分为情感性冲突和事项性冲突，而且认为前者一般对渠道具有负功能，后者因其以解决问题为导向而具有正功能。但是 Rose 和 Shoham（2004）的研究发现，情感性冲突和事项性冲突两者都对渠道具有负功能，两者都会降低渠道绩效。他们还指出事项性冲突可能由于渠道成员之间的误解而转化为情感性冲突。

Sunil（2005）的研究认为，渠道成员具有的专家权力会促成以下结果：更多合作性的渠道沟通、更多的渠道合作、更多地关注渠道行为而非纯粹的渠道绩效，从而有利于渠道管理。

此外，西方学者在渠道冲突研究过程中发展出一些很有学术价值的测量量表，这是他们开展渠道研究的重要工具。他们的资料收集方法包括问卷调查、实验研究（主要为心理学家采用）、实地观察以及邮件调查。可以看出西方学者重视对渠道冲突进行定量研究，注重对来自于渠道成员经营管理实际的数据资料进行搜集和分析，所采用的研究方法比国内学者们丰富。

张闯和夏春玉（2005）对我国农产品流通渠道的权力结构和组织体系进行研究，认为目前农产品流通渠道稳定性缺失和效率不高的原因在于农产品流通渠道中权力结构的过度失衡，而这一问题的解决有赖于农产品流通合作社规模与实力的壮大、农户组织化程度的提高以及政府层面互补性制度的安排。

朱秀君等（2002）从博弈论的角度探讨了渠道成员面临冲突时的"囚徒困境"，并建议经销商之间通过触发纳什均衡达到自觉合作，同时，设计出一套满足激励约束兼容的激励机制也可以促进经销商之间的合作。

庄贵军和周南（2003）对渠道中依赖的感知差距与渠道冲突的关系进行了研究，发现在配对渠道成员关系中，存在着对彼此依赖程度的感知差距，而且这种差距会导致更多的渠道冲突与摩擦。

周筱莲（2004）等则认为关系营销是预防有害性渠道冲突发生的有效方法，并介绍了一般常用的渠道冲突的具体解决方法：问题解决法、劝解法、讨价还价法和第三方介入法。

关于渠道冲突的解决办法。张中元等（2004）把西方学者的基本思路总结为两类：一类是涉及网络渠道的渠道冲突解决方案，另一类是从整体上提出解决方案。后者又可以再分为两种：第一种是在冲突升级为破坏性冲突之前设法在第一时间控制冲突，第二种是冲突明显化后采取措施解决冲突。陈敏（2004）则提出渠道冲突的关系型解决方案，具体策略包括建立渠道成员的相互信任体制、进行利益上的双边锁定、建立公平合理的利用分配机制等。

总的来看，关于营销渠道的实证研究注重渠道冲突的原因、冲突的解决策略、渠道权力、渠道领导行为、渠道冲突状态等方面，并积极探讨它们之间的相互联系。现在已经取得共识的观点是：严重的渠道冲突将不可避免地导致渠道绩效的下降，而且渠道冲突越普遍，渠道成员对于渠道关系的满意度越低。

目前渠道冲突研究的缺点是：①目前渠道研究绝大部分以西方成熟市场经济下的渠道尤其以美国的营销渠道为研究对象，对处于不同经济发展水平和社会文化状况的其他国家尤其是发展中国家的营销渠道研究甚少；今后的研究应该探讨不同国家营销渠道冲突的特点和规律，这对于进一步发展渠道理论和提高渠道研究解决实际营销问题的能力十分重要。②学者们多用经济学视角探讨渠道成员间的冲突与合作关系、渠道成员与政府的关系；而从学科交叉角度尤其是从渠道组织行为角度对渠道冲突的行为动机、行为模式、解决策略等的研究有限，研究的深度和广度仍有一定局限；农产品营销领域的渠道冲突研究尤其不够。③已有研究对于渠道冲突的发展过程研究不够。渠道冲突的产生与发展有一个过程，但是目前对该过程的研究还很薄弱，使得该过程基本仍然处于"黑箱"状态。今后的研究需要探讨渠道冲突产生的具体过程与机制。④关于渠道冲突解决机制的研究不够。当前的研究聚焦于渠道权力、冲突、资源方面，形成了所谓资源—权力—冲突的研究框架，但是却很少告诉人们如何有效减少和化解冲突，这大大影响了渠道冲突研究在营销管理上的应用价值。

1.4 本章小结

本章主要对国内外营销渠道的相关理论和研究动态进行梳理和总结。营销渠道研究一直以来都是营销学研究的热点和主要任务之一，在营销渠道理论演进的过程中，形成了渠道结构、渠道职能、渠道关系与渠道行为、渠道治理，以及渠道效率等几大研究领域，积淀了较为成熟的以结构范式、行为范式和关系范式为主导的营销渠道研究范式，最新的营销渠道研究文献显示，结构学派和行为学派的渠道理论开始相互渗透和融合。

本章还对渠道冲突研究动态进行了整理和评述。对泛学科的渠道冲突概念进行了界定；在澄清定义的基础上，根据不同的标准对冲突进行了分类研究，指出渠道冲突可以根据结构变量、冲突程度、冲突结果与冲突原因进行分类；对渠道冲突研究的理论方法和冲突测量方法以及实证研究成果进行了简要的总结，并指出未来一段时间内有关渠道冲突研究的大致方向。

第 2 章
农产品营销渠道冲突及冲突观

2.1　基本概念界定

渠道冲突（channel conflict）：本研究基本沿用著名营销渠道研究专家斯特恩（Stern，2001）关于渠道冲突的定义，即渠道冲突是营销渠道成员围绕渠道稀缺资源（主要是经济利益）展开的对抗和斗争。当某一渠道成员的行为阻碍另一渠道成员目标的实现时，渠道冲突就发生了。它以对立为中心，而且具有直接现实性的特点。

冲突观念（mentality of conflict）：心理学认为社会成员的观念对于其行为有深刻影响（杨国枢，2004）。本书中的冲突观念是渠道成员对于渠道冲突的认知和态度，具体包括对于渠道冲突意愿、渠道冲突方式的认知和态度。

渠道权力（channel power）：本书中的渠道权力也基本沿用 Stern（2001）的定义，即渠道权力是指即使在对方不情愿甚至反抗的情况下，渠道中的某个成员（A）要求其他成员（B）按照自己的意愿采取行动的能力。渠道权力的本质是影响力，一个渠道成员越能让其他渠道成员对自己产生依赖，其获得的渠道权力就越大。

本书的研究对象：本书只集中研究农产品营销渠道中批发商与批发商、批发商与零售商、批发商与部分组织型终端使用者（主要是酒店、餐馆）之间的冲突关系。农产品经销商与农产品生产者之间、农产品经销商与终端消费者之间的冲突关系不是本书研究的重点讨论内容。

2.2　渠道成员冲突观的测量

所谓冲突观，是渠道成员关于渠道冲突的基本观念和想法。它在很大程度上决定和影响了渠道成员如何看待冲突以及采取何种冲突行为。企业营销渠道的冲突归根结底是人与人之间的冲突。而中国社会又是一个非常强调人际和谐的社会，大部分中国人不到万不得已不愿与他人发生正面冲突。这种文化的和合性反映到商业活动上就是追求"和气生财"。但完全永久的和谐永远只是美好的想象，俗话说"商场如战场"，在经济活动中冲突和竞争是不可避免的。那么，在强调人际和谐的中国文化背景下，企业营销渠道成员所拥有的渠道冲突观念的现状如何？对这个问题展开研究，一方面可以了解农产品营销渠道的成员所具有的各种关于渠道冲突的观念，弥补当前学术界在这方面研究的不足；另一方面，由于人们的观念引导其行为，因此对渠道成员的冲突观念进行正确的调试，将有利于缓解渠道冲突、控制冲突的破坏性，这对于改善农产品营销渠道管理也具有重要意义。

本章要回答以下三个问题：①目前农产品营销渠道成员具有哪些主要的冲突观念？②何种特征的渠道成员具有某些特定的渠道冲突观？换言之，不同的渠道冲突在渠道成员中是如何分布的？③不同的渠道冲突观对于渠道冲突有何影响？

目前已有的营销渠道冲突研究还很少涉及冲突观念的研究。一些相关研究主要是对渠道冲突行为的研究。中国台湾学者黄丽莉（1996）认为，华人有着强烈的追求"和谐"的愿望，华人文化肯定和谐的积极价值和冲突的负面价值。贺和平（2005）等发现，"忍"是中国传统文化提供的对各种冲突的一种有效化解方式，它在忽视乃至压抑个人需求的同时试图阻止冲突表面化和公开化，这与西方人的行为习惯差别是非常大的。杨中芳（2001）在解释中国人的冲突行为时指出，中国的文化、社会和历史环境都不鼓励以正面的攻击行为解决人际关系中的矛盾，因此会尽量减少发生冲突的可能，或者采取间接方式表达不满。汪凤炎（2004）等的研究表明，中国人有"畏争"的文化心理，如果有时确实与他人发生了斗争而且不怕"争"，可能是由于以下原因：迫不得已而为之；认为"争"在特定情况下是有用的和必需的；认为有时"争"是诚恳待人的体现；认为有真理就没有必要怕"争"。

这些研究的启示是：由于营销渠道成员的渠道冲突行为是多样化的，支配这些行为的冲突观念很可能也是多样化的；中国人的渠道冲突观念应该以"忍耐"、"畏争"为主流，尽量压制实际渠道冲突行为的发生。但是一个不争的事实是：改革开放以来，中国人的价值观念包括冲突方面的价值观已经发生了深刻的变化，中国人在维护自己的正当利益时已经变得更为直率、开放和大胆，社会对人们为了维护正当利益而展开的冲突行为的容忍程度也在提高。另外，本书的研究对象是商人，他们的冲突观既有与普通社会大众一致之处，又必然带有职业生涯的深刻影响。所以，简单照搬已有研究去推定农产品营销渠道成员的冲突观念显然是不可取的，必须以实地调查的材料为基础进行新的研究。

2.3　研　究　方　法

本书主要采用实证研究方法，就渠道冲突问题对农产品营销渠道成员进行问卷调查，调查地点在包括湖北省武汉白沙洲农产品批发市场、汉口华南农产品批发市场、竹叶山农产品批发市场、万墩农产品与水产品批发市场、深圳布吉农产品批发市场等。共发放问卷480份，收回有效问卷450份。

为了保证研究材料的丰富性和客观性，在问卷调查之外还对一些农产品营销渠道成员进行了时间长达一年以上的个案观察和访谈。调查获取的数据运用SPSS15.0统计软件进行了分析处理，在具体的统计分析技术上采用了描述统计、相关分析、回归分析、交互分类、因子分析和聚类分析等统计分析方法。

2.3.1 调查对象基本情况

表2-1是对湖北省调查对象基本情况的描述。表中列出了被调查者的"资产规模"、"上年销售总额"、"近一年来的经营状况"、"从业人数"、"在武汉的经商时间"、"渠道成员的性格"、"渠道成员的文化程度"等基本情况的频次及百分比分布。

表2-1　调查对象基本情况

项　目	题　项	有效百分比/%	有效频次（n）
资产规模	50万元以下	63.6	273
	50万~100万元	22.8	98
	100万~300万元	6.8	29
	300万~500万元	6.8	29
	总计	100.0	429
上年销售总额	50万元以下	40.7	170
	50万~100万元	22.5	94
	100万~300万元	20.8	87
	300万~500万元	16.0	67
	总计	100.0	418
近一年来的经营状况	很好	8.8	38
	良好	34.0	146
	一般	50.0	215
	差	7.2	31
	总计	100.0	430
从业人数	1~3人	32.6	138
	4~6人	31.2	132
	7~10人	16.1	68
	11人以上	20.1	85
	总计	100.0	423

项 目	题 项	有效百分比/%	有效频次（n）
在武汉经商时间	1~3年	27.0	115
	4~6年	28.2	120
	7~10年	31.2	133
	11年以上	13.6	58
	总计	100.0	426
性格特征	好胜心很强	20.1	85
	好胜心比较强	46.1	195
	好胜心一般	30.0	127
	好胜心比较弱	3.8	16
	总计	100.0	423
文化程度	小学及以下	7.4	32
	初中	37.9	163
	高中	40.7	175
	大专、本科及以上	14.0	60
	总计	100.0	430

注：有些选项的回答存在缺损值，故表中提供的是有效百分比

从表中可以看出，样本的资产规模集中在"50万元以下"的有273人次，占63.6%。资产规模在"100万~300万元"和"300万~500万元"的均占6.8%。

对渠道成员上年的销售总额的统计得知：销售总额在"50万元以下"的占40.7%，"50万~100万元"的占22.5%，"100万~300万元"的占20.8%，"300万~500万元"的占16.0%。

近一年的经营状况的统计中：经营状况"一般"的占到了一半，有效频次为215；其次是经营状况"良好"的，占34.0%；经营状况"很好"和"差"的比例都不大，分别为8.8%和7.2%。

对从业人数的统计中，为了方便统计，对问卷中的选项进行了重编码。把从业人数划分为4段，分别为1~3人，4~6人，7~10人和11人以上。被调查者在这四段中人数的百分比分布分别为32.6%、31.2%、16.1%和20.1%。

对在武汉经商时间的统计中，也对问卷中的选项进行了重编码。把在武汉的经商时间划为了4段，分别为1~3年，4~6年，7~10年和11年以上。渠道成员在武汉经商时间集中在"7~10年"段的最多，占31.2%；其次是"4~6年"段的，占28.2%，再次是"1~3年"段的，占27.0%，所占比例最少的为"11年以上"的，占13.6%。

对渠道成员性格的调查结果发现："好胜心比较强"的有195人，占46.1%，

"好胜心比较弱"的仅占3.8%。

对渠道成员文化程度的统计中，也对调查搜集到的资料进行了重编码。将问卷中的"大专"、"本科"和"本科以上"这三项进行了合并。统计结果表明，渠道成员文化程度在"高中"段的最多，占40.7%，其次是"初中"段的，占37.9%，"小学及以下"的比例最小，仅占7.4%，"大专、本科及以上"的有60人，占14.0%。

2.3.2 冲突量表

鉴于当前对渠道冲突观念的研究较少、学术界还没有形成较通行的冲突观测量量表，本书没有现成的权威性量表可供借鉴。课题组首先通过大量文献调查并参考了Lee（2001）使用的渠道冲突行为量表；同时结合个案访谈资料，收集了渠道成员关于渠道冲突的一些基本观念，在此基础上编制了一个包括13个题项的渠道冲突观测量量表。之后在渠道成员中以焦点组（focus group）方法进行了三次试调查，删除了渠道成员认为不符合渠道冲突实际情况的量表项目，最后得到一个包括11个量表项目的冲突观测量量表（表2-2）。

我们还检验了量表的信度与效度。信度是指测量数据的可靠程度即测量的稳定性与一致性，效度则是测量工具确能测出其所要测量的特质的程度（袁方，2004），本量表的Cronbach系数超过了0.8，表明其具有良好的内部一致性信度。在效度方面，因子分析显示共有4个公共因子，累计方差解释率超过60%，该量表具有较好的建构效度；而文献调查、焦点组调查则保证了该量表具有较好的内容效度。因此该量表的信度与效度符合研究要求。

表2-2 渠道冲突观念测量量表

题项代码	量表题项（items）	同意/%	不同意/%
C1	一般情况下我赞同以"和"为贵，不到万不得已不与其他经销商发生冲突	82.1	17.9
C2	引起冲突的事项越重要，冲突双方卷入冲突的时间就越长	58.5	41.5
C3	引起冲突的事项越重要，冲突双方使用的手段就可能越激烈	59.2	40.8
C4	别的经销商侵犯了我的利益，我赞成以牙还牙，不然老被别人欺负	35.5	64.5
C5	人善被人欺，要想做生意赚钱就必须随时准备跟人斗	36.4	63.6
C6	别的经销商侵犯了我，我不会立即进行报复，而是等待有利时机进行反击	52.4	47.4
C7	别的经销商侵犯了我的根本利益，使我受到比较大的经济损失，我会加倍进行还击	38.5	61.5
C8	在冲突过程中有时在一些非原则问题上做出让步，是为了在关键问题上争取更大利益	82.0	18.0

题项代码	量表题项（items）	同意/%	不同意/%
C9	对那些名气大、实力强的经销商我会尽量避免与他们冲突，小的经销商我就无所谓了	41.2	58.8
C10	最好不要与那些实力太强的对手进行正面冲突，否则今后很难做生意	40.1	59.9
C11	一旦渠道成员之间发生过激烈的冲突，以后再在二者间建立良好的关系就非常困难	62.9	37.1

注：表中百分比计算的是有效百分比

从表中可以看出，69.8%的渠道成员认可"一般情况下我赞同以'和'为贵，不到万不得已不与其他经销商发生冲突"。也就是说，大部分渠道成员都不愿意与其他经销商发生冲突，因为冲突的影响一般都是负面的，总会给冲突双方带来物质和精神上的损失，而避免冲突、和气生财成为渠道成员的更好选择。值得注意的是，虽然崇尚"以和为贵"的渠道成员较多，但是他们中同时选择其他冲突观的成员也不少。

当冲突发生时，引发冲突的事项越重要，冲突双方卷入冲突的时间就越长、使用的手段就越激烈，对这种冲突观，渠道成员的认可程度如何呢？调查数据显示，有约60%的被调查者同意这种冲突观。那么，当别的经销商侵犯了被调查者的利益时，他们会怎样反应呢？调查发现，64.5%的被调查者赞成C4"以牙还牙，不然老被别人欺负"，而同意C6"我不会立即进行报复而是等待有利时机进行反击"的有52.4%，同意C7"别的经销商侵犯了我的根本利益，使我受到比较大的经济损失，我会加倍进行反击"冲突观的有38.5%。这表明多数渠道成员并不赞成"以牙还牙"、"加倍反击"的剧烈冲突观，在受到其他渠道成员的攻击后他们宁愿等待有利时机进行反击。

渠道中发生冲突时，渠道成员往往会在一些非原则问题上让步，目的是在关键问题上争取更大的利益，有82.0%的被调查者支持这种观点（C8）。因为在非原则性问题上与他人发生冲突得不偿失，既不能得到足够的利益，又会造成与其他渠道成员关系的紧张，而关系一旦受到破坏后再在二者间建立良好的关系就变得非常困难。62.9%的被调查者认同C11"一旦渠道成员之间发生过激烈的冲突，以后再在两者间建立良好的关系就非常困难"。这种迂回性、策略性的冲突观念在农产品营销渠道成员中还是比较普遍的。

渠道成员是否会因经销商的实力和名气不同而选择不同的冲突观？调查显示，58.8%的被调查者不同意这种看法（C9），也就是说他们是否与其他经销商发生冲突不受经销商的实力和名气影响。

2.4 渠道成员的主要冲突观

2.4.1 渠道成员特征与冲突观的关系

（1）渠道成员资产规模与渠道冲突观

崇尚和合、尽量避免渠道冲突的和合冲突观的测量题项 C1 代表"一般情况下我赞同'和'为贵，不到万不得已不与其他经销商发生冲突"。表 2-3 数据显示，渠道成员资产规模对该冲突观的接受程度有显著影响。

表 2-3　渠道成员特征与渠道冲突观的单因素方差分析

X：渠道成员特征	Y：冲突观题项	F 值	P	结　论
资产规模	C1	3.591	0.014	显著
就业人数	C4	3.187	0.024	显著
文化程度	C4	2.459	0.045	显著
文化程度	C4	2.799	0.026	显著
经商时间	C8	2.843	0.038	显著

注：$P < 0.01$ 为极显著，$P < 0.05$ 为显著

图 2-1 为渠道成员特征与渠道冲突观均值的关系。其中，纵轴数值中，"1"代表"同意"，"2"表示不同意，即纵轴数值越高表示越不同意选项的观点。由图 2-1（a）可知，资产规模与冲突观 C1 的关系基本呈现倒"U"形关系。资产规模在 300 万元以下的渠道成员，随着其资产规模的增加，越来越不赞同"以和为贵"的冲突观；而资产规模在 300 万元以上的渠道成员，其资产规模越大，越是肯定此冲突观。渠道成员的这种冲突观是有特定原因的：在农产品市场中，当渠道成员的资产规模较小时，该成员由于自身实力比较弱而经常会受到其他渠道成员的打压，因此容易发生渠道冲突，此时为了维护自身利益而与他人发生冲突是一种必要的选择；而当资产达到一定程度（300 万元以上），其资产专用程度也大幅度提高，专用资产投资越多则关系脱离越困难，一旦与对方发生冲突，可能会出现两败俱伤的结果，损害自身利益，所谓合则两利，斗则俱伤；在冲突中渠道成员就能凭借其优势的资本实力和影响力去控制对手，因此他们开始赞同"以和为贵"，不到万不得已不与其他渠道成员发生冲突。

（2）渠道成员就业人数与渠道冲突观

具有对等报复冲突观性质的测量题项 C4 代表"别的经销商侵犯了我的利益，我赞成以牙还牙，不然老被别人欺负"。表 2-3 数据显示，渠道成员的员工规模与冲突观题项 C4 具有显著影响。图 2-1（b）进一步表明，渠道成员聘请的员工

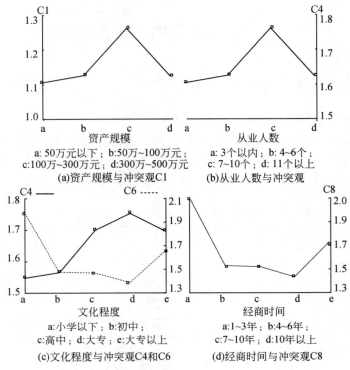

图 2-1 渠道成员特征与渠道冲突观测项的关系

数越多，越不赞同对等报复性冲突。渠道成员聘用的员工数越多，表明其经营规模越大、实力越强，也越讲求商业规则，在渠道冲突中他们也越趋向于理性，较少地掺入个人的情感，不以报复他人为主要的行为取向。因此，他们不赞同"以牙还牙"这种情绪性发泄的冲突方式。

（3）渠道成员文化程度与渠道冲突观

另外，测量题项 C6，即"别的经销商侵犯了我，我不会立即进行报复而是等待有利时机进行反击"，该题项具有延时冲突观特征。由表 2-3 可知，渠道成员的文化程度对 C4 和 C8 都有显著影响。图 2-1（c）表明，文化程度较低的渠道成员比较赞同对等报复冲突观（C4）。随着其文化程度的增加，他们越来越不认同对等报复冲突观；但是当文化程度达到大专及以上时，他们却越来越肯定此冲突观了。与之相反的是，文化程度越高的渠道成员越赞同延时报复冲突观（C6），但是当文化程度在大专以上后却又开始反对此冲突观。渠道成员冲突观受其文化程度影响是有特定原因的。文化程度在大专以下的渠道成员，思考问题可能相对简单，因此他们更赞成对等报复冲突观而不同意延时报复冲突观；随着文化程度的逐步增高，渠道成员越来越讲求冲突的方式和方法，延时报复冲突观成为他们的主要选择；而大专以上文化程度的渠道成员，其自信心和经营能力都会比较强，因此更可能采取直接对抗的冲突方式。

（4）渠道成员经商时间与渠道冲突观

具有策略冲突观特征的测量题项 C8 表示"在冲突过程中有时在一些非原则问题上做出让步，是为了在关键问题上争取更大利益"。表 2-3 的数据显示，渠道成员在武汉经商时间对该冲突观的接受程度有显著影响。由图 2-1（d）可以看出，渠道成员在武汉经商时间在 6 年以下时，相对比较讲求策略冲突观。随着其经商时间的增加，他们越来越不认可该冲突观；而经商在 6 年以上时，随着时间的增加他们越来越认可该冲突观，整个变化趋势呈现"U"形。这种变化趋势的原因可能是：当渠道成员刚开始经商、势力还比较弱小时，他们迫不得已必须讲求冲突策略，避免与强势渠道成员发生正面冲突，这是一个不自觉的讲求冲突策略的阶段。当渠道成员在一个地方经商一段比较短的时间后，经济实力有了一定程度的增长，因此开展正面冲突的自信心增强了。同时，他们的经商经验仍然比较欠缺，也难以判断冲突中哪些问题是原则性、重要性问题，哪些问题是次要问题，所以他们不愿意采取策略型冲突行为。当经商时间累计到一定程度（6 年左右）时，他们的经商经验已经比较丰富，对冲突的分析也更加深入，更加懂得放弃小利而获取更大利益的道理，所以他们更赞成策略冲突观。

2.4.2 渠道成员的主要冲突观念

我们对冲突观念进行了因子分析。在因子分析的适当性考察中，KMO 值为 0.715，Bartlett 球度检验给出的相伴概率为 0.001，因此，巴特利特球形检验和 KMO 检验两个检验都通过，可以对渠道冲突原因进行因子分析。我们以特征根大于 1 为标准共提取 4 个公共因子，总方差解释率达到 62.89%。表 2-4 提供了因子分析结果。

表 2-4　渠道成员冲突观念测项的因子分析

项　目		载荷因子			
		F1	F2	F3	F4
渠道成员冲突观 11 个测项	C7	0.762			
	C4	0.665			
	C5	0.628			
	C2		0.585		
	C3		0.768		
	C1			0.815	
	C8			0.571	
	C6			0.523	
	C9				0.770
	C10				0.522
	C11				0.511

项　目	载荷因子			
	F1	F2	F3	F4
因子命名	针锋相对 冲突观	权变策略 冲突观	尚和退让－交 换待机冲突观	因人而异 冲突观
方差解释率/%	19.40	17.41	13.54	12.54
累计方差解释率/%	19.40	36.81	50.35	62.89

经方差极大值旋转法处理后得到的因子载荷分析矩阵如表 2-4 所示。可以看出，具有较高载荷的因子变量很有规律地分布在若干关键评价指标上，说明它们之间有着比较明确的结构关系。现在对因子变量进行命名和解释。

第一个公共因子在以下变量上载荷较高：C7 "别的经销商侵犯了我的利益，我赞成以牙还牙，不然老被别人欺负"；C4 "别的经销商侵犯了我的根本利益，使我受到比较大的经济损失，我会加倍进行反击" 以及 C5 "人善被人欺，要想做生意赚钱就必须随时准备跟人斗"。这些变量分别反映了对等报复、加倍报复的冲突观念，因此命名为针锋相对冲突观。

第二个公共因子在以下变量上载荷较高：C2 "引起冲突的事项越重要，冲突双方使用的手段就越可能更激烈"；C3 "引起冲突的事项越重要，冲突双方卷入冲突时间就越长"。这些变量反映了一种权变基础上的冲突观，冲突方视冲突事项的重要性在采取的手段和耗费的时间上进行调整以在冲突中争取最大利益，故命名为权变策略冲突观。

第三个公共因子载荷较高的变量包括：C1 "一般情况下我赞同以'和'为贵，不到万不得已不与其他经销商发生冲突"；C8 "在冲突过程中有时在一些非原则问题上做出让步，为了在关键问题上争取更大利益"；C6 "别的经销商侵犯了我，我不会立即进行报复而是等待时机进行反击"。该因子在所有的冲突观念因子中内涵最为丰富，其主要内涵为崇尚和为贵，尽可能与其他渠道成员少发生冲突（因子负荷达到 0.8 以上），反映了渠道成员追求和谐的心理。但是应该注意的是，这种追求和谐并不意味着在冲突面前一味无原则、无底线的退让，而是包含着利益的计算以及未来冲突时机的选择，是以牺牲小的利益而交换更大利益的精心的冲突谋划。我们可以设想，如果和谐与退让换来的是对方对自己利益的根本性破坏，这种退让很有可能转换为攻击行为。根据以上因子项目的内涵把这种冲突观命名为尚和退让－交换待机冲突观。

第四个公共因子在以下因子项目上得分较高，即 C9 "对于那些名气大、实力强的经销商我会尽量避免与他们冲突，小的经销商我就无所谓了"、C10 "最好不要与那些实力太强的对手进行正面冲突，否则今后很难做生意"，以及 C11 "一旦渠道成员之间发生过激烈的冲突，以后再在两者间建立良好的关系就非常困难"。该因子的主要内涵为根据对象的不同而采取不同的冲突策略（因子负荷达到 0.7 以上），并表达了对于与渠道成员（从上一个因子项目内涵可以推测主要是强势渠道成员）发生冲突对双方关系造成破坏的担心，故把这种冲突观命名为因人而异冲突观。

这四个因子旋转后的方差贡献率分别为 19.40%、17.41%、13.54%、12.54%，累积方差贡献率达到了 62.89%，这说明前四个因子变量综合蕴涵了原始数据 9 个评价指标所能表达的足够信息。

需要说明的是，在本书中权变策略冲突观与因人而异冲突观存在内涵上的差别。前者突出渠道成员会因为冲突的具体特点而采取不同的冲突策略，而后者着重强调因对象不同而采取不同的冲突策略。虽然从文字上看可以把因人而异冲突观归于权变策略冲突观，但是从统计意义上看这是不可行的。统计数据表明在农产品营销渠道中确有一部分渠道成员信奉因人而异冲突观，他们并不同时持有权变策略冲突观，因此把他们的冲突观区分为另外一个冲突观念公共因子是很有必要的。

2.4.3 主要冲突观念聚类和样本分组考察

（1）主要冲突观念聚类

依据渠道成员冲突观的四个因子进行 K-means 聚类分析，可以把所调查的渠道成员划分成若干类。我们经过多次尝试后发现分为四类比较合适，且方差检验也能够全部达到显著（表2-5）。

表 2-5　主要渠道冲突观的聚类

聚类变量	聚类中心				方差检验	
	K1	K2	K3	K4	F 值	P 值
F1：针锋相对冲突观	− 0.754	− 0.112	0.143	0.677	26.931	0.000
F2：权变策略冲突观	1.338	− 0.476	− 0.013	− 0.192	92.581	0.000
F3：尚和退让 - 交换待机冲突观	0.002	− 0.307	3.041	− 0.241	277.372	0.000
F4：因人而异冲突观	0.112	0.900	0.166	− 0.760	142.810	0.000
聚类样本分组命名	权变策略冲突组	因人而异冲突组	尚和退让 - 交换待机组	针锋相对冲突组	—	
聚类样本分布	72 (17.8%)	132 (32.7%)	27 (6.7%)	173 (42.8%)		

由表 2-5 可以看出，快速聚类形成了四个明显的新类别，现分别加以分析。

第一类 K1：从统计数据可以看出，权变策略冲突观居于主导地位（1.338），且方向为正，其他各项的得分都普遍偏低。这说明该类渠道成员在对待渠道中出现的冲突时，比较讲究策略和权变，冲突的激烈程度和冲突中使用的手段会因人、因时改变，以尽量避免损失、追求最大利益，故把该类别命名为权变策略冲突组。

第二类 K2：从最终类中心点位置图中可以看出，该类中因人而异冲突观得分最高，达到了 0.900。其他各项得分都很低。表明该类渠道成员在面对冲突时，会因与之发生冲突对象的不同而选择不同的冲突策略，以尽量避免与那些实力强劲的渠道成员发生冲突；在与实力比较弱小的渠道成员发生冲突时，冲突的频繁程度和激烈程度都会上升，故把该类别命名为因人而异冲突组。

第三类 K3：统计数据显示，该类在尚和退让－交换待机冲突观上得分较高，达到了 3.041；在因人而异冲突观上得分稍高（0.166），其他三项得分偏低。这说明该类渠道成员的主要冲突观是赞成应该尽量避免冲突，认为"和合"是解决冲突的最好办法，故把该类别命名为尚和退让－交换待机组。

第四类 K4：该类在针锋相对冲突观项上的得分比较高，达到 0.677 且方向为正，在因人而异上的得分为 0.76 而且方向为负。这说明这类渠道成员在面对冲突时倾向于采取时机等待基础上的比较激烈的冲突策略且不太关注冲突对象的差异，故把该类别命名为针锋相对冲突组。

从快速聚类所形成的聚类样本分布来看，总体而言，农产品营销渠道成员中 17.8% 的渠道成员持权变策略冲突观，32.7% 的渠道成员持因人而异冲突观，6.7% 的渠道成员持尚和退让－交换待机冲突观，42.8% 的渠道成员持针锋相对冲突观。

值得注意的是，有近 80% 的渠道成员都赞成"和为贵"并且认为自己"不到万不得已不与其他经销商发生冲突"，为什么归属于"尚和退让－交换待机冲突观组"的成员却只占全体被调查对象的 6.7%？这是因为这些渠道成员在赞同该观点的同时，也往往赞同其他的冲突观甚至包括一些比较激烈的冲突观，因此有相当部分被划入了其他组。据此我们可以得到以下两点结论：其一，不仅"尚和退让－交换待机"冲突观组的成员赞同"尚和退让"冲突观，其他三组的许多渠道成员也会在一定程度上赞同该冲突观，但是其赞同程度不太明显，不及最反映本组特色的冲突观。换言之，聚类分析中第三类的成员只有 6.7%，并不代表渠道成员中仅有 6.7% 的成员赞同"尚和退让"冲突观。其二，农产品营销渠道中"尚和退让"冲突观的存在并不是一种纯粹的存在，对于多数渠道成员而言是与其他冲突观念混杂在一起的混合型存在，即渠道中仅持有"尚和退让"一种冲突观念的渠道成员的比例是很小的。

（2）样本分组考察

对样本聚类分析后，渠道成员依据其在渠道冲突观上的差异分成了四大类。

而这四类渠道冲突观成员的基本特征如何？下面对四类渠道冲突观成员的基本变量进行考察。

权变策略组：从表2-6可以看出，权变策略组的资产规模主要集中在50万元以下，50万~100万元也占20%左右。其销售总额比较平均，样本百分比相差无几。在文化程度变量上，权变策略组成员的文化程度是四组中最高的，这从该组均值（2.7536）大于总体均值（2.6340）及其他三组均值中就可以反映出来。特别是在小学文化及以下的成员分布中，该组成员只占总数的11.1%。在经营状况变量上，该组均值（2.5714）稍大于总体均值（2.5678），但在四组中也只能排第三，因此权变策略组渠道成员过去一年的经营状况相对来说还是比较好的。在竞争力强弱、性格属性、在武汉经商时间三个变量中，该组在四组中都排到了最后，组均值也都小于总体均值，这说明属于权变组的渠道成员，其竞争力、性格强势、在武汉经营时间上都不如其他三组成员。关于对商业竞争看法、企业的就业人数变量，该组成员的均值排在了四组中的第二位。综合该组的数据分布可以看出，该组渠道成员由于其在资产规模和企业就业人数上与其他组相比不处于优势地位，而且由于他们好胜心不太强，在武汉经营的时间不够长，尽管渠道成员的文化程度相对较高，他们过去一年的产品销售额和经营状况却相对靠后。

表2-6 持各类不同冲突观的渠道成员的基本情况

项 目		聚类组别				
		权变策略组	因人而异组	尚和退让－交换待机组	针锋相对组	Total（100%）
资产规模	50万元以下	42（63.6%）	83（64.3%）	13（48.1%）	108（64.7%）	276（63.2%）
	50万~100万元	15（22.7%）	33（25.6%）	7（25.9%）	33（19.8%）	88（22.6%）
	100万~300万元	6（9.1%）	3（2.3%）	5（18.5%）	12（7.2%）	26（6.7%）
	300万~500万元	3（4.5%）	10（7.8%）	2（7.4%）	14（8.4%）	29（7.5%）
	Mean	1.545 5	1.534 9	1.851 9	1.592 8	1.583 5
销售总额	50万元以下	26（37.7%）	51（40.8%）	8（30.8%）	67（41.9%）	152（40.0%）
	50万~100万元	18（26.1%）	24（19.2%）	8（30.8%）	34（21.3%）	84（22.1%）
	100万~300万元	16（23.2%）	29（23.2%）	7（26.9%）	29（18.1%）	81（21.3%）
	300万~500万元	9（13.0%）	21（16.8%）	3（11.5%）	30（18.8%）	63（16.6%）
	Mean	2.115 9	2.16	2.192 3	2.137 5	2.144 7
文化程度	小学以下	3（4.3%）	14（11.0%）	—	10（6.0%）	27（7.0%）
	初中	24（34.8%）	47（37.0%）	11（44.0%）	62（37.1%）	144（37.1%）
	高中	29（42.0%）	53（41.7%）	10（40.0%）	69（41.3%）	161（41.5%）
	大专及以上	13（18.8%）	13（10.2%）	4（16.0%）	26（15.6%）	56（14.4%）
	Mean		2.511 8	2.72	2.664 7	2.63 4

项 目		聚类组别				
		权变策略组	因人而异组	尚和退让－交换待机组	针锋相对组	Total (100%)
经营状况	很好	6 (8.7%)	11 (8.7%)	3 (13.6%)	15 (8.8%)	35 (9.0%)
	良好	26 (37.7%)	41 (32.5%)	9 (40.9%)	61 (35.7%)	137 (35.3%)
	一般	33 (47.8%)	68 (54.0%)	9 (40.9%)	80 (42.1%)	190 (49.0%)
	较差	4 (5.8%)	6 (4.8%)	1 (4.5%)	15 (8.8%)	26 (6.7%)
	Mean	2.571 4	2.574 8	2.363 6	2.587 2	2.567 8
竞争力强弱	非常强	15 (20.8%)	27 (20.8%)	4 (14.8%)	40 (23.3%)	86 (21.4%)
	比较强	28 (38.9%)	37 (28.5%)	12 (44.4%)	53 (30.8%)	130 (32.4%)
	一般	25 (34.7%)	54 (41.5%)	8 (29.3%)	63 (36.6%)	150 (37.4%)
	不太强	3 (4.2%)	9 (6.9%)	3 (11.1%)	12 (7.0%)	27 (6.7%)
	很弱	1 (1.4%)	3 (2.3%)	—	4 (2.3%)	8 (2.0%)
	Mean	2.263 9	2.572 5	2.370 4	2.343	2.405 5
对商业竞争的看法	只一个赢家	11 (17.5%)	14 (11.6%)	5 (20.8%)	20 (12.7%)	50 (13.7%)
	竞争双赢	52 (82.5%)	107 (88.4%)	19 (79.2%)	138 (87.3%)	316 (86.3%)
	Mean	2.015 2	1.935	2.12	2.012 4	1.994 7
您的性格	好胜心很强	16 (24.2%)	28 (22.2%)	4 (16.0%)	29 (17.3%)	77 (20.0%)
	好胜心比较强	27 (40.9%)	52 (41.3%)	10 (40.0%)	85 (50.6%)	174 (45.2%)
	好胜心一般	23 (34.8%)	42 (33.3%)	10 (40.0%)	44 (26.2%)	119 (30.9%)
	好胜心比较弱	—	4 (3.2%)	1 (4.0%)	10 (6.0%)	15 (3.9%)
	Mean	2.220 6	2.273 4	2.32	2.252 9	2.258 3
武汉经商时间	1～3 年	24 (34.3%)	34 (26.6%)	8 (32.0%)	41 (24.7%)	107 (27.5%)
	4～6 年	21 (30.0%)	31 (24.2%)	6 (24.0%)	49 (29.5%)	107 (27.5%)
	7～10 年	18 (25.7%)	41 (32.0%)	7 (28.0%)	57 (34.3%)	123 (31.6%)
	10 年以上	7 (10.0%)	22 (17.2%)	4 (16.0%)	19 (11.4%)	52 (13.4%)
	Mean	2.114 3	2.398 4	2.28	2.325 3	2.308 5
从业人数	3 个以内	18 (26.5%)	41 (33.1%)	9 (36.0%)	52 (31.5%)	120 (31.4%)
	4～6 个	26 (32.8%)	45 (36.3%)	5 (20.0%)	45 (27.3%)	121 (31.7%)
	7～10 个	13 (19.1%)	16 (12.9%)	7 (28.0%)	27 (16.4%)	63 (16.5%)
	11 个以上	11 (16.2%)	22 (17.7%)	4 (16.0%)	41 (24.8%)	78 (20.4%)
	Mean	2.25				

因人而异组：从表 2-6 可以看出，因人而异组渠道成员的资产规模、文化程度、对商业竞争的看法、企业从业人数四变量均值都排在了四组中的倒数第一位，它们的组均值也都低于总体均值。其在销售额上排第三位，在企业经营状况

及性格强弱变量上排第二位，在竞争力及经商时间上却排在了第一位。这说明，因人而异组渠道成员虽然在资产规模、文化程度、企业就业人数三方面都位列倒数第一，但由于他们竞争性、好胜心比较强，而且由于其在武汉经商时间较长，熟悉本地市场环境，具有丰富经营经验，这都有利于弥补其不足，因此总体上看该组过去一年的经营状况还比较好。

尚和退让－交换待机组：尚和退让－交换待机组渠道成员在资产规模、销售总额等指标上在四组中都位列第一，其自身的文化程度和自我竞争力评价排第二，在武汉经商时间和企业就业人数变量上排第三，但在其主观认识自身经营状况变量上却排四组中的最后一位。总体说来，尚和退让－交换待机组渠道成员的资产规模、销售额都相对较大，但在到武汉经商的时间相对较短，自己对当前的经营状况感到不太满意。

针锋相对组：数据显示，针锋相对组渠道成员的经营状况、就业人数变量在四组中都领先；其资产规模和武汉经商时间两变量在四组中排第二；其销售总额、好胜心、文化程度、主观认同自身竞争力都在四组中排第三。针锋相对组渠道成员由于其资产规模较强，其在武汉经商时间较长，而且企业的就业人数多，虽然他们在销售总额、文化程度、经商好胜心和主观认同竞争力方面的排名都不太靠前，但他们主观上认为在过去的一年中的经营状况还是四组中最好的。

（3）冲突观、冲突行为、冲突功能的关系

如果把上面分析的渠道冲突观念因子与一些关键性渠道冲突变量的相关关系列出来，我们可以得到一个基于简单相关的关系图（图2-2）。就冲突观念与冲突行为的关系看，因人而异冲突观对冲突频繁程度没有影响，而权变策略冲突观对冲突激烈程度没有影响。就冲突观念与冲突的正功能关系看，权变策略冲突观与冲突正功能无关，而且是四个冲突观中唯一一个与冲突负功能相关的冲突观。

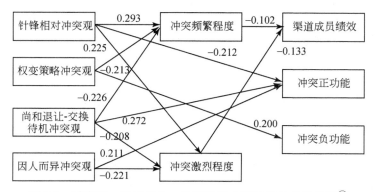

图 2-2　冲突观、冲突行为、冲突功能之间的相关关系模型①

①　图中所列系数全部为两个变量之间的简单相关系数。

应该指出的是，相关关系的数据显示，四种冲突观与渠道成员近一年来的经营绩效之间的相关系数非常微弱而且都没有通过显著性检验，即不同的冲突观念对渠道成员的经营绩效几乎没有产生直接的影响。换言之，比较激烈的冲突观虽然会同时提高渠道成员的冲突频率和冲突激烈程度，却并不一定直接降低渠道成员的经营绩效；而比较温和的冲突观，尤其是尚和退让－交换待机冲突观有助于降低渠道冲突的频率和激烈程度，但是并不一定直接提高渠道成员的经营绩效。

这种表面看来令人困惑的现象可以解释为：一是四种渠道冲突观念虽然不直接与渠道成员经营绩效相关，但是它们对冲突行为（冲突的频率和激烈程度）产生了影响，而冲突行为对渠道成员的绩效又有一定程度的影响（冲突频繁程度与绩效的相关系数为 -0.202，冲突激烈程度的相关系数则为 0.233，两个系数皆通过显著性为 0.05 的双尾检验），由此看来不能完全排除渠道冲突观念通过变量之间关系的传递对渠道成员绩效的间接影响，当然，即使有影响也应该是微弱的；二是表明目前的农产品营销渠道中，比较激烈的冲突观和比较温和的冲突观的并存是符合渠道目前需要的，两者都可以在渠道中找到适用的场所。对于在目前的农产品营销渠道中求生存、求利润的渠道成员，采取温文尔雅的态度并不见得能带来好处，而激烈的冲突方式在一定范围内也不见得马上给自己带来损失。这也间接说明目前农产品营销渠道中的商业文化是一种竞争性比较强的文化，渠道合作、渠道互助的氛围还比较淡薄。

2.5 我国农产品营销渠道中"尚和"、"畏争" 冲突观的几点讨论

正如前文已经指出的那样，根据社会心理学、文化学者的研究，"和"是中国文化的核心概念之一，中国人尚"和"、"畏争"，甚至有时不惜牺牲自己的利益委曲求全以维持自己与他人的和谐。与他人冲突特别是公开性冲突对于中国人是很没有"面子"的行为。中国人对于人际和谐的思想有利于帮助人们理解中国人处理冲突的方法（杨中芳，2001）。根据汪凤炎（2004）的研究，中国人的"尚和"形态主要表现在以下几个方面：一是强调和为贵；二是企盼和事佬；三是畏争；四是随大流；五是迁就；六是迎合。同时，他还认为长期延续的农业经济、比较恶劣的生存环境等是形成这种尚"和"心态的基础。但是从实际调查的数据来看，在目前的农产品营销渠道中，纯粹地尚"和"并不是占支配地位的冲突观念。一方面，大部分渠道成员都希望和谐，都认为自己不到万不得已不愿意与其他渠道成员发生冲突；另一方面，在必要的时候他们也会不惜与其他渠道成员展开冲突。

本书的研究数据尤其是因子分析数据显示，农产品营销渠道成员的尚"和"

内涵具有下文所揭示的三个维度，这为理解渠道成员尚"和"观念的真正内涵及其对于冲突行为的影响提供了新的探索机会。

一是农产品营销渠道成员的尚"和"观念确实表达了其期望和谐、减少冲突的良好愿望，对于农产品渠道的营运能够起到正面作用。本书研究的数据显示，这种冲突观与冲突的频繁程度与激烈程度都呈负相关。结合个案调查的情况看，农产品营销渠道成员接受这种冲突观的原因，固然是因为他们深受传统文化的影响，因此潜移默化地接受了这种在中国已经流传几千年的主流价值观；另外，中国仍然是个发展中国家，普通劳动者谋生不易、不愿意因为过多的渠道冲突而影响了自己以及家人的收入和生活，也是一个重要原因。

二是农产品营销渠道成员的尚"和"观念是与利益谋划联系在一起的。很多时候、很多场合下，注重"和"只是希望以小利益、次要利益的牺牲来换取更大的可能的利益。换言之，当一个渠道成员在可能的冲突面前尽量保持克制，使冲突发生的可能性降至最低时，他本人是有利益的计算和考虑的。对于他而言，"和"并不是最终的目的，"和"的目的是为了获取现实利益，否则"和"的存在将没有什么价值。从这点来看，"和"与功利思想是紧密联系在一起的。也许这种分析并不适合于所有社会成员，但是农产品营销渠道的成员是纯粹的商人，而追逐利益是商人的本能，他们不会为了在其看来一个比较空洞的概念而放弃利益的追求。中国人常常说"和气生财"，这种现象在商业界尤其明显，这也间接说明许多商人相信"和"、强调"和"，根本原因在于"和"对于他们是"有用"的。

三是农产品营销渠道成员的尚"和"观念是与潜在的冲突联系在一起的。当前的"和"并不意味永远的"和"，当前讲"和"是因为目前实力不够，还不能与对方展开面对面的冲突，所以只能暂时退让、委曲求全，以迁就迎合对方。值得注意的是，这种在强大对手面前的暂时迎合乃至忍辱负重对于中国人来讲并不是一种很难为情、很难做到的事情，深受老子《道德经》影响的中国人信奉顺应、处下的"水"的哲学，常常把自己的真实思想隐藏起来，而讲求柔性抗争、以退为进，并把在强敌面前的正面冲突视为愚蠢和不讲策略的行为而加以嘲笑。实际上，中国社会中有很多谚语都表达了这种思想（如"人在屋檐下，不得不低头"）。一旦时机成熟、自己的实力已经积累得足够强大，这种"和"很快就转换为冲突。中国人常常说"君子报仇十年不晚"，实际上表达的就是这个意思。这给我们两点启示：首先，农产品营销渠道中部分渠道成员之间实现了和谐、避免了冲突，但是这种"和"的局面不是建立在双方认知达成一致和利益分配均衡基础上的，其真正的基础是渠道成员之间实力和渠道权力的失衡，是过于强大的一方压制过于弱小的另一方而形成的，因此也是脆弱和不稳固的。其次，由于处于弱势地位的渠道成员更愿意以迂回、曲折的方式与处于强势渠道的成员展开冲突，这样就容易在某一时期内纵容这些强势渠道成员对自己利益的侵害，甚至对某些渠道成员而言有可能使得渠道冲突更频繁、更激烈；更重要的是，由于弱势成员习惯于隐藏自己的真实想法，甚至掩盖冲突双方的矛盾和分歧，导致双方缺乏有效的沟通手段，也使得渠道中因缺少弱势成员利益正常表达的机制而造成冲突处理难以制度化和规范化，使渠道陷入当前的渠道强势成员压制弱势成员，而弱势成员逐步强大后又对以前的强势成员进行猛烈报复的恶性循环之中。所以，"和"的观念一方面确实减少了渠道冲突发生的可能性，因此有利于农产品营销渠道的营运；但是另一方面如果对该观念处理运用不当，造成渠道成员间潜在的冲突并未消除反而得以累积，也可能反过来加剧渠道冲突。

总的来看，尚"和"冲突观念的存在，对于农产品营销渠道的冲突管理有利有弊。作为一种集体潜意识，尚"和"的思想在中国有着深厚的社会、经济与文化基础，它对于调节渠道成员的关系、减少渠道冲突的发生起到了一定的积极作用；但是，农产品营销渠道成员的尚"和"观念不仅仅有一个维度而是有三个维度，该观念运用不当则容易产生钩心斗角、阳奉阴违、面和心不和等渠道行为，使得渠道成员的冲突管理呈现浓厚的"人治"而非制度化管理的特点，导致渠道冲突升级。正确的渠道冲突管理应该充分考虑渠道成员尚"和"冲突观的多面性，以便扬长避短，推动渠道真正实现健康的和谐和发展。

2.6　本章小结

本章主要探讨渠道成员基本的渠道冲突观。研究发现在当前的农产品营销渠道成员中主要存在着四种冲突观，即针锋相对冲突观、权变策略冲突观、尚和退让－交换待机冲突观、因人而异冲突观。基于渠道成员冲突观上的差异，可以运用聚类分析方法把所有渠道成员分为四组，即权变策略冲突组、因人而异冲突组、尚和退让－交换待机组、针锋相对冲突组。

通过对具体的渠道冲突观（不是冲突观因子）进行单因素方差分析发现：渠道成员的资产规模、就业人数、文化程度、在武汉经商时间四个变量是影响其特定冲突观的关键因素。渠道成员聘请的员工数越多，越不赞同对等报复冲突观。文化程度较低的渠道成员比较赞同对等报复冲突观，但随着文化程度的增加，他们越来越不认同对等报复冲突观。但是当文化程度达到大专及以上时，他们却开始肯定此冲突观了。与此形成对比的是，文化程度越高的渠道成员越赞同延时报复冲突观，但是当文化程度在大专以上后却又开始反对此冲突观。

在对渠道成员冲突观分组后，本章继续探讨了渠道冲突观因子与渠道冲突原因、冲突行为、冲突后果、冲突解决效果之间的相关关系。研究分析发现，冲突观因子不同，与其相关的具体冲突行为、冲突后果、冲突的解决程度也各不相同。持针锋相对冲突观的渠道成员在发生冲突时冲突的频繁程度、激烈程度是最高的。

第3章
农产品营销渠道冲突的原因

3.1　渠道冲突原因的测量

在营销渠道中，当渠道中的某一成员认为另一成员的行为妨碍其实现自己的目标时，就产生了冲突。营销渠道中的冲突与竞争是不同的。竞争是间接的，不受个人情感因素影响的、以目标为中心的行为，而冲突是一种直接的、受个人情感因素影响的、以对手为中心的行为。

许多原因可能导致渠道冲突。从本质上讲这些原因都可以纳入以下七种基本原因中的一种或多种（伯特·罗森布洛姆，2006）。①角色对立。角色是对某一岗位或层次的渠道成员的行为所做的一整套规定。营销渠道中，任一渠道成员都要实现一系列他或她应该实现的任务。如果有一方偏离其既定角色，冲突就产生了。②资源稀缺。渠道成员要实现其各自的目标，有时在一些稀缺资源的分配问题上产生了分歧，此时也会产生冲突。③感知差异。即人对外部刺激进行选择和解释过程的差异。④期望差异。不同的渠道成员会预期其他成员的行为，实际上这些预期就是对其他渠道成员未来行为的预言或预测。⑤决策领域有分歧。典型的例子是价格的决策，许多零售商认为价格属于他们的决策领域，而有的制造商认为他们才有权定价。⑥目标不一致。营销渠道的各成员均有自己的目标，这些目标不一致时就会产生冲突。⑦沟通障碍。传播是渠道成员之间相互作用的媒介，无论这种相互作用是合作性的还是冲突性的，如果不能有效地沟通，合作可能很快变为冲突。

Robbins（2001）在《组织行为学》一书中认为，冲突的原因有缺少交流、缺少信任、管理者没有为雇员的需求着想等。营销渠道研究的主流观点认为（Coughlan，2001），渠道冲突的起因主要包括以下方面：各渠道成员之间目标的差异（goal difference）；各渠道成员对营销现实状况判断的差异（reality perceptions）；各渠道成员对其他渠道成员应该履行任务的判断（domains clashes）。

农产品营销渠道与其他产品的营销渠道相比有自己的特点。由于农产品一般对保鲜、储藏的要求比较高，而且生产、经营的季节性变化大，导致渠道模式难以长期保持稳定状态；而且生产者和经营者又不能完全加以控制（李崇光，

2004）。农产品营销渠道的管理难度比其他产品渠道管理的难度更大，渠道成员间的冲突因此也比较频繁。

在查阅各种相关文献和三次焦点组（focus group）访谈的基础上，为了探悉渠道冲突的具体原因及其重要性，本研究在问卷中设计了一个包含 15 个题项的渠道冲突原因测量量表。量表的内容基本涵盖了前人认为引起渠道冲突的各种原因。这些原因涉及渠道成员目标的分歧、各渠道成员对其他渠道成员应该履行任务的判断、产品与服务质量等几个方面。

量表的信度与效度检验为：本量表的 Cronbach 系数为 0.86，表明其具有良好的内部一致性信度。在效度方面，该量表提取出 5 个公共因子，累计方差解释率超过 60%，表明该量表具有较好的建构效度；文献调查、焦点组调查则保证该量表具有较好的内容效度。因此，该量表的信度与效度符合研究要求。

表 3-1 冲突原因测量量表

测项代码	量表测项（items）	频繁/%	不频繁/%
Y1	各个工商户各自的目标和打算不一致	58.4	41.6
Y2	各个工商户对市场行情的判断不一致	53.2	46.8
Y3	价格问题	63.5	36.5
Y4	产品质量缺陷	47.7	52.3
Y5	经营品种上的分歧	39.3	60.7
Y6	经营地域（地盘）划分问题	37.4	62.6
Y7	谁做广告等市场开发问题	33.7	66.3
Y8	对方送货、出货速度慢	47.2	52.8
Y9	对方不能按照合同或约定准确提供所需品种的货物，以其他货物代替或断货	40.7	59.3
Y10	对方员工服务态度差	32.0	68.0
Y11	对方要求库存货物的数量上的分歧	35.2	64.8
Y12	退货问题	38.6	61.2
Y13	经营环境不理想，管理部门执法问题	46.4	53.6
Y14	自己与经销商争夺相同顾客	42.3	57.7
Y15	对方目光短浅，过于注重短期和眼前利益	45.6	54.4

注：表中百分比计算的是有效百分比

从表 3-1 中可以看出，导致营销渠道冲突的各因素比较分散，在问卷的 15 个原因变量中，在各项选择上，选择"频繁"的有效百分比中较高的有：各个工商户各自的目标和打算不一致（58.4%）、各个工商户对市场行情的判断不一致（53.2%）、价格问题（63.5%）等，在这三项的选择上，选择频繁的比例均超过了50%；而因为市场开发、员工服务态度、货物库存数量等原因引起的渠道冲突相对比较少，其比例都在30%左右。

3.2 渠道冲突的主要原因

3.2.1 渠道成员特征与冲突原因的关系

一般来看，渠道中经销商的基本特征如年销售额、经营状况、文化程度、资产规模、行业竞争力、性格特征等对冲突原因具有一定影响。由于这是定距变量与定类变量的相关关系研究，因此采用了单因素方差分析方法。表3-2中列出了通过显著性检验的方差分析部分，并给出了与之相应的均值关系图。

表3-2　渠道成员特征与渠道冲突原因的关系

特征区域	X：渠道成员特征	Y：渠道冲突原因	F 值	P	结　论
I	年销售额	Y7	3.258	0.022	显著
	经营状况	Y1	4.351	0.005	极显著
II	文化程度	Y2	3.293	0.006	极显著
		Y11	2.333	0.042	显著
	资产规模	Y4	3.219	0.023	显著
III	行业竞争力	Y10	2.387	0.050	显著
		Y14	2.214	0.050	显著
	性格特征	Y15	2.773	0.041	显著

注：$P < 0.01$ 为极显著，$P < 0.05$ 为显著

（1）渠道成员特征区域 I

首先，年销售总额对由于市场开发问题（Y7）引起的渠道冲突的发生频率有显著影响（表3-2）。从图3-1（a）的年销售总额对市场开发问题影响的均值图中可以看出，年销售额在"50万~100万元"与"300万~500万元"区间的渠道成员因为市场开发原因而发生冲突的概率不频繁；而年销售额在"50万元以下"和"100万~300万元"区间的渠道成员因为市场开发而发生冲突的概率很频繁。究其原因，渠道成员在创业之初由于经营实力弱小、知名度不高，比较重视市场开发，因而也容易由此而引发与其他渠道成员的冲突。当经营达到一定规模后，市场开发变得相对容易，市场开发的能力增强了，由此而引发的渠道冲突也相应减少。随着经营规模继续扩大，渠道成员又重新面临扩展更大的新市场的问题，并开始注重品牌建设，因此与其他渠道成员围绕市场开发而产生的冲突

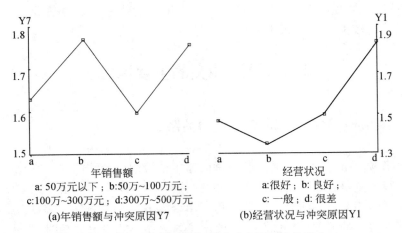

图 3-1 渠道成员特征与渠道冲突原因的关系 I

也逐步增多，但是当销售总额达到一定高度（如 300 万～500 万元），品牌打造已经初步完成，市场开发的难度降低，这时因市场开发而引起的冲突频率就相应降低了。

其次，经营状况对渠道成员因经营目标差异（Y1）而引起的渠道冲突发生频率有极显著性影响（表 3-2）。图 3-1（b）表明，近一年的经营状况"很好"和"良好"的渠道成员因目标差异发生渠道冲突的频率比较高，但是经营状况"一般"和"较差"的渠道成员因为目标分歧引起的渠道冲突反而较少，整个曲线呈"V"形分布；而且它揭示了农产品营销渠道中一种有趣现象：经营业绩最好的渠道成员，并不是因为目标差异而发生渠道冲突最少的成员。经营业绩属于"良好"等级的渠道成员因为该原因而发生渠道冲突的频率最高。这说明渠道成员如果面临过多因目标分歧产生的渠道冲突，固然会对其经营业绩产生负面影响；但是与其他渠道成员的经营目标过于一致、缺少经营特色，也不利于提高经营业绩。也可以说，正是因为保持与其他渠道成员在经营目标的适度距离，才使得一些渠道成员取得了良好的经营效果。

（2）渠道成员特征区域Ⅱ

第一，文化程度与渠道冲突原因 Y2（各个渠道成员对市场行情的判断不一致）和 Y11（对方要求我们库存货物的数量上的分歧）分别通过单因素方差分析的显著性检验（表 3-2）。从图 3-2（a）的曲线走向可以看出，文化程度对于由渠道成员关于市场行情判断差异（Y2）引发的冲突有显著性影响。文化程度太低，必然缺少对复杂的市场行情进行正确判断的能力，因此因为行情判断差异而与其他渠道成员产生冲突的频率就高。随着渠道成员文化程度不断升高，对市场行情进行判断的自信心不断增强，判断的准确性也逐步提高，因市场行情的判断不一致（Y2）引起的渠道冲突发生的频率就相应减少。但是文化程度在大专以

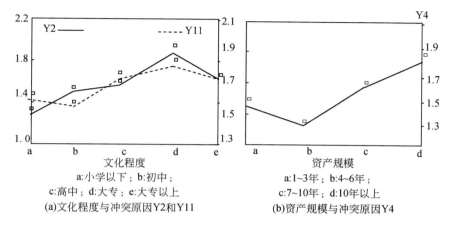

图 3-2　渠道成员特征与渠道冲突原因的关系Ⅱ

(a)文化程度与冲突原因Y2和Y11

文化程度
a:小学以下；b:初中；
c:高中；d:大专；e:大专以上

(b)资产规模与冲突原因Y4

资产规模
a:1~3年；b:4~6年；
c:7~10年；d:10年以上

上的成员，因行情判断引发的冲突频率反而又增大了；这是因为这些渠道成员对自己在市场行情判断上的能力过于乐观，并且对其他成员在此方面的能力缺乏信任。因此，文化程度高者较强的自信心与其市场行情判断能力不稳定并存的状况必然引发与其他渠道成员间的冲突。另外，图 3-2（a）中文化程度与冲突原因 Y11（对方要求我们库存货物的数量上的分歧）具有基本类似的趋势表现，也是文化程度在"大专"时达到最高值，在"大专以上"又开始出现下降。

第二，资产规模与冲突原因 Y4（产品质量缺陷）也表现出显著的单因素方差分析关系。从均值图 3-2（b）可以看出，资产规模与冲突原因 Y4（产品质量缺陷）的关系都呈现先降后升的趋势，并且当资产规模在"50 万～100 万元"时均值达到最低。渠道成员在经营规模很小时，由于自身实力过于弱小，为了在激烈的市场竞争中生存下来，对产品质量和经营品种都有一定程度的关注；但是这种关注是不自觉的、不稳固的，当经营达到一定规模、自身实力有所增长时，对于产品质量和经营品种的关注程度都会上升，由此而引发的渠道冲突也会相应增加。但是随着经营规模继续扩大，渠道成员开始考虑自己的可持续竞争优势，因此重新关注产品质量和经营品种，并且在产品质量和品种的决策上更加审慎、明智，由此而与其他渠道成员发生冲突的频率也相应下降。

（3）渠道成员特征区域Ⅲ

表 3-2 数据显示，渠道成员在行业中的竞争力与渠道冲突原因 Y10（对方员工服务态度问题）和渠道冲突原因 Y14（自己与经销商争夺相同的顾客）具有显著性关系；渠道成员的性格特征与渠道冲突原因 Y15（对方目光短浅，过于注重短期和眼前利益）也具有显著关系。

第一，由均值图 3-3（a）可以看出，总体上竞争力比较强的渠道成员因为对方员工服务态度问题（Y10）引起的渠道冲突比较少；而竞争力不太强的渠道成员则相对容易因为对方员工的服务态度缺陷而发生渠道冲突。这可能是因为渠道强势成员更关注一些经营活动中的根本问题如价格、品种等，对于服务态度这样的枝节性问题反而比较忽略。另外，大约以"竞争力一般"为界，渠道成员的竞争力越强，因为与经销商争夺相同的顾客（Y14）而引起的渠道冲突越多；越过该界限以后，渠道成员的竞争力越弱，与经销商争夺相同的顾客而引起的渠道冲突越多。换言之，因为与经销商争夺相同顾客而发生渠道冲突的情况集中在渠道成员的两端：竞争力强者和竞争力弱者。这两者虽然行为层面上有一致之处，但是具体的行为原因却有差别。竞争力强者与经销商争夺相同顾客，是因为他们有比较强的势力向更多的渠道成员包括自己的经销商发起进攻，而且也不太担忧经销商发起的报复行动。同时，他们的吸引力也比较强，使得经销商的顾客愿意绕过经销商而直接与他们开展商业交易活动；而竞争力较弱的渠道成员与经销商争夺相同的顾客更多的是处于无奈的选择。由于实力较弱，他们很难找到足够的顾客并建立稳定的商业联系，所以有时只能去抢夺自己经销商的顾客，即使引起渠道冲突也在所不惜。

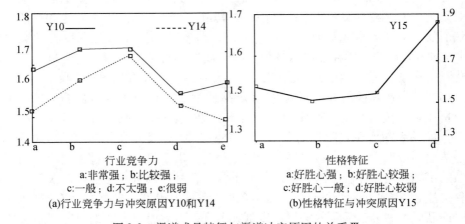

(a)行业竞争力与冲突原因Y10和Y14   (b)性格特征与冲突原因Y15

图3-3　渠道成员特征与渠道冲突原因的关系Ⅲ

第二，由均值图3-3（b）可知，渠道成员性格特征强弱程度与渠道冲突原因 Y15（对方目光短浅，过于注重短期和眼前利益）引发的冲突频繁程度基本表现为同向相关关系。

3.2.2　渠道系统中的主要渠道冲突原因

我们对冲突原因进行因子分析。在因子分析的适当性考察中，KMO 值为0.765，Bartlett 球度检验给出的相伴概率为 0.001，因此，巴特利特球形检验和KMO 检验都通过，可以对渠道冲突原因进行因子分析。我们以特征根大于 1 为标准共提取 5 个公共因子，总方差解释率达到 62.25%。表 3-3 提供了因子载荷矩阵。

表 3-3　渠道系统中渠道冲突原因测项的因子分析

项　目		载荷因子				
		F1	F2	F3	F4	F5
渠道冲突原因的 15 个测项	Y1	0.592				
	Y6	0.613				
	Y7	0.467				
	Y9	0.414				
	Y5		0.735			
	Y13		0.641			
	Y14		0.458			
	Y4			0.747		
	Y3			0.441		
	Y8			0.568		
	Y10			0.427		
	Y12				0.783	
	Y11				0.479	
	Y2					0.837
	Y15					0.416
因子命名		窜货与目标分歧	契约意识	职能事项	退货库存	行情判断与短期利益
方差解释率/%		17.47	14.85	11.79	10.18	7.96
累计方差解释率/%		17.47	32.32	44.11	54.30	62.25

根据各公因子在各个因子项目上的负荷情况对 5 个公因子的含义解释和命名如下。

第一个公共因子在冲突原因 Y1 "经营地域划分问题"、Y6 "各个工商户都有自己的目标和各自的打算，而这些目标和打算是不一致的"、Y7 "谁做广告等市场开发问题" 和 Y9 "产品质量缺陷" 等变量上的因子载荷相对较高，其内涵反映的是目标差异和渠道权力争夺方面的原因。在农产品营销渠道的实际营运过程中，关于经营地域的争夺主要表现为 "窜货"，即在其他渠道成员的经营地域内销售自己的产品。根据以上因子内涵的分析把该因子命名为窜货与目标分歧因子。

第二个公共因子在渠道冲突原因 Y5"经营品种上分歧"、Y13"经营环境不理想，管理部门执法有待加强"、Y14"自己与经销商争夺相同的顾客"等变量上的因子载荷相对较高。这些内容反映的是渠道成员拒绝按照合同或者协议进行规定品种的经营，而是为了自己的利益随意更改经营品种，同时，市场管理部门有时不能按照已经公布的管理制度进行公正管理和公正执法，这两方面都表明现代市场经济所需要的契约意识的淡薄，故把该因子命名为契约意识因子。

第三个公共因子在渠道冲突原因 Y4"产品质量缺陷"、Y3"价格问题"、Y8"对方送货、出货速度慢，耽误我们的时间"、Y10"对方员工服务态度差"等变量上的因子载荷相对较高。这些内容反映的是与农产品经营直接相关的具体管理性、功能性事项，故命名为职能事项因子。

第四个公共因子变量在渠道冲突原因 Y12"对方要求我们库存货物的数量上的分歧"、Y11"退货问题"等变量上的因子载荷相对较高。这些内容反映的是存货水平、售后服务等原因引起的冲突，故命名为退货库存因子。

第五个公共因子变量在渠道冲突原因 Y2"各个工商户对市场行情的判断不一致"、Y5"对方目光短浅，过于注重短期和眼前利益"等变量上的因子载荷相对较高。这些内容反映的是渠道成员对农产品经营过程中对市场现实和未来认知的差异，故命名为行情判断与短期利益因子。

3.2.3 主要渠道冲突原因聚类和样本分组考察

（1）主要渠道冲突原因的聚类

运用快速聚类分析方法，我们发现将因子分析后提取的 5 个公共因子聚为七类效果较好。表 3-4 是快速聚类分析的结果，单因素方差分析检验表明，对所聚集的 7 类中，F 统计量的相伴概率都小于显著性水平 0.01，因此我们认为将样本分为 7 类是可行的。

表 3-4 和表 3-5 分别是各个类别的中心值和每一组聚类的个案数分布表。

现在对聚类分析所产生的这 4 个类别进行命名。参照前面提供的快速聚类分析最终的类中心点位置表提供的数据可以发现每个类别的特征，在此基础上就可以对第一、第二、第三和第七 4 个类别组分别进行命名。

第一组 K1：在 F1、F2、F4 三个冲突原因因子上得分全部为负，在 F3 和 F5 两个冲突原因因子上虽然得分为正但是分值很低。这表明这一组的渠道成员在几乎所有的冲突原因得分因子上的值都比较低，渠道冲突发生很少，故命名为冲突抑制组。

表 3-4　主要冲突原因的聚类分析

聚类变量	聚类中心							方差检验	
	K1	K2	K3	K4	K5	K6	K7	F 值	P 值
F1：窜货与目标分歧	−0.289	0.914	−0.309	−0.606	6.722	0.043	−0.785	75.448	0.000
F2：契约意识	−1.311	0.178	0.475	−4.386	−1.456	−0.646	0.584	81.301	0.000
F3：职能事项	0.0521	−0.332	1.051	−0.458	−0.240	−0.013	−0.938	64.274	0.000
F4：退货库存	−0.574	−0.061	0.372	11.819	−1.734	−0.446	0.088	58.991	0.000
F5：行情判断与短期利益	0.023	−0.305	0.095	−2.934	−0.058	11.599	0.211	44.553	0.000
聚类样本分组命名	冲突抑制组	窜货与目标分歧组	复合原因组	—	—	—	契约意识缺乏组	—	
聚类样本分布	90 (21.3%)	131 (31.1%)	113 (26.7%)	1 —	1 —	1 —	85 (19.9%)	—	

注：（1）聚类分组样本缺省值为 28，且由于 K4、K5、K6 聚类中心范围内的样本较少（分别仅有 1 例），故没有对之进行聚类；（2）P＜0.01 为极显著，P＜0.05 为显著

第二组 K2：在 F1 冲突原因因子上得分比较高，而在其他原因因子上得分比较低（在其中 3 个因子上得负分），这说明第二组对该因子持很强的赞同态度，故命名为窜货与目标分歧组。

第三组 K3：在冲突原因因子 F2、F3、F4 上的得分比较高，在 F5 因子上的得分也接近 0.1，说明该组渠道成员倾向于因为契约意识、经营性事项和货物处理问题与其他渠道成员发生冲突，而且行情判断与追求短期利益也可能诱发渠道冲突。在全部 4 类渠道成员中，引起该组渠道成员爆发渠道的原因种类最多，故把该组命名为复合原因组。

第七组 K7：在冲突原因因子 F3（职能事项）和 F1（窜货与目标分歧）上的得分比较高，很少引发该组成员与其他渠道成员的冲突，故命名为契约意识缺乏组。

（2）样本分组考察

通过对各组相应人口学特征变量的均值计算得出以下结果，如表 3-5 所示。

①第一组的资产规模均值为 73.1 万元，年销售总额的均值为 116.7 万元，从业人数的均值为 6 人，在武汉经商时间的均值为 6.2 年；②第二组的资产规模均值为 79.5 万元，年销售总额的均值为 150.2 万元，从业人数的均值为 6 人，在武汉经商时间的均值为 6.2 年；③第三组的资产规模的均值为 80.9 万元，年销售总额均值为 145.6 万元，从业人数的均值为 7 人，在武汉经商时间的均值为 6.3 年；④第四组的资产规模的均值为 75.1 万元，年销售总额均值为 130.3 万元，从业人数的均值为 7 人，在武汉经商时间的均值为 6 年。

表 3-5　主要冲突原因聚类后的样本分组考察

聚类类别	基本特征	组 别			
		冲突抑制组	窜货与目标分歧组	复合原因组	契约意识缺乏组
资产规模/%	50 万元以下	63.6	61.2	63.6	63
	50 万~100 万元	20.8	25.9	19.2	23.1
	100 万~300 万元	10.4	3.4	9.1	6.8
	300 万~500 万元	5.2	9.5	8.1	7.1
	总计（N）	100.0（77）	100.0（116）	100.0（99）	100.0（73）
年销售总额/%	50 万元以下	42.1	35.7	39.6	45.1
	50 万~100 万元	22.4	23.5	19.8	19.7
	100 万~300 万元	26.3	20	20.8	18.3
	300 万~500 万元	9.2	20.9	19.8	16.9
	总计（N）	100.0（76）	100.0（115）	100.0（96）	100.0（71）
近一年来的经营状况/%	很好	13.9	9.6	7	5.5
	良好	32.9	30.7	39	42.5
	一般	45.6	54.4	47	45.2
	差	7.6	5.3	7	6.8
	总计（N）	100.0（79）	100.0（114）	100.0（100）	100.0（73）
从业人数/%	1~3 人	37.2	33.6	29.6	25.8
	4~6 人	25.6	30.2	28.6	33.3
	7~10 人	20.5	18.1	16.3	15.2
	11 人以上	16.7	18.1	25.5	25.8
	总计（N）	100.0（78）	100.0（116）	100.0（98）	100.0（66）
在武汉经商时间/%	1~3 年	27.8	31.3	24	31.9
	4~6 年	27.8	27	33	24.6
	7~10 年	31.6	24.3	31	30.4
	11 年以上	12.7	17.4	12	13
	总计（N）	100.0（79）	100.0（115）	100.0（100）	100.0（69）
您的性格/%	好胜心很强	21.1	17.5	25.3	17.1
	好胜心比较强	50	44.7	43.4	44.3
	好胜心一般	25	35.1	27.3	30
	好胜心比较弱	3.9	2.6	4	8.6
	总计（N）	100.0（73）	100.0（163）	100.0（107）	100.0（16）
教育程度/%	小学及以下	9.9	8.7	4	7.5
	初中文化	35.8	38.3	37	38.8
	高中程度	40.7	41.7	41	38.8
	大专、本科及以上	13.6	11.3	18	14.9
	总计（N）	100.0（81）	100.0（115）	100.0（100）	100.0（67）

注：括号内数字为样本数

从以上结果可以看出：四个聚类类别中，资产规模的分布情况没有太大的差异。也就是说，资产规模与渠道冲突原因之间不存在必然的联系。无论个体工商户的资产规模是大还是小，在引起渠道冲突的原因上的差异不大。

年销售总额上，从上面的均值结果可以看出，在四类中，第二类的个体工商户年销售总额的均值最高，第一类的个体工商户年销售总额的均值最低。

关于每一聚类类别的渠道成员的经营状况，从表 3-5 中对应的栏中可以看到，四个类别中，选择经营状况"一般"的都占了大多数，其中，第一类占 45.6%，第二类占 54.4%，第三类占 47%，第七类占 45.2%；其次是选择经营状况"良好"的，其中，第一类占 32.9%，第二类占 30.7%，第三类占 39%，第七类占 42.5%；对近一年来的经营状况回答为"很好"和"差"的都只占少数。其中，回答"很好"和"差"的，第一类占的比例都最大，分别占 13.9% 和 7.6%。

四个类别在"在武汉经商时间"的均值之间差异很小。这说明渠道冲突成员在武汉的从业时间对其引起渠道冲突的原因的分布没有明显影响。

四类渠道成员的文化程度大多集中在"高中"和"初中"两项上，而在"高中"文化程度上的人数占的比例最大，其中，第一类占 40.7%，第二类占 41.7%，第三类占 41%，第七类占 38.8%；"初中"组的第一类占 35.8%，第二类占 38.3%，第三类占 37%，第七类占 38.8%。各聚类类别在文化程度这个指标上没有明显差异。

（3）冲突原因、冲突行为、渠道满意与渠道信任的关系

通过进一步的相关分析，我们可以发现冲突原因因子与冲突行为、渠道满意度与渠道成员经营绩效具有如图 3-4 的关系模式。

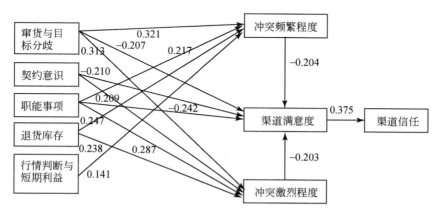

图 3-4　冲突原因因子与渠道冲突行为的相关关系①

————————

① 图中所列系数全部为两个变量之间的简单相关系数。

审货与目标分歧因子、契约意识因子、职能事项因子、退货库存因子都会影响渠道冲突的激烈程度，渠道成员越是因为这些方面的原因与其他渠道长远发生冲突，则冲突的激烈程度越高；另外，审货与目标分歧因子、契约意识因子、职能事项因子、行情判断与短期利益因子则影响了冲突发生的频率，渠道成员越是因为这些方面的原因与其他成员发生冲突，冲突发生也就越经常、越频繁。此外，审货与目标分歧因子、契约意识因子、职能事项因子还直接影响了成员的渠道满意度，渠道成员间越是因为这些方面的原因发生冲突，对渠道的满意度也就越低。但是，退货库存因子、行情判断与短期利益因子没有对渠道满意度造成直接影响。值得注意的是，各冲突原因与渠道成员的经营绩效没有直接关系，即不同的冲突原因不会直接导致渠道成员绩效上的明显差别。

3.3 我国农产品营销渠道冲突原因的几点讨论

3.3.1 中西方渠道冲突原因的差异比较

根据 Stern（2001）教授的研究，发达国家营销渠道的冲突主要由目标差异（goal divergence）、与经营范围有关的事项争议（domain dissensus），以及对现实的感知差距（differing perception of reality）三方面的原因所引起。表3-6 对这三方面原因进行了总结。

表 3-6　发达国家营销渠道冲突原因归类

冲突原因序号	冲突原因名称	原因举例
1	目标差异	某一渠道成员实现自己目标的行为妨碍了另一渠道成员实现他们的目标
2	渠道经营管理范围性事项的争议	应该把哪些顾客选为目标顾客？应该在哪个地域开展经营活动？每个渠道成员应该在渠道中承担什么功能
3	对现实的感知差距	渠道成员对竞争形势判断的差异

本书的研究发现，中国营销渠道的冲突原因与西方发达国家的渠道冲突原因既有相似之处也有差异之处。从相同之处看，渠道成员的目标差异在两类渠道中都是引起渠道冲突的重要原因；此外，渠道经营管理范围性事项以及对现实的感知差距也都是两类渠道冲突的原因。换言之，发达国家营销渠道中引起渠道冲突的原因，基本上在中国营销渠道中也同样引发冲突。

不同之处主要表现在以下五个方面。

第一，引发中国农产品营销渠道发生冲突的原因多于发达国家。即使在进行公因子提取后，中国农产品营销渠道中的冲突仍然有五大类。而根据 Stern 的归纳，发达国家的营销渠道冲突原因仅有三大类。这说明在中国的农产品营销渠道中，能够引发渠道成员发生冲突的原因更多、更普遍。

第二，中国农产品营销渠道中渠道成员之间的目标差异往往与渠道中的窜货共同作为渠道冲突原因而存在。换言之，那些因为目标分歧引起的渠道冲突中也常常伴随着某些渠道成员掠夺其他成员业已开发的市场的现象。这就给农产品营销渠道冲突带来复杂的局面，增加了冲突管理的难度。

第三，契约意识的缺乏是引发中国农产品渠道冲突的重要原因，但是根据目前的文献资料来看，发达国家营销渠道中契约意识并不是一个比较明显的冲突原因。这说明发达国家中渠道成员之间重合同、守信用的情况比中国的农产品营销环境要好。在个案调查中也了解到，农产品经营相对于工业品本来就有比较高的风险，农产品受天气、运输、消费者口味等不确定性因素的影响很大，这些都为不遵守契约提供了许多主观和客观的原因。再加上中国具有长期农业社会、熟人社会的传统，契约意识一直比较缺乏，这都导致目前农产品营销渠道成员之间不遵守合同、协议的情况并不少见。有一位渠道成员在访谈时说："农产品的经营合同，目前是不签白不签，签了也白签。"这种状况不改变，农产品营销渠道的经营管理很难提上新的高度，不能适应现代农业物流的要求。

第四，退货、货物库存是中国农产品营销渠道冲突的重要原因，但是这个原因在对发达国家营销渠道冲突进行研究的文献中几乎没有提及。从个案调查的情况看，退货的普遍并不是因为农产品营销渠道成员故意出售假冒伪劣产品或者缺斤少两，这可能首先是由农产品的特点决定的。农产品对保鲜期、卫生条件一般有着特定要求，而且其形状、颜色乃至重量都有可能在较短时期内发生变化（如新鲜海产品即使当天从沿海地区空运到武汉其重量也会减少），这是造成购买方要求退货从而引发交易双方发生冲突的重要原因。另外，大部分农产品营销渠道成员的仓储条件很差，缺少必要的保鲜、冷冻技术设备，购买方不得不干预对方的货物库存状况，而对方由于条件所限又不能有效解决，因此也常常引起冲突。这说明目前我国农产品流通的物质技术条件还比较差，农产品交易市场的基础设施落后，引发了农产品营销渠道冲突，妨碍了农产品交易的正常进行。

第五，在发达国家营销渠道中对行情、竞争形势的判断是一个单独存在的引起冲突的原因，但是在中国的农产品营销渠道中对行情判断的差异往往与渠道成员过于注重短期利益联系在一起，共同形成渠道冲突的原因。个案调查显示，中国农产品营销渠道中的部分成员较少从长远角度考虑问题，在处理渠道冲突的过程中机会主义（opportunism）倾向比较明显。这与杨政（2004）的研究结论基本一致，他们认为我国目前正处于社会转轨时期，不仅渠道成员具有机会主义的行为与动机，有些环境因素也会容允甚至诱导机会主义行为。农产品营销渠道成员的机会主义倾向、对短期利益的过度关注可能与其对自己的事业缺少长远规划有关。农产品经营的风险较高，而目前农产品营销渠道成员的资本规模一般都偏小、抗击市场风险的能力弱，这部分渠道成员很难对未来形成乐观的预期，甚至抱着经营不善便随时转行的思想。他们更注重抓住眼前的利益，甚至不惜为了一点微利而与其他渠道成员发生冲突。持有这种经营思想的渠道成员并不少见，他们的存在更进一步加剧了整个农产品市场的机会主义倾向，这对整个农产品营销渠道的正常经营是非常不利的。

3.3.2 结构性与非结构性分歧对渠道冲突的影响比较

根据营销渠道管理专家 Etgar（1979）的研究，在发达国家营销渠道中，态度性分歧（如渠道角色期望、对渠道现状的认知等）而非结构性分歧（主要指渠道成员经营目标的差异、渠道成员对于自治和自控力的追求）导致了渠道成员情感的变化，并由此推动了渠道冲突的发生。但是本书的研究结论刚好相反。在中国的农产品营销渠道中，结构性因素（尤其是目标分歧、经营决策受对方干预的程度）与渠道满意度的相关性都超过态度性因素与满意度的相关性（表3-7），而渠道满意度作为渠道成员的情感因素又直接与渠道冲突相关。换句话说，中国农产品营销渠道中发生冲突的重要原因是渠道本身的结构性缺陷，渠道成员个体层次的原因排在其次。发达国家营销渠道中渠道冲突的态度性原因更为明显，可能与其渠道结构相对完善有关。

表3-7　各渠道冲突原因与渠道冲突行为、渠道满意度的关系

项　目	态度性分歧					结构性分歧		
	职能事项	契约意识	退货库存	行情判断与短期利益	渠道满意度	审货与目标分歧	经营中受对方干预程度	角色扮演意愿
冲突频繁程度	0.217[a] (0.023)[b]	— —	0.247 (0.004)	0.141 (0.021)	0.204 (0.032)	0.321 (0.000)	0.357 (0.000)	-0.220 (0.013)
冲突激烈程度	0.287 (0.000)	0.209 (0.034)	0.238 (0.007)	—	0.203 (0.033)	0.313 (0.000)	0.409 (0.000)	-0.229 (0.008)
渠道满意度	-0.242 (0.006)	-0.210 (0.033)	—	—	—	-0.207 (0.039)	-0.329 (0.007)	-0.196 (0.049)

注：a 为 pearson 相关系数，b 为双尾检验的概率值

关于中国农产品营销渠道中为什么结构性因素比态度性因素更能引起渠道冲突的问题是一个有待继续研究的课题。本书受研究资料的限制不能在这里展开进行探讨。但是这种情况至少提醒我们两个需要注意之处：一是把目前中国农产品

营销渠道冲突比较频繁的原因仅仅归结为渠道成员本身是不科学的；我们看到的都是具体的渠道成员之间、人与人之间的冲突，但是这种冲突的背后有着渠道结构性缺陷的阴影；二是目前处理农产品营销渠道冲突时不能仅仅关注渠道个体成员层次的措施（如进行第三方调解、建立渠道成员信息沟通机制等），完善渠道结构也是一个非常重要的选择。

3.4　本　章　小　结

在营销渠道中，当渠道中的某一成员认为另一成员的行为妨碍其实现自己的目标时冲突就产生了。研究设计的量表主要涉及的冲突原因包括目标不一致、对市场行情的判断不一致、价格问题、产品质量缺陷、运输损失、损坏产品的问题等一系列比较细化的、在渠道营销中经常出现的冲突原因。

本章通过对实证调查资料进行因子分析，提取了 5 个冲突原因因子，并分别命名为窜货与目标分歧、契约意识、职能事项、退货库存、行情判与断短期利益。此外，还运用单因素方差分析方法对农产品渠道成员的社会学人口特征如性格特点、文化程度、在武汉经商的时间、资产规模、销售总额、从业人数等因素对于具体冲突原因的影响进行了讨论。

为了区分和比较不同类别的个体工商户在冲突原因上的差异，我们在渠道冲突原因因子得分的基础上进行快速聚类分析，初步把冲突原因不同的样本分为了4 类，并根据其在冲突原因上的表现，分别命名为冲突抑制组、窜货与目标分歧组、复合原因组、契约意识组。研究发现，冲突原因中的"窜货与目标分歧"与渠道成员决定商业事物权力受干预的程度呈正相关，冲突原因中的"职能事项"也与渠道成员在经销渠道中的决策权受其他经销商干预的程度呈正相关，而且"窜货与目标分歧"因子、"职能事项"因子、"退货库存"因子与冲突频繁程度、冲突激烈程度两变量间的关系呈正相关，说明因为这三方面原因而发生渠道冲突的渠道成员，其与经销商之间发生冲突的情况比较频繁并且冲突的激烈程度较大。研究还发现"窜货与目标分歧"与渠道成员的渠道公平感呈负相关。

本章探讨了中国与西方发达国家农产品营销渠道冲突原因的差异，发现从总体上看，引发中国农产品营销渠道冲突的原因种类多于西方国家的营销渠道，在其他具体冲突原因的特点上二者也存在一些差别。另外，中国的农产品营销渠道中结构性因素比态度性因素更能引起渠道冲突，这与西方国家的渠道情况相反。

第4章
农产品渠道权力与渠道冲突的关系

4.1 渠道权力的概念及测量

渠道权力在学术界一般被定义为一个渠道成员对渠道中其他成员的行为和决策变量施加影响的能力（Kim and Hsieh，2003）。这种影响其他成员行为的能力有赖于渠道成员所感知到的相互之间依赖的程度，在一定意义上渠道权力是渠道成员之间依赖关系的结果，而这种依赖关系的本质是专业化的渠道成员对其他成员所占有资源的依赖（Zhuang and Zhou，2004）。如果 A 拥有 B 所需要的资源，B 对 A 有所依赖，则 B 对 A 的依赖性赋予 A 潜在的影响力，影响力的大小取决于 B 对 A 的依赖程度。由于渠道系统中的成员所占有资源的差异，使渠道系统中的依赖关系呈现出多种形态，从而造成渠道成员所拥有权力的差异。

研究学者对构成渠道权力的来源进行归纳，认为渠道权力主要来源于奖赏权力、惩罚权力、感召权力、专家权力和法律权力（Stern，2001）。亦有学者依照两分法把渠道权力归纳为强制性权力与非强制性权力；经济权力与非经济权力；协商权力与非协商权力等（Lee，2001）。渠道权力划分的角度虽然不同，但毫无例外都是基于权力来源因素进行分类的（表4-1）。

表4-1　典型的渠道权力理论与代表人物

理论名称	权力类型	代表人物
两权力说	强制权力与非强制权力	Hunt and Nevin（1974）
两权力说	经济权力与非经济权力	Etgar（1978）
两权力说	协调权力与非协调权力	Kasulis and Spekman（1980）
五权力说	奖励、强制权力、法律权力、参照权力、专家权力	French and Raven（1959）
六权力说	奖励、惩罚权力、法律权力、参照权力、专家权力、信息权力	Lusch and Ross（1985）；Stern（1996）

一般认为，为了有效影响渠道成员的行为、提高渠道运作效率，渠道成员对渠道权力的运用是必要的。但不是所有渠道权力的运用都会带来积极效果，权力

运用必须考虑渠道结构、渠道成员的特点以及渠道运作的环境。

不同的学者分别进行了不同类型的渠道权力对渠道冲突水平和渠道成员满意度的关系或影响的具体研究。Schul（1983）等运用路径分析方法对渠道冲突与渠道成员满意度关系进行了研究，发现渠道成员对渠道满意度越高，渠道冲突就越少，该结论反过来也成立。Wilkinson（1981）则运用因果模型分析强制性渠道权力的使用与渠道冲突的关系，发现强制性权力使用越多，渠道冲突越频繁，渠道成员满意度越低。Arrdt 和 Ogaard（1986）等的研究亦表明，渠道冲突导致渠道成员对渠道和其他渠道成员的满意度下降，并采取机会主义行为以减少自身的损失，而这些机会主义行为又会导致其他渠道成员同样采取机会主义行为，使渠道信任难以建立。

目前对包括中国在内的发展中国家的农产品营销渠道冲突的实证研究还非常少见。香港学者 Lee（2001）对一家中外合资啤酒企业在海南的分销商进行了调查研究，并与 Gaski 和 Nevin（1985）对美国分销商的研究结果进行了比较，发现中国渠道成员对非强制性权力运用的敏感度要低于西方，而中国分销渠道中的强制性权力与渠道满意度的相关度要高于美国。

本书在总结前人研究的基础上以对以下问题的回答为研究重点：中国内地农产品营销渠道中渠道权力的构成如何？何种渠道成员在运用某类具体的渠道权力？中国农产品营销渠道成员对渠道权力的运用有何特点？这些权力的运用分别带来了什么影响？对这些问题的回答将有助于理清农产品营销渠道的权力运用状况，填补部分理论研究的空白，并为渠道管理实践提供有益借鉴。

由于目前还没有关于中国农产品营销渠道权力的可以直接引用的量表，本书在研究中直接借用了 Brown（1981）和 Lee（2001）的渠道权力测量量表并根据对渠道成员的个案调查、焦点组访谈的情况进行了适当修正以使其适应中国农产品营销渠道的情况。整个量表包括渠道的奖赏权力、惩罚权力、感召权力、专家权力和法律权力、信息权力 6 个维度，共包括 18 个题项，量表的 Cronbach 系数为 0.78，达到信度要求。而对 Brown 和 Lee 权力测量表的借鉴和焦点组访谈则保证了量表的效度。表 4-2 是本书使用的测量量表，并给出了调查样本回答的基本情况。

表 4-2　渠道权力量表中各个项目的回答百分比分布

测项代码	量表测项（items）	不同意/%	同意/%
Q1	按经销商的要求去做是我的责任	29.9	70.1
Q2	只要满足经销商的要求，我会得到其帮助	25.0	75.0
Q3	经销商提出的一些要求即使不在合同内，我也有责任去满足	41.3	58.7
Q4	如果不满足经销商的要求，他们会威胁取消甚至停止与我签订商业合同	47.7	52.0

测项代码	量表测项（items）	不同意/%	同意/%
Q5	经销商常告诉我若不满足其要求，会减少我的利润	54.0	46.0
Q6	若不满足经销商的要求，其很可能减少给我的好处和服务	41.7	58.3
Q7	经销商在合同中常定一些强制条款，使我感到自己是被迫满足其要求的	61.5	38.5
Q8	只要满足经销商的要求，我会避免很多同行遇到的麻烦	39.7	60.0
Q9	当经销商提出要求时我尽量予以满足，因为我尊重他们	25.1	74.9
Q10	经销商雇请了一些真正懂行的人才或他们本身很懂行，因此知道该做什么	33.6	66.4
Q11	经销商比我掌握的市场信息多	41.2	58.8
Q12	经销商比我更了解怎么开发市场	48.0	52.0
Q13	我为能拥有如此有名气的经销商而感到自豪	38.5	61.2
Q14	我很羡慕我的经销商做生意的手段方法，希望模仿他们	49.8	50.2
Q15	经销商经常提供给我许多有用的市场信息	18.3	81.5
Q16	经销商经常给我很好的经营管理建议	33.1	67.7
Q17	我经常相信经销商的市场判断	52.5	47.5
Q18	去年，当我满足经销商的要求后，多数时候我都得到了他们的回报	33.9	66.1

注：表中百分比计算的是有效百分比

从表 4-2 中可以看出，对于 Q1"按照经销商的要求去做是我的责任"、Q8"只要满足经销商的要求，我就会避免很多同行遇到的麻烦"、Q10"经销商雇请了一些真正懂行的人才或他们本身很懂行，因此知道该做什么"、Q15"经销商经常提供给我许多有用的市场信息"、Q16"经销商经常给我很好的经营管理建议"、Q11"经销商比我掌握的市场信息多"等题项，超过 60% 的被调查对象都持赞同态度。这说明在中国的农产品销售渠道中，掌握渠道信息、经营模式、渠道流程等重要资源的经销商，使得其他渠道成员对自己形成了一定程度的依赖，从而赢得了对于其他渠道成员的渠道权力，而且这种渠道权力的不均衡分布的情况还比较普遍。

数据还显示：互惠互利、和睦相处是渠道成员与经销商在相互交往过程中的主要原则。75.0% 的被调查者认为只要满足经销商的要求他们自身也会得到其帮助（Q2）；66.1% 的人认为当满足经销商的要求后多数时候都得到回报（Q18）；74.9% 的人则认为当经销商提出要求时自己尽量予以满足（Q9）。这种现象与中国文化崇尚"礼尚往来"有关系，"来而不往非礼也"、"投桃报李"等文化思想对中国农产品营销渠道成员的影响是深远的。

但是值得注意的是，仍然有超过 1/3 的渠道成员认为经销商在合同中常制定强制性条款，而自己是被迫满足其要求的（Q10）。另外，对于"如果不满足经销商的要求，他们会威胁取消甚至停止与我签订商业合同"（Q4）、"若不满足经销商的要求，其很可能减少给我的好处和服务"（Q16）的回答表示同意的比例为50%左右。这些数据说明在中国的销售渠道中，虽然渠道成员之间的关系基本是建立在互惠互利、和睦友好基础上的，但是强制性权力的使用也并不少见。在其认为必要的时机，渠道成员也会采取威胁、惩罚的措施达到自己的目的。

4.2　渠道成员特征与渠道权力的关系

本部分内容将分析农产品营销渠道成员的基本特征，包括资产规模、经营状况、文化程度等对渠道中的权力测量项目的相关关系，采用的是单因素方差分析方法。表 4-3 中列出了通过显著性检验的方差分析部分，并给出与之相应的均值关系图[①]。

表 4-3　渠道成员特征与渠道冲突原因的关系

特征区域	X：渠道成员特征	Y：渠道权力	F 值	P	结　论
I	资产规模	Q16	2.803	0.040	显著
		Q1	2.143	0.044	显著
		Q2	2.419	0.046	显著
	经营状况	Q1	3.044	0.006	极显著
II	文化程度	Q11	2.120	0.042	显著
		Q6	4.259	0.001	极显著
		Q4	3.193	0.008	极显著
	性格特征	Q16	2.826	0.038	显著
		Q1	4.795	0.003	极显著

（1）渠道成员特征区域 I

表 4-3 的数据表明，渠道成员的资产规模与如下三个渠道冲突测项有显著影响：接受经销商经营管理建议的状况（Q16）；满足经销商要求的责任意识（Q1）；在满足经销商要求后得到回报帮助的信心（Q2）。而渠道成员的经营状况则极显著地影响渠道权力变量 Q1（按经销商的要求去做是我的责任）。

由均值图 4-1 可知，就接受经销商提供经营管理建议的情况看，50 万～100 万元资产的渠道成员对"经销商经常给我很好的经营管理建议"（Q16）这一问

---

① 均值图纵列的数据，"1"表示同意，"0"表示不同意，数值越高表示同意程度越强。

题认同的均值得分最高，50万元资产规模以下的渠道成员对该问题认同的均值得分最低，这说明渠道成员的资产规模越小，越认为经销商没有给自己提供很好的经营管理建议。在"按经销商的要求去做是我的责任"（Q1）这一问题上，其总的变化趋势是随着资产规模地增加，均值分数也随之增加，这说明资产规模越大的渠道成员对经销商的责任意识越强。这是一个值得注意的现象，说明农产品营销要构建和谐渠道、提高渠道成员间的信任，就应该更多地培育经营规模相对较大的渠道成员。

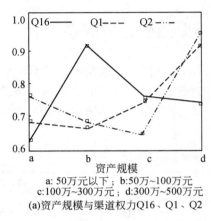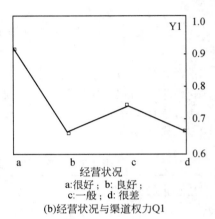

a: 50万元以下；b:50万~100万元
c:100万~300万元；d:300万~500万元
(a)资产规模与渠道权力Q16、Q1、Q2

a:很好；b: 良好；
c:一般；d: 很差
(b)经营状况与渠道权力Q1

图4-1　渠道成员特征与渠道冲突原因的关系Ⅰ

对"只要满足经销商的要求，我会得到其帮助"（Q2）这一观点认同情况的均值得分是先降后升，在100万~300万元时出现了拐点，此时的均值得分最低。这种变化趋势标明：渠道中得到帮助最多的成员是资产规模处于两端即规模较小和规模较大的成员，规模居中的成员得到的帮助比较少。另外，近一年的经营状况影响渠道成员对于经销商的责任意识。

从均值图4-1中可以看出，经营状况越好的渠道成员越赞同"按经销商的要求去做是我的责任"（Q1）的观点，经营状况越差的渠道成员越不认同该观点。这表明渠道成员对经销商的责任心不仅不会损害自己的利益，而且总的来看，这种责任心还有利于渠道成员提高经营绩效。

（2）渠道成员特征区域Ⅱ

由表4-3易知，渠道成员的文化程度与如下三个渠道冲突测项有显著影响："经销商比我掌握的市场信息多"（Q11）、"若不满足经销商的要求，其很可能减少给我的好处和服务"（Q6）、"如果不满足经销商的要求，他们会威胁取消甚至停止与我签订商业合同"（Q4）。而渠道成员的性格特征与渠道权力变量Q16（经销商经常给我很好的经营管理建议）和Q1（按经销商的要求去做是我的责任）也具有显著的影响关系。

由均值图4-2可见，文化程度对"经销商比我掌握的市场信息多"（Q11）这一观点的认同均值曲线的总趋势是：文化程度越低，越认为经销商掌握的信息多；文化程度越高，渠道成员越认为经销商并不比自己更了解市场。这说明受教育程度越高的渠道成员自信心也越强。至于文化程度在本科以后得分出现一个反弹，主要是因为这部分文化程度高的渠道成员接触的经销商不同于一般渠道成员，他们的经销商实力更强、素质更高，所以他们仍然认为经销商比自己掌握更多的市场信息。

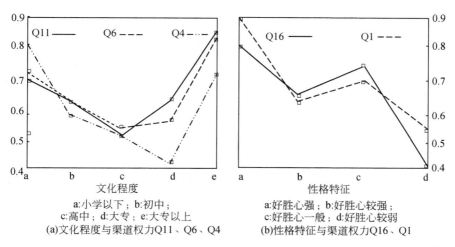

a:小学以下；b:初中；
c:高中；d:大专；e:大专以上
(a)文化程度与渠道权力Q11、Q6、Q4

a:好胜心强；b:好胜心较强；
c:好胜心一般；d:好胜心较弱
(b)性格特征与渠道权力Q16、Q1

图4-2　渠道成员特征与渠道冲突原因的关系Ⅱ

另外，渠道成员的文化程度对渠道权力变量Q6（若不满足经销商的要求，其很可能减少给我的好处和服务）和Q4（如果不满足经销商的要求，他们会威胁取消甚至停止与我签订商业合同）影响的均值图曲线非常相似。总的趋势是：随着受教育程度的增加，经销商对渠道成员使用威胁性、惩罚性权力的情况逐渐减少。换言之，农产品营销渠道中主要是文化程度较低的成员承受着威胁性、惩罚性权力。值得注意的是，渠道成员的文化程度越过本科后在均值图上的得分有一个反弹，其原因与上文的解释相近，主要是因为这些成员接触了更高层次的经销商，这些势力较强的经销商可能以更激烈的方式对这些文化程度较高的渠道成员使用渠道权力。另外，文化程度较高的渠道成员对威胁性渠道权力更敏感也更反感，这也是导致他们在本题的三个权力变量上得分偏高的原因。

此外，渠道成员的性格特征对2个渠道权力变量Q16（经销商经常给我很好的经营管理建议）和Q1（按经销商的要求去做是我的责任）有一定影响作用，表现为：渠道成员的好胜心越强，越认为自己得到了经销商提供的经营管理建议。当好胜心比较弱时，在该观点上的得分也降到最低点；好胜心越强的渠道成员，对于经销商的责任意识也越强。出现上述状况的原因主要是好胜心强的渠道成员，其进取心、事业心也比较强。为了取得商业上的成功，他们必然重视从他人那里吸收建议和意见来改善自己的经营状况，并尽心尽力为商业伙伴提供良好的服务，这就使得他们在两个权力变量上的得分都比较高。

4.3 渠道权力的分类构成和样本考察

4.3.1 渠道权力主要分类：来自因子分析的结论

我们对渠道权力进行了因子分析。在因子分析的适当性考察中，KMO 值为 0.762，Bartlett 球度检验给出的相伴概率为 0.001，因此，Bartlett 球度检验和 KMO 检验都通过，可以对渠道冲突原因进行因子分析。我们以特征根大于 1 为标准共提取六个公共因子，总方差解释率达到 63.04%。表 4-4 提供了因子载荷矩阵。

第一个公因子在合同遵守和执行、契约意识等项目上得分比较高，故命名为法律权力；第二个公共因子在受渠道成员胁迫的相关项目上得分比较高，故命名为惩罚权力；第三个因子在得到报酬、回报期望等相关项目上得分比较高，故命名为奖励权力；第四个因子在信息与信息信任程度的相关项目上得分比较高，故命名为信息权力；第五个因子在渠道成员的吸引力、魅力等相关项目上得分比较高，故命名为参照权力；第六个因子在经营管理与市场开发能力等相关项目上得分比较高，故命名为专家权力。渠道权力公共因子的提取情况表明：与西方的营销渠道相似，在中国的农产品营销渠道中也存在六种渠道权力。但值得注意的是，中国的农产品营销渠道成员渠道权力的运用状况与西方营销渠道相比存在自己的特点，即惩罚权力的运用比较普遍，而专家型权力和参照型权力的运用偏少。前者说明农产品营销渠道中渠道冲突的发生比较频繁，后者则表明目前的农产品营销渠道中还缺乏具有比较强的经营管理能力和良好社会声望、能够赢得众多渠道成员尊重的渠道成员。

表 4-4 是经过正交旋转后的因子载荷矩阵。

表 4-4 正交旋转后的渠道权力因子载荷矩阵

渠道权力测量题项	因子载荷					
	1	2	3	4	5	6
Q1	0.743					
Q2	0.584					
Q3	0.502					
Q4		0.383				

渠道权力	因子载荷					
测量题项	1	2	3	4	5	6
Q5		0.738				
Q6		0.686				
Q7			0.617			
Q8			0.694			
Q9			0.54			
Q10				0.788		
Q11				0.782		
Q12					0.796	
Q13					0.424	
Q14					0.416	
Q15						0.568
Q16						0.411
Q17						0.404

根据表 4-4 中的数据可以把各个公共因子的命名情况与方差解释贡献率总结为表 4-5。

表 4-5　因子的累计方差贡献率

成　分	特征值	方差贡献	累计贡献率/%
1	2.262	15.308	15.308
2	1.603	12.430	27.738
3	1.240	9.294	37.032
4	1.171	8.887	45.919
5	1.142	8.717	54.360
6	1.087	8.396	62.756

4.3.2　渠道权力样本考察：来自聚类分析的结论

依据渠道权力的公共因子进行聚类分析，可以把所调查的渠道成员划分成若干类。经过若干次尝试后，我们发现划分为五类较合适，并且方差检验的结果完全达到显著。结果显示，调查的渠道成员主要集中于第一类 K1 和第二类 K2，而第三、第四、第五类只出现了一个个案，因此剔除个案出现频次很少的三类，考察人数相对集中的第一类 K1 和第二类 K2（表 4-6）。

表 4-6 渠道权力的聚类分析

聚类变量	聚类中心		方差检验	
	K1	K2	F 值	P 值
F1：法律权力	− 0.265	0.742	16.30	0.000
F2：惩罚权力	− 0.838	0.930	156.67	0.000
F3：奖励权力	0.560	− 0.025	8.81	0.000
F4：信息权力	0.884	− 0.149	4.14	0.003
F5：参照权力	0.670	− 0.137	135.19	0.000
F6：专家权力	0.381	0.027	69.48	0.000
聚类样本分布 N（%）	189（45.6%）	226（54.4%）	—	—

注：$P < 0.01$ 为极显著，$P < 0.05$ 为显著；此表略去了样本较少的其他样本聚类组

　　研究两个组在六个公共因子上的得分情况可以发现，第一组 K1 的渠道成员在 F1、F2 两个聚类变量上呈负值，而在其余四个聚类变量上为正值，并且绝对值得分都比较大，这说明第一组渠道成员认为其他渠道成员很少对自己使用法律权力与惩罚权力，而多采用 F4 信息权力、F5 参照权力、F3 奖励权力和 F6 专家权力。第二组正好相反，在 F3、F4、F5 聚类变量上呈负值，而在 F2、F1 和 F6 上为正值，这表明第二组 K2 渠道成员认为其他渠道成员经常对自己使用法律权力与惩罚权力，而很少使用奖励权力、信息权力，但是偶尔也会使用专家权力（该权力组在专家权力上的因子得分接近 0.03 且为正值）。因此，可以根据这些分组和在各个权力公因子上的得分情况把渠道权力的运用划分为强制性权力和非强制性权力。这与西方学者对发达国家营销渠道权力的研究结论基本一致。

　　然而，中国农产品营销渠道中的权力分类也有自己的特点。

　　第一，中国农产品营销渠道中的强制性权力是由惩罚权力和法律权力共同组成的，而且有时与专家权力联合使用，对渠道权力因子继续进行主成分分析可以发现这一点。惩罚权力（F1）和法律权力（F2）在同一公因子上载荷均超过 0.5 而在另外一个公因子上的载荷低于 0.2，因此可以把这两类渠道权力划分为一个更大类的渠道权力，即强制性渠道权力。除此之外的四类权力（F3～F5）在另一公因子上载荷都超过 0.5，故可把它们归于非强制性渠道权力，具体数据如表 4-7 所示。这与聚类分析的结果也是一致的。

表 4-7 渠道权力主成分分析：强制权力与非强制权力

权力种类	强制权力		非强制权力			
	惩罚权力	法律权力	专家权力	参照权力	信息权力	奖励权力
标准载荷	0.86	0.78	0.65	0.71	0.73	0.68

根据西方学者的研究，发达国家营销渠道中的强制权力基本上由惩罚权力构成，法律权力等其他渠道权力全部属于非强制性权力（Johnson et al.，1993）。这种差异可能与中国特定的社会文化环境有关，中国人有尽量避免在人际冲突中使用法律手段的传统，"打官司"对于许多中国人而言仍然是一件非常麻烦而且有时甚至很伤害"面子"的行为；一旦把人际冲突诉诸法律，渠道冲突就已经突破冲突双方的心理底线，这时把对方告上法庭不仅仅是为了维护自己的正当权益，有时也是对对方的一种报复，以发泄心理和情绪上的愤怒。在这种情形下，法律权力与惩罚权力共同成为渠道强制权力的组成部分就很正常了。至于专家权力有时也成为渠道强制权力的一部分，主要是因为中国人有"实践权威"的认知倾向，中国人往往信奉那些实践中的强者和成功者，一个社会成员很难仅仅依靠语言等表达工具赢得他人的信任，民间有许多俗语就表达了这样的思想。因此，渠道成员如果拥有实践性很强的专家权力，就能够增强强制性权力的使用效果，使得渠道成员在冲突中更容易达到自己的目的。

第二，经常使用非强制性渠道权力的渠道成员，其非强制性权力构成以奖励权力、信息权力、参照权力为主，专家权力则较少使用。结合个案调查的情况看，这并不是因为专家权力难以发挥作用，而是因为这些渠道成员本身不拥有专家权力。这再次印证了上文提出的目前农产品营销渠道中还缺乏具有较强经营管理能力的渠道成员、专家权力是一种宝贵的稀缺资源的观点。值得引起重视的是，一方面，目前农产品营销渠道中缺乏专家权力，另一方面，渠道中很少的一些专家权力又与强制性权力共同使用，这种情况对于缓解农产品营销渠道冲突、建立和谐渠道很不利。

4.4 渠道权力分类下渠道冲突的特征

4.4.1 渠道权力分组下的成员特征比较

将渠道成员按照渠道权力感知状况划分为两组，即强制性权力组和非强制性权力组后，需要进一步了解每一组渠道成员的基本特点。表 4-8 是对每组成员基本状况的描述。

表 4-8 渠道权力分组下的渠道成员基本特征

项　目		非强制权力组/%	强制权力组/%
资产规模	50 万元以下	62.4	66.8
	50 万～100 万元	20.6	19.7
	100 万～300 万元	9.7	4.7
	300 万～500 万元	7.3	8.8
	总计	100.0	100.0
2004 年销售总额	50 万元以下	40.5	40.3
	50 万～100 万元	23.3	20.4
	100 万～300 万元	20.9	19.9
	300 万～500 万元	15.3	19.4
	总计	100.0	100.0
近一年的经营状况	良好	45.5	42.0
	一般	49.1	48.7
	较差	5.5	8.3
	总计	100.0	100.0
文化程度	小学及以下	5.5	10.4
	初中	34.1	40.1
	高中/中专	42.7	36.5
	大专及以上	17.7	13.0
	总计	100.0	100.0
在武汉经商时间	3 年以下	24.5	31.5
	4～6 年	30.1	25.9
	7～10 年	33.6	27.1
	11 年以上	12.8	15.5
	总计	100.0	100.0
从业人数	1～3 人	31.3	34.2
	4～6 人	31.3	32.1
	7～10 人	16.4	13.2
	11 人以上	21.0	26.5
	总计	100	100.0
对商业竞争看法	商业竞争只有一个赢家	19.3	9.8
	商业竞争应该追求双赢	80.7	90.2
	总计	100	100.0

项　目		非强制权力组/%	强制权力组/%
在行业中的竞争力	强	56.2	49.0
	一般	38.5	37.2
	弱	5.3	13.8
	总计	100.0	100.0

注：卡方检验皆为 0.05 显著水平下的双尾检验

第一，强制性权力和非强制性权力下的资产规模、销售额和经营状况特征。不论是强制权力组还是非强制权力组，超过 60% 的成员其资产规模都在 50 万元以下，非强制权力组其资产规模在 100 万元以上的成员人数高出强制权力组约 5%。就销售总额而言，在各个销售总额区间，非强制权力组和强制权力组的人数分布状况非常相近，超过 60% 成员的年销售总额在 100 万元以下，其中，强制权力组在 300 万 ~ 500 万元这个销售总额区间内的成员人数要略高于非强制权力组。两组中不足 10% 的人员认为自己在近一年的经营状况较差，45.5% 的非强制权力组成员认为自己在近一年的经营中状况较好，42.0% 的强制权力组成员有此认同，而两组中认同经营状况一般的人数都略高于认同经营状况良好的人数。

第二，强制性权力和非强制性权力下渠道成员的文化程度、经商时间和从业人数特征。强制权力组和非强制性权力组成员在文化程度上存在较为显著的差异。强制权力组中 50.5% 的成员是初中以下文化程度，而非强制权力组中高中以上学历的比例达到了 60.4%，远远高于强制权力组。因此，农产品营销渠道中对学历较高的渠道成员更多地使用非强制性权力，而对较低学历的渠道成员则倾向于使用强制性权力。这个发现比较有意义，它告诉我们至少两层含义：其一，由于强制性渠道权力容易导致渠道冲突，因此受教育程度相对较高的渠道成员是农产品营销渠道稳定和谐的基础力量；其二，应该尽快提高农产品营销渠道中受教育程度相对较低渠道成员的文化素质，同时引进更多学历较高的新成员，这样能够有效减少农产品营销渠道中强者性权力的使用频率，从而降低渠道冲突发生的频率。此外，两组中分别有 12.8% 和 15.5% 人员的在武汉经商时间超过了 11 年。有 24.5% 的非强制权力组成员在武汉经商的时间是 3 年以下，而强制权力组成员人数的该比例为 31.5%。对于经营单位的从业人数，3 人以下的强制权力组和非强制权力组比例分别为 31.3% 和 34.2%，11 人以上的两组人数比例分别为 21.0% 和 25.5%。

第三，强制性权力和非强制性权力下渠道成员的竞争观念和竞争力特征。数据显示，两组成员的商业竞争观念存在差异。超过 90% 的强制权力组成员赞成商业竞争应该追求"双赢"而不仅仅是击败对手。这是因为该组成员经常受到其他渠道成员强制权力的胁迫，在竞争中处于不利地位，因此对于比较温和、能够照顾各方利益的商业竞争方式更为向往。另外，两组成员的行业竞争力也存在差异。总体来看，非强制组成员的竞争力要强于强制组，其竞争力强的成员比例比后者高近7%，而竞争力弱的比例则要低近9%。这说明农产品营销渠道中渠道权力的使用有"欺软怕硬"、"避强凌弱"的趋势，竞争力强的渠道成员较少遭受其他成员对自己使用强制权力，而竞争力弱的成员则常常被当作强制权力的对象。这种权力使用上的不公平状况对农产品营销渠道的稳定和谐是很不利的，也表明不少渠道成员还难以做到公平对待每一位渠道成员。

4.4.2　渠道权力分类下的冲突观念比较

表4-9显示的是全部样本聚类分组后，渠道成员对渠道冲突观测项的回答情况，我们至少可以得到如下的三个结论。

首先，值得引起注意的是，强制权力组与非强制权力组分组下，渠道成员的某些冲突观念上非常接近，如表4-9中的C1、C2和C8。由表易知，不论是强制权力组还是非强制权力组的多数成员都赞同"和为贵"，认为不到万不得已不会与经销商发生冲突。这表明即使是受到其他渠道成员对自己行使强制性权力的成员，他们内心仍然不愿意与其他成员发生渠道冲突，这为农产品营销渠道的稳定和谐提供了良好的心理基础。另外，两组中都有近60%的成员认为如果引起冲突的事项很重要，就应该为冲突投入更多的时间；此外，两组中都有近80%的成员同意以一些不太重要事项上的让步来换取更大的利益。这表明两组成员都很注意在冲突中争取自己的正当利益，而且认为应该注意冲突策略的使用。

表4-9　渠道权力分组下渠道成员冲突观念

渠道冲突观念		样本反应	样本回答频率/%	
测项代码	测项内容		非强制权力组	强制权力组
C1	赞同"和"为贵，不到万不得已不与经销商发生冲突	同意	69.8	69.7
		不同意	30.2	30.3
C2	引起冲突的事项越重要，冲突双方使用手段越激烈	同意	50.9	65.2
		不同意	49.1	34.8
C3	引起冲突的事项越重要，冲突双方卷入时间就越长	同意	58.6	61.4
		不同意	41.4	38.6
C4	经销商侵犯了我的利益，我赞成以牙还牙，不然老被人欺负	同意	30.6	40.2
		不同意	69.4	59.8
C7	经销商侵犯了我的根本利益，使我受到较大经济损失，我会加倍进行反击	同意	34.3	45.1
		不同意	65.7	54.9

渠道冲突观念		样本反应	样本回答频率/%	
测项代码	测项内容		非强制权力组	强制权力组
C8	我会尽量避免与名气大、实力强的经销商冲突，小的经销商无所谓	同意	33.1	45.6
		不同意	66.9	54.4
C9	冲突中有时在一些非原则问题上让步，是为了关键问题上争取更大利益	同意	78.7	83.2
		不同意	21.3	16.8
C11	一旦发生过激烈的冲突，以后再在二者间建立良好的关系就非常困难	同意	57.4	66.8
		不同意	42.6	33.2

其次，两类权力分组下，强制权力组成员的冲突观意识普遍要比非强制权力组成员更为强烈，样本对测项的回答频次一般要高出10%左右，尤其体现在测项C3、C4和C7上。表4-9显示，两组成员在冲突的激烈程度的认知上（C3）存在显著差异，强制权力组中65.2%的人倾向采用激烈的手段来应对重要的冲突事项，高出非强制权力组近15%。这说明渠道成员越是受到他人对自己使用的强制权力，则越认为应该采取激烈手段应对冲突。强制权力组的成员更加赞成以牙还牙的对等性、报复性冲突观（C4），高出非强制性权力组近10%。不仅如此，两组成员在冲突中采取加倍报复行为的倾向性上（C7）也存在显著差异，强制权力组的成员同意采取这类冲突行为的比例比非强制权力组高11%左右。这说明受到其他渠道成员行使强制权力的渠道成员一旦卷入冲突，其手段会更加激烈、行为更加冲动，更容易给渠道造成严重破坏。这是农产品营销渠道冲突管理中应该注意的问题。

最后，尽管强制权力组的渠道成员具有更为激烈的冲突意识，然而他们也同时具备审时度势等优异的商业特质，这主要体现在对冲突观测项C9和C11的回答上。强制权力组在冲突对象的选择上更善于把握机会、更具有灵活性，他们在相关问题的选择上比强制性权力组高12.5%。他们中许多成员会尽量避开渠道强势成员而偏向与势力较弱的成员展开冲突，从而减少自己的冲突风险。这是因为这些渠道成员经常受到强势成员强制权力的困扰，逐渐明白与这些成员发生冲突只会给自己带来更大的损失，因此会尽力绕开这些冲突对象。同时，强制权力组比非强制权力组多出近10%的回答率，认为渠道成员在冲突发生后更难以恢复以前的良好关系。这种现象的原因是，强制权力组的成员更倾向于在冲突中使用激烈对抗的冲突手段，因此更容易给对方造成较大的损失，给双方的感情造成破坏。在冲突结束后，充满怨恨、受到伤害的双方重新建立和恢复以前的关系将变得非常困难。

为了进一步印证前述分析，我们列出了表4-10渠道权力与渠道冲突观的相关关系，其中省略了不显著的部分项目。

表 4-10　渠道权力与渠道冲突观的相关关系

渠道冲突观念		强制性权力		非强制权力		
测项代码	测项内容	惩罚权力	法律权力	信息权力	专家权力	参照权力
C2	引起冲突的事项越重要，冲突双方卷入冲突的时间就越长	—	—	0.348^a $(0.002)^b$		—
C3	引起冲突的事项越重要，冲突双方使用的手段就越激烈	0.365 (0.000)		0.307 (0.010)		—
C4	别的经销商侵犯了我的利益，我赞成以牙还牙，不然老被别人欺负	0.345 (0.001)				
C6	别的经销商侵犯了我，我不会立即进行报复而是等待有利时机进行反击		0.293 (0.008)			
C7	别的经销商侵犯了我的根本利益，使我受到比较大的经济损失，我会加倍进行反击	0.358 (0.001)	0.308 (0.005)			0.254 (0.064)
C9	对于那些名气大、实力强的经销商我会尽量避免与他们发生冲突，小的经销商我就无所谓了	0.450 (0.000)	0.330 (0.002)	0.365 (0.001)		0.327 (0.005)
C11	一旦渠道成员之间发生过激烈的冲突，以后再在二者之间建立良好的关系就非常困难	0.302 (0.007)			−0.196 (0.053)	0.277 (0.031)

注：a 表示 pearson 相关系数；b 表示显著性水平，若显著性水平未达到 0.05，则用"—"表略去

首先，从强制性权力分类来看，惩罚权力和法律权力都与加倍反击冲突观（C7）和取弱冲突观（C9）存在显著相关关系。总的来看，渠道成员如果持有比较激烈和强硬的冲突观，也会对其他成员行使强制性渠道权力，这些行为的实施一般是经过审时度势并观察实力差别后的决定。

其次，从非强制权力分类来看，在重要事项上的冲突（C2 和 C3）将使得信息权力得到使用，冲突产生之后的关系认识（C11）则会促成专家权的使用，越是"感觉到其他成员对自己拥有信息权力"的渠道成员，越注重冲突策略的使用；但是与"感受到惩罚权力"的渠道成员不同，他们不太赞成过于激烈和针锋相对的冲突观念；"感觉到其他成员对自己拥有参照权力"的渠道成员注重选

择冲突对象，同时在必要时也会采取比较激烈的程度方式；"专家权力"对渠道成员冲突观的影响很少。这主要是因为农产品营销渠道中专家权力比较少，因此难以影响渠道成员的冲突观念。

4.4.3 渠道权力分组下的冲突感知比较

由表4-11可知，不论是强制性权力组还是非强制权力组，其成员都认为自己与经销商之间发生冲突的情况并不特别频繁，但值得注意的是，强制性权力组的冲突频率要高于非强制权力组。从冲突激烈程度看，强制性权力组的冲突激烈程度也略高于非强制权力组。这说明强制性权力组的渠道成员承担更多渠道冲突，而且多数激烈性的渠道冲突也发生于这些渠道成员中。

表4-11　两类渠道权力组冲突特点的比较

渠道冲突特征测度		分组样本回答频率/%	
测项	回答	非强制权力组	强制权力组
冲突频繁程度	频繁	14.3	20.1
	不频繁	84.9	80.9
冲突激烈程度	激烈	13.5	19.1
	不激烈	85.97	81.9
渠道公平感知	公平	81.2	67.3
	不公平	18.8	32.7
商业决策被干预程度感知	多	20.5	28.5
	少	79.5	71.5

注：显著性和卡方检验皆为0.05显著水平下的双尾检验

两组成员在渠道公平感知上的差距明显，非强制权力组成员的渠道公平感知比强制权力组高13.9%。这说明由于经常受到其他渠道成员对自己行使惩罚权力等强制权力，超过30%的强制组成员认为农产品营销渠道对自己是不公平的。这是一个值得引起重视的现象。不消除如此高比例的不公平感，农产品营销渠道就会长期存在冲突隐患。

两组成员在商业决策被干预程度上的感知差距也很明显，非强制权力组有20.5%的渠道成员感到自己的商业决策受到其他渠道成员的干预，而在强制组该比例为28.5%。这说明强制组成员受到了更多的干预。强制组成员由于自身竞争力相对较弱，在农产品渠道中的地位也比较低，使其有些商业决策受其他渠道成员的支配。这可能也是导致他们对于渠道公平评价比较低的原因之一。

总结以上分析可以看出，农产品营销渠道中的强制组成员在行业中的竞争力较低，又经常遭到其他成员对自己使用强制权力，而且自己的商业决策也会受到其他成员的干预和支配，因此这些成员在渠道中的工作状态是比较压抑、沉闷的，这也是导致他们渠道冲突发生比较频繁、并倾向于在冲突中采取激烈手段的重要驱动力。在优化农产品营销渠道管理的过程中，应该重视改善他们的工作和人际交往状况，给予他们更加公平的对待，否则难以收到实际效果。

4.4.4 渠道权力分组下的渠道关系质量比较

在问及对渠道成员的信任程度时，两类渠道权力组成员的回答基本没有差别，而且其信任程度都比较高。原因在于：中国市场上的营销活动是发生在环境不确定性较高、交易双方相互依赖程度较低的环境中的，以熟人关系为基础的重复交易有利于降低交易风险，减少欺诈性交易行为发生的概率，这就使得农产品营销渠道中的商业交易活动很多都发生在相互熟悉的成员之间。调查数据显示，46.8%的渠道成员同意自己"与老客户之间有亲戚关系、老乡关系、同学关系"，58.5%的渠道成员同意自己"与老客户里面的核心人物的关系较好"，这表明许多渠道成员是长期的商业业务伙伴，因而他们之间相互信任程度比较高是很正常的。

这就在农产品营销渠道中形成了一个比较奇特的局面：一方面，商业交易活动很多都发生在熟悉的成员之间，相互信任程度并不低；另一方面，渠道冲突尤其是强制权力组成员的冲突发生频率也不低，而且有时还采取比较激烈的冲突手段。可以概括地说，农产品营销渠道中呈现冲突与信任并存的矛盾局面。

总而言之，这种矛盾局面的出现可能与目前中国农产品的营销特点有关。其他产品的营销渠道中渠道信任的缺失是带来渠道冲突的重要原因，比如薛彩云等（2001）认为电器产品渠道中的大部分渠道冲突来源于渠道成员尤其是销售商缺乏基本的渠道诚信。但是应该注意到，电器产品的渠道冲突主要发生在企业与企业之间，是一种企业—企业层面的冲突；而目前我国农产品经营者大部分以个体商户为主，少部分即使挂上了公司的牌子，但实际上只是以家族成员为主的小作坊式的经营单位，离现代企业的要求还相差甚远。因此，农产品营销渠道的冲突很多都发生在个人之间，是一种个人—个人层面的冲突。这种个人之间的社会互动不可能不染上个人信任感等感情成分。因此农产品营销渠道冲突是两种力量共同作用的结果：一方面，因为利益之争，双方不得不展开冲突；另一方面，熟人之间的感情和信任，以及农产品比较短的保鲜期和储藏期又会制止冲突无限延续，否则冲突双方都会蒙受难以承担的损失。渠道冲突的最佳解决方式就是寻找这两种力量的平衡点。

数据还显示，两类群组对渠道的满意度有明显差异，非强制权力组中成员对渠道满意的比例比强制权力组多11%（表4-12）。该结论与国外一些研究的结论是一致的，即强制权力导致较低的渠道满意度（Wilkinson，1981）。这说明不论其他渠道成员对自己行使何种渠道权力，大部分渠道成员都愿意把渠道建设好、维护好，因为这毕竟是他们生活的依靠。应该说这为建设高效、和谐的农产品渠道奠定了良好的基础。

表4-12　渠道权力分组下的渠道信任和满意

渠道信任和满意的测度		分组样本回答频率/%	
测项	回答	非强制权力组	强制权力组
对渠道成员的信任度	高	83.3	82.7
	低	16.7	17.3
对渠道成员的满意度	高	77.4	66.1
	低	22.6	33.9

注：显著性和卡方检验皆为0.05显著水平下的双尾检验

表4-13是渠道信任和渠道满意与渠道权力的相关关系。数据显示，不同渠道权力的运用会影响其成员对所在渠道的态度。

表4-13　渠道信任和渠道满意与渠道权力的相关关系

信任和满意测项	强制性权力		非强制性权力	
	惩罚权力	信息权力	专家权力	参照权力
对渠道的信任度	−0.312[a]	—	0.207	0.273
	(0.020)[b]	—	(0.038)	(0.045)
对渠道的满意度	−0.371	—	—	—
	(0.001)	—	—	—
维护渠道的热情	—	0.239	0.286	0.302
	—	(0.044)	(0.041)	(0.017)

注：a表示pearson相关系数；b表示显著性水平，若显著性水平未达到0.05，则用"—"表略去

惩罚权力会影响成员对渠道的信任程度，二者的相关系数为−0.312并通过显著性检验；经销商越使用惩罚权力，越会降低渠道成员的渠道信任程度。描述性统计数据表明81.8%的渠道成员对所在渠道信任度比较高，这对于维护农产品营销渠道的良性运行是有利的，但是应该注意惩罚权力对渠道信任的破坏。

惩罚权力与渠道成员对渠道的满意度之间的关系比较显著，二者是负相关，相关系数为−0.371，这表明强制权力的使用会减少渠道成员对渠道的满意度。此结论与国外一些学者的研究的结论是一致的（Gaski and Nevin，1985）。

信息权力与渠道成员维护渠道的热情呈现正相关，说明渠道成员越是能够从

渠道中获得需要的信息，越愿意花费时间与精力去进行渠道的维护与建设。

另外，专家权力的运用有利于提高渠道成员对渠道的信任度和维护渠道的热情；参照权力也与渠道信任度和维护渠道的热情呈现正相关关系。总体来看，总的趋势是：惩罚权力不利于渠道信任和渠道建设，而信息权力、专家权力和参照权力则会提高渠道成员对渠道信任和满意度，并推动渠道成员采取措施进行渠道维护和建设。

4.5　本章小结

在营销渠道中渠道权力是非常重要的，它控制资源的流向，甚至分配渠道中的利益，对渠道中其他成员的行为和决策变量施加不同程度的影响。权力运用的方式会影响渠道成员之间的关系，也影响渠道流通的经济效益。

本书根据渠道权力的来源将权力划分成为不同的因子类型，又把不同类型的因子根据调查对象进一步划分成不同的群组，然后分别展开对不同类型权力和不同类型群组的研究。结果表明，不同的权力会对冲突的观念、冲突行为、渠道成员对渠道的态度，以及解决冲突的方式产生不同的影响；不同类型的权力组也会在冲突的观念、冲突行为、对渠道的态度以及解决冲突的方式上有所差异。

因子分析发现，中国的农产品营销渠道中也存在奖赏权力、惩罚权力、感召权力、专家权力和法律权力、信息权力6种权力，而这6种权力有又可以进一步归纳为强制权力和非强制权力。与发达国家的营销渠道不同，中国的农产品营销渠道中强制权力是由惩罚权力和法律权力组成，而且有时与专家权力联合使用，而发达国家的营销渠道中强制权力一般即指惩罚权力。另外，目前农产品营销渠道成员中具有强的经营管理能力的成员很少，使得专家权力成为渠道中宝贵的稀缺资源。本章还研究了渠道权力与渠道冲突各个变量之间的关系。

首先，农产品营销渠道中的渠道权力、渠道冲突、渠道满意度之间存在密切关系，即强制权力会提高冲突频率，而非强制权力会降低冲突频率。渠道冲突与满意度之间存在负相关关系。强制权力会提高满意度，而非强制权力会降低满意度。

其次，研究还揭示了渠道权力对渠道冲突、渠道成员的渠道感知和渠道关系的影响。总之，经销商越是使用惩罚权力和信息权力，则渠道成员越认为经销商对自己不公平；渠道成员越是感觉经销商对自己使用法律权力，越不认为经销商要求自己承担的工作是自己应该接受和承担的；经销商越是使用惩罚型权力，则渠道成员与经销商的关系越不好。

最后，根据渠道权力的使用状况可以把渠道成员划分为强制渠道权力组和非强制渠道权力组。两组成员在冲突激烈程度的认知、冲突对象选择、冲突发生后的关系修补能力上存在显著差异。强制渠道权力组的成员在冲突中更偏向于采取破坏性冲突手段，其对抗性、攻击性强，更容易给农产品营销渠道造成破坏。

　　研究还继续对两组成员的冲突原因、冲突特渠道信任度和满意度进行了比较分析，发现强制权力组围绕 5 个不同具体冲突原因与其他渠道成员展开冲突的频率普遍比非强制权力组高，非强制组成员的渠道公平感、渠道满意度高于强制组，而强制组的商业决策被干预程度高于非强制组。两组在渠道信任度方面无显著差异且都比较高，因此农产品营销渠道中呈现冲突与信任并存的矛盾局面。

本章是对渠道冲突过程的分析。本章的分析重点是：一个小规模的、单个渠道成员之间的冲突，如何通过一系列中间环节，在一系列特定条件和环境下，演变为规模比较大的群体性冲突的过程。本章的研究材料来源于对渠道成员的长达一年以上的个案调查（对其中的 8 个个案的追踪调查时间长达两年），并运用社会学、心理学和经济学的视角分析群体冲突行为的发生过程。

群体性冲突是社会冲突理论关注的重要研究领域。这方面的著名学者包括科塞（1989）（他提出群体间和群体内冲突具有正功能的观点）、达伦多夫（他详细分析了群体冲突的发生过程）、柯林斯（他分析了群体冲突的控制手段及其局限性）、布劳（他分析了一个协调性组织如何转化为冲突性组织的过程）。对于群体冲突行为的研究也是经济学研究的关键领域之一。美国经济学家奥尔森（2003）在其代表作《集体行动的逻辑》一书中首次提出了"有选择性的激励"的概念，认为集体利益可划分为兼容性和排他性两种利益，结论是小集团比大集团更容易组织集体行动，具有选择性激励机制的集团比没有这种机制的集团更容易组织起集体行动。管理学对于群体冲突的研究多取微观视角，个体层次冲突对于群体、士气、团队建设、组织绩效的影响等是其关注的主要研究内容。这些研究成果为开展农产品营销渠道中的群体性冲突过程研究提供了重要的理论支撑。

5.1 渠道群体冲突发生的一般过程概述

当我们审视渠道中的群体性冲突时，我们不得不首先讨论这样一个悖论：渠道成员之间既然发生了商业交易活动（business transaction），他们之间必然首先存在一定程度的信任以能够进行合作。没有这样一个阶段，双方根本就没接触的机会和继续商业交易活动的可能，当然也就谈不上进行冲突。那么，这样一个带有信任和基本和谐特点的阶段是怎么转化为冲突的呢？我们认为：在渠道成员相互合作的阶段，就隐藏了冲突的萌芽、种下了冲突的种子。简单地说，渠道成员之间产生冲突，某种意义上刚好是因为他们相互合作；合作意味着渠道成员之间的互动，而长期、大量的互动过程中则极有可能隐藏着导致双方情感和行为上产生反感和敌视的因素（庄贵军等，2004）。冲突只会发生在有互动关系的双方之间，而不会发生在毫无联系的渠道成员之间。

一般而言，渠道成员之间群体性冲突的基本过程可以概括为：吸引—竞争—分化—整合—单个冲突—群体冲突。

需要说明的是，这个过程的提出吸收了当代著名社会学家布劳（Blau，2001）等的社会冲突思想。实际上，本书的研究基本沿用了布劳关于社会交换与社会冲突的研究框架。只是布劳研究的对象是社会冲突，而本书则把布劳对于社会冲突的思想经过筛选后应用于渠道冲突的研究，借助其理论框架揭示农产品营销渠道冲突的特有规律。

（1）吸引阶段。

渠道成员的冲突开始于"社会吸引"，这是渠道冲突的逻辑起点。当渠道成员之间试探性地开展商业交易的谈判时，它们会相互之间评估对方所拥有的而又为自己需要的社会资源；当发现对方的资源在种类、数量上都能满足自己的需求时，对方就对自己产生了"社会吸引"。另外，渠道成员之间为了吸引其他渠道成员与自己进行商业交易活动（business transaction），也会尽力展示自己拥有的社会资源，这是一个相互寻找、相互发现，并最终达成一致、发生商业交易的过程。

那么，渠道成员在寻找商业交易的伙伴时，是哪些因素，或者说是其他渠道成员的哪些资源会对渠道成员产生吸引力呢？我们在这里引入问卷调查的资料。该问题是：你挑选经销商时看重对方的什么？这是一个多选题，一共提供了7个答案：名气、诚信、产品质量、价格、采购能力与自己的私人关系，其他。426名调查对象对该问题进行了回答，结果为：选择最多的是"诚信"，在所有调查对象中的选择比例为75.1%；其次是"产品质量"，选择比例为68.3%；排在第三的是"价格"，选择比例为53.3%；排在第四的是"采购能力"，选择比例为26.3%；接下来是"与自己的私人关系"（18.3%）；"名气"（13.8%）（表5-1）。

表 5-1　渠道成员挑选经销商时看重的因素

项　目	回答频次	所有调查对象中对该问题持肯定回答的百分比/%
经销商的名气	59	13.8
经销商的诚信程度	320	75.1
经销商提供产品的质量	291	68.3
经销商提供的价格	227	53.3

项　目	回答频次	所有调查对象中对该问题 持肯定回答的百分比/%
经销商的采购能力	112	26.3
经销商与自己的私人关系	78	18.3
其　他	16	3.8

注：有效值为426

值得注意的是，"诚信"是渠道成员选择交易伙伴时的首要标准，这与目前的整个商业环境有关。目前中国正在经历社会经济急剧转型时期，商业伦理缺失成为普遍现象。

数据显示，"产品质量"仍然是渠道成员关注的关键性因素。农产品市场是一个竞争相对比较充分的市场，渠道成员和消费者的选择余地很大，产品质量存在缺陷的渠道成员，很容易被那些拥有比较好的产品质量的竞争对手挤出市场，这是任何一个渠道成员都难以承担的代价。实际上，那些在渠道中拥有比较高声誉的渠道成员，其产品质量一般都比较稳定。

调查发现，把"价格"作为交易伙伴选择标准的渠道成员也不少（53.3%）。由于中国目前整体经济水平还不高，农产品市场中各个经销商之间产品的同质性较强，产品之间的竞争难度较大，农产品销售的利润也比较薄（接受调查的经销商一般都声称自己的纯利润不超过7%~8%），因此价格成为重要的吸引交易伙伴的手段。课题组在实地调查期间，看到许多采购商在清早进入农产品批发市场时做的第一件事，就是到处打听价格，这样的目的有两个：一是找到那些价格相对较低的供应商，进行采购；另一个目的是带着收集来的价格信息与自己的固定供应商进行讨价还价。考虑到中国农产品市场规模巨大且处于转型期，农产品渠道成员大部分仍然将是价格敏感型成员。

"采购能力"具有吸引经销商的能力是显而易见的。具有比较强的采购能力的经销商在采购的品种、速度、规模上都具有优势，因此能节省购买者的成本，帮助它们抢占市场先机。实际上，任何一个渠道成员，只要具备了诚信、产品质量、产品价格与采购能力四方面的优势，即使其他能力比较弱，也能对其他渠道成员产生强大的吸引力，赢得渠道竞争优势。

需要特别指出的是私人关系、私人情感在渠道成员选择中的地位问题。有18.3%的渠道成员认为自己会把私人关系作为选择商业交易对象的标准。这说明私人关系、私人情感在渠道成员选择商业交易对象时是有一定作用的，但是其作用比一般估计的要小。至于渠道成员在一个强调人际关系的商业氛围中如何处理"赤裸裸的"、充满"理性算计"的商业活动与私人感情的关系，后续章节将继续进行论述。

（2）竞争阶段

当选择商业交易伙伴的标准确定后，每个渠道成员都会尽力向其他渠道成员展示自己拥有的资源，于是竞争便在渠道成员之间展开。但是，不同渠道成员在资源的种类、数量、质量、稀有程度上都是不一样的，那些在资源占有方面具有优势地位的渠道成员会拥有更多的商业交易机会，成为竞争的优胜者；而那些在资源方面处于劣势地位的竞争者则很难找到需要的商业贸易伙伴，成为竞争的失败者。

（3）分化阶段

竞争推动着渠道成员之间的分化。那些拥有优势资源的渠道成员由于获得了更多的商业交易机会，其资金、品牌、规模等便越来越大，逐渐发展为渠道的强势成员；他们的数量相对较少，但却拥有众多的商业交易伙伴，在渠道交换关系中处于有利地位，使自身的发展进入了一个良性循环；相反，那些缺乏资源的渠道成员便只能屈居于较低的渠道地位，商业交易伙伴的选择范围也比较小，在渠道交换关系中处于弱势地位，陷入了所谓的"双重困境"（double jeopardy）：不仅与它们发生商业交易活动的渠道成员比较少，而且平均来看，这些进行交易的渠道成员带来的利润也比较少。原因是这些成员往往规模小、品牌影响力弱，其针对的是市场的中端尤其是低端客户，他们很少购买品质优良、价格较高的高端产品，因此每次交易带来的利润也比较薄。渠道成员一旦陷入"双重困境"，摆脱该困境是非常困难的。

渠道成员之间长期分化的结果是，少部分渠道成员逐渐取得了渠道的强势地位，他们在一定程度上可以影响整个渠道的行为。但是需要指出的是，目前我国农产品渠道中真正具有较大经济规模、较强品牌效应的渠道成员还很少，因此即使少部分渠道成员取得了渠道强势的地位，他们还是无法对大范围内的农产品营销渠道产生影响，最多影响一个区域性的农产品营销渠道。少部分渠道成员之"强"，是相对与另外一部分渠道成员之"弱"而言的；由于市场经济中分工的存在，居于弱势地位的渠道成员离开渠道是不可能开展经营活动的，而要在渠道成员中生存下来，弱势渠道成员只有两个选择：要么与渠道强势成员展开错位竞争，在价格、品种等方面尽量与强势成员不一致；要么在一定程度上与强势成员结盟、合作。这两种选择都各有其优劣。前者的好处是独立性强，可以少受强势成员的干涉和不公平待遇，但是开展差异化竞争的成本比较高，而且对于渠道成员的经营素质要求更高，市场风险有时也比较大。后者的优势表现在：与强势成员合作的好处是市场风险小，对于经营素质的要求较低。但是很容易受到强势成员的控制，经营利润很可能大部分被强势成员分割。从个案情调查的情况看，其实大部分渠道成员都希望自己独立经营而不是与渠道强势成员结盟。

我们观察到，以下几种情况下弱势渠道成员是不愿意与强势成员结盟的：一是弱势成员自己有能力开展差异性经营，从而避开与强势渠道成员的正面竞争；二是弱势成员可以找到新的商业合作伙伴，而这些伙伴的经济势力、品牌势力与自己势均力敌，难以对自己形成控制；三是弱势渠道成员掌握了渠道稀缺的资源（如原材料、核心技术、核心工艺等），强势成员有时反而有求于他们。我们在个案调查中就发现有这样一个实例。有一个规模比较小的调味品批发商，自己同时也根据家传手艺生产数量不大的白醋，在凉菜、卤菜的制作过程中加入这种白醋能使食品更加松软可口而且保鲜期更长，很受"三五"等大酒店的欢迎。因此一些凉菜、卤菜业务的势力较强的渠道成员主动与这个势力较弱的渠道成员谈判，希望以优惠条件开展合作，但是都被这家渠道成员拒绝。

（4）整合阶段

一旦渠道弱势成员与渠道强势成员双方都觉得合作的好处大于各自为战的好处，那么弱势成员与强势成员就会形成一种松散形式的联盟，双方进行整合、合作。联盟存在的基础显然是双方都认可联盟带来的好处。我们直接借用达伦多夫提出的辨证冲突理论中的概念，把这种松散联盟称为"强制性协调组合"（贾春增，2000），说它是强制性的，因为渠道弱势成员与渠道强势成员在联盟中的地位是不平等的。处于弱势的一方常常在价格、市场划分、任务分配等方面受到强势一方的不公正待遇；弱势成员总是对当前与强势成员的组合不满，总是想颠覆这种组合而使自己上升为强势的一方。"强制性协调组合"之所以又具有协调性、和谐性的一面，是因为组合的双方都认识到，按照目前双方的状况和市场竞争的状况，整合对双方都有好处。矛盾冲突太多，破坏了这种组合，对双方都无好处。可见，渠道成员间"强制性协调组合"的出现，是势力不同的渠道成员之间吸引与排斥共同作用的结果。当组合内部的吸引力大于排斥力时，这种整合就能生存；否则只能由冲突走向分裂、消亡。

（5）冲突阶段

渠道弱势成员与渠道强势成员如何由整合阶段进入冲突阶段？既然双方进行了整合，为什么又会发生冲突？渠道冲突有许多具体原因（这在本书的其他部分有详细论述），但是根本性的、更高层次的原因是在"强制性协调组合"中处于相对弱势地位的一方对于当前组合的认可的撤销，或者说是"强制性协调组合"的正当性的撤销。处于弱势地位的渠道成员越认为目前的"强制性协调组合"缺乏正当性，冲突就越猛烈。但是，既然渠道弱势成员以前愿意与渠道强势成员结盟、组合，说明他们以前是认可这种"强制性协调组合"的，换言之，这种"强制性协调组合"至少以前是存在正当性的。是什么原因推动渠道弱势成员逐渐撤销对于这种组合的认可呢？

在这里我们引入布劳（2001）在结构交换理论中关于冲突原因的分析。他认为，报酬结构与报酬期待的变化都能引发人们之间的冲突。我们把他的理论用来分析渠道冲突中的状况可以发现，渠道冲突也可以由这两方面的因素引起：一是渠道的报酬结构（渠道利益在渠道弱势成员与渠道强势成员之间进行分配的结构）发生了实质性变化，偏向渠道强势成员的利益越来越多，导致弱势成员获得的利益越来越少。有时虽然弱势成员获得的利益的绝对数量并没有减少，甚至还有一定程度的增加，但是相对于强势成员而言分享利益的比例降低，都会导致弱势成员不再认可目前的报酬结构，导致渠道冲突。二是对于渠道报酬的期望发生了变化。也就是说，渠道报酬的实质性结构并没有改变，改变的只是人们的心理期望。这种心理上的变化可能发生于渠道弱势成员，也可能发生于渠道强势成员，也有可能双方同时都发生了变化。这种心理期望发生变化的结果是，"强制性协调组合"的一方或者双方都不再认可这种组合，于是冲突便不可避免地发生了。渠道冲突刚发生时，一般都是单个渠道成员之间的冲突，但是在一定条件下也会演变为渠道成员群体之间的冲突。关于这一点本书还要进行详细分析。

5.2 潜在冲突发展为外显冲突的过程分析

"强制性协调组合"是渠道冲突发生的基本平台。由于这种组合隐含着渠道弱势成员与渠道强势成员利益的对立，因此，"强制性协调组合"的出现是渠道冲突仍然停留在潜在阶段的标志。这部分将分析潜在的渠道冲突是如何转化为显性的群体性渠道冲突的。

5.2.1 渠道成员的利益转化与渠道冲突

著名社会冲突理论家达伦多夫（2000）曾经运用利益、潜在利益、外显利益、准团体、利益团体等核心概念分析社会群体冲突过程。借助达伦多夫提出的这些概念和冲突理论分析框架，本书认为，农产品营销渠道冲突由隐性冲突转变为显性冲突的过程是由两个并列的过程组成的：一是渠道成员必须认识到自己的外显利益，这是一个利益发展为潜在利益，再发展为外显利益的过程，可以表示为：利益—潜在利益—外显利益；二是有相同利益的渠道成员逐渐结合为冲突群体，这是一个冲突群体逐渐形成的过程，经历了由准团体发展为利益团体再发展为冲突群体的过程，可以表示为：准团体—利益团体—冲突群体。

所谓渠道成员的利益，可以定义为处于不同社会地位的渠道成员对于与其地位相符合的行动取向的期待。简言之，利益是一种与特定渠道地位相联系的行动期待，是渠道成员对于自己应该如何行动、有权力采取何种行动的认识。由于渠道成员之间形成了"强制性协调组合"，而这种组合中存在着两种基本的权威地位，因此存在着两种最基本的利益。处于强势地位的渠道成员由于在组合中处于支配地位，获取了更多的渠道利益，因此其基本利益是竭力维持现有的组合结构；而处于弱势地位的渠道成员则不甘心永远受支配和控制，其基本利益则是打破现有的组合，取得支配权。可见，他们的基本利益在类型上和方向上都是相互对立的。从长远角度分析，这种"强制性协调组合"实际上处于辨证运动之中：它的内部蕴涵着矛盾的双方，一旦处于被支配的一方打破现有结构而上升为支配者，它也会面临处于被支配地位的反抗者，新的"强制性协调组合"又会面临旧有组合曾经面临的同样的威胁。

既然利益是一种社会角色的期待，那么就可以进一步划分为潜在利益与外显利益。潜在利益是客观存在、但还未被渠道成员认识到的利益。也许这是一个让人困惑的问题：难道精明的经商者对自己应该获得的利益还不敏感吗？实际上，许多渠道成员对于自己的有些利益是模糊的，换言之，他们对于自己在目前的渠道地位上应该采取什么行动、有权力采取什么行动并不清楚。许多比较弱小的渠道成员在受到强势成员的不公平待遇，比如遭遇到他们提出的"霸王条款"时，对于运用法律武器维护自己的利益就认识不够。还有的渠道成员认为"商场上大的欺压小的，历来如此"，把渠道成员之间的不公正交易理解为一种常态。所谓外显利益，就是渠道成员已经充分认识到的、并将其化为自己行动目标和行动取向的角色期待。对于群体性冲突，外显利益常常表现为群体成员经过共同协商讨论后达成的共识乃至协议。

那么，潜在利益是如何转化为外显利益的？一般来看，这种转化包含了以下三个机制。

1）教育机制。渠道中处于弱势地位的不同成员，对于自己在"强制性协调组合"中受到的不公正待遇和长期处于相对比较被动的地位的敏感程度是有差异的。有些成员比较敏感，有些则比较迟钝。那些比较敏感的成员往往首先行动起来，向其他相同处境的渠道成员宣传他们应该得到的利益，指斥渠道强势成员对他们的不公正待遇，这对这些成员逐步"觉醒"有很大的促进作用。这种教育机制可以是正式的，比如弱势渠道成员一起举行会议进行商讨；也可以是非正式的，比如在酒桌上或者在其他娱乐休闲场所闲聊。我们的观察是，在一起喝酒聚餐是弱势渠道成员联络感情、沟通信息的常用手段，曾经听到一个从事冷冻品生意的父亲批评刚入道不久的儿子："你喝酒不请他们（业务合作伙伴），他们喝酒也从来不请你，他们这次压低了批发商的价格就没有通知我们，你这样还能做什么生意？喝酒就是做人脉，人脉就是生意！"可见喝酒的目的并不在酒，而在相互联络感情、协商商业对策包括冲突对策等。从个案观察的情况看，非正式机制的教育其效果要好于正式机制。其原因可能是人们在非正式机制中更加放松和愉快，从而更加容易听取别人的意见。另外，在非正式机制中人们在互动过程中投入的感情更多，这种感情上的亲密性和私密性也有助于人们改变自己的态度。

2）学习机制。商业与专利法规、市场管理条例等是渠道成员学习的主要内容，有时他们也学习报纸、网络等媒体上提供的有关商业管理、渠道合作等方面的信息，并经常就有些共同感兴趣的问题进行沟通。他们通过学习，逐步了解自己的权利与义务，寻找与强势渠道成员进行抗争的依据与手段。白沙洲市场调查的一位批发商向我们讲述了他的一个经历：以前从浙江的一个商家进货，对方总是要求比较高的"返点"（价格折扣），并说这么高水平的"返点"在浙江的农产品专业市场是通常做法；后来这个批发商在网络上查到浙江当地市场的管理条例，发现对方没有提供真实的情况，当即出示从网络下载的有关管理条例与对方据理力争，终于迫使对方降低了"返点"的额度。有许多渠道成员认为，现在这个时代确实与过去不一样，没有法律等方面的知识，在经营中受到莫名其妙的损失自己还不知道，如果长期如此，经商将越来越困难，所以他们学习的热情还是比较高的。

3）模仿机制。有些渠道成员自己并不清楚自己的利益，也就是说，其利益仍然停留在潜在利益阶段。但是当看到其他处于弱势地位的渠道成员起来争取自己的利益时，就发现自己与他们的境况很相似。出于对自己利益的敏感于是也模仿这些已经行动起来的渠道成员，向强势成员争取自己的利益。模仿也有一个逐步深化的过程。刚开始是行为上的模仿，在认识上并没有深刻意识到自己的根本利益是什么。在模仿的过程中，这些成员必须与强势成员反复进行交涉，交涉的结果是使得他们对于自己利益的认识越来越清晰，从而推动他们争取自己利益的行动向更高阶段发展，争取利益的行动也由简单的模仿行动上升为自发自觉的行动。外显利益是渠道冲突的真正根源。它的出现表明群体性的渠道冲突已经具备先决条件。

5.2.2　冲突群体形成的基本过程

前面已经提出，冲突群体形成经历了由准团体发展为利益团体再发展为冲突群体的过程。这个过程与利益由潜在利益发展为外显利益的过程相对应。所谓准团体是指渠道的"强制性协调组合"中居于相同地位、有着共同利益诉求的渠道成员组成的群体。在这个阶段，群体成员对于自己利益的认识水平还处于潜在利益阶段。之所以把他们称为准团体，是因为他们还处于正式团体形成前期的发育阶段，还不能满足群体的基本特点，如群体成员之间有频繁的互动、有核心成员和明确的共同目标等。但是，它又明显地区别于人们的随意性集合。他们有着潜在的共同利益，一旦他们认识到自己的利益，潜在利益就转化为外显利益，这将驱使他们必然走向更紧密的联合而形成正式群体。

冲突群体由准团体发展为利益团体也必须满足一些必要条件，换言之，不是所有的准团体都能发展为利益团体。准团体的数量总比利益团体的数量大得多。实际上，在渠道冲突中，相当部分群体都停留在准团体阶段，使得弱势地位渠道成员对于强势成员的抗争难以取得预期的成效。在从个案调查的情况看，至少以下三方面的条件得到满足后，准团体才有可能发展为正式团体。

1）领导条件。也就是说，渠道中的准团体成员中必然产生一位或者数位先行者，他们是最先提出外显利益并首先站出来抛头露面的人，他们把尚处于松散状态的其他渠道成员团结起来，依靠群体的力量发起冲突。这些渠道成员一般经济实力相对比较强，经营能力也比较强，在渠道中享有较高的口碑。缺少这样的核心人物自觉自愿地为弱势地位的渠道成员开展组织活动，就缺少了渠道群体性冲突活动的灵魂。表5-2 的数据也表明了这样的核心人物的存在。问卷中提出的问题是"我所在的渠道中有一些核心成员很喜欢打抱不平，带头反对渠道中的不公平现象"，对这一点表示同意的调查对象占全部调查对象的90.5%，说明渠道冲突中核心人物的存在是普遍现象。

表5-2 对群体性冲突发起过程中核心人物状况的认识

认　识	回答频次	所有调查对象中对该问题持肯定回答的百分比/%
我所在的渠道中有一些核心成员很喜欢打抱不平，带头反对渠道中的不公平现象	389	90.5
这些核心成员提出的冲突理由越是被大家认可，加入冲突的渠道成员就越多	383	89.8
这些核心成员越是后面有一群人支持，他们参与冲突的能力就越强	392	91.3

注：有效值为430

2）纲领条件。这指准团体内部关于冲突的一些共识和规定，其实质是对于渠道成员应该享有的利益的明确描述。准团体中的核心成员必须提出比较明确的冲突目标，给冲突赋予正当理由并在准团体中取得共识。另外，核心人物还应该对冲突胜利后的报酬分享机制作出承诺，对冲突万一失败的后果如何分担也要进行基本规定。这些纲领有时以文字记载的形式出现，有时并没有文字承诺而靠人们的口头传播。当然，这些共识和规定有时并没有达到纲领的高度，这里借用"纲领"一词以使行文方便。客观数据也说明了这种情况。问卷中提出了以下问题："（渠道冲突发起的）核心成员提出的冲突理由越是被大家认可，加入冲突的渠道成员就越多。"对这一点表示同意的占全部调查对象的89.8%。

3）沟通条件。准团体中的成员必须经常沟通信息、相互鼓励、讨论冲突的方法与谋略。人们在群体行动中往往比单独行动更加大胆。这样的紧密沟通会使得准团体成员增加共识，同时觉得自己更加有力量、更加有信心结成正式团体与渠道强势成员展开冲突。除了这三个基本条件外，其他一些条件也不容忽视。比如，结成正式群体需要一定的物质基础，准团体核心成员提出的一些纲领性意见必须内化为成员的思想等。

当以上条件都基本得到满足时，渠道中的准团体就转变为利益团体。从以上的分析可以看出，利益团体是从准团体中产生出来的，利益团体成员已经清醒地认识到与自己在"强制性协调组合"中的地位相联系的利益，并已经通过核心人物和组织程序组织起来，具有比较明确的冲突纲领。利益团体之间一旦发生冲突，就很快转变为冲突群体。由利益团体转化而来的冲突团体是渠道团体性冲突的真正承担者。

需要指出的是，以上分析基本是从渠道成员"强制性协调组合"中弱势地位成员的角度对团体性冲突的形成过程展开的分析，这主要是因为弱势地位成员处于被控制、被支配的地位，其利益经常受到强势成员的威胁，因此，他们主动对现有的"强制性协调组合"发起冲突的动机比强势成员强得多。但是，这绝对不表明强势成员就没有主动发起冲突的积极性。由于渠道冲突归根到底可以归结为渠道报酬结构发生的变化和人们的报酬期待发生的变化，而这两种变化都可能发生于渠道强势成员之中，因此强势成员主动发起针对弱势成员的冲突的实例也并非没有。但由于其团体性冲突的形成过程与弱势成员基本相似，而且发生的频率相对较低，这里就不再赘述。

5.3 社会网络、社会资源与冲突动员：对冲突领导者角色的分析

这部分将重点讨论的是：渠道团体冲突的核心成员如何组织起群体冲突？

前面分析了渠道成员的潜在利益转变为外显利益、准团体上升为利益团体的过程。一般认为，冲突发展到这个阶段，团体性冲突的发生是不可避免的了。实际上，问题并非如此简单。多数渠道成员这时尚处于观望状态，其心理仍然是期望其他渠道成员主动发起冲突，自己坐收冲突之利。这种渠道冲突中的"搭便车"心理非常普遍。在这个时期，渠道冲突核心成员的作用开始凸显。

几乎所有的渠道团体性冲突的发起者都比较重视社会网络（social network）的建设。所谓社会网络就是由个体之间的社会关系所构成的相对稳定的体系。这里的个体可以是个人，也可以是群体和组织；个体间的关系可以是人际关系，也可以是交流渠道、商业交换或贸易往来。本书的网络指的是渠道团体冲突的发起者所建立的人际交往网络。这个网络的成员大部分由渠道成员组成，但也包括一些非渠道成员。

渠道团体性冲突的发起人之所以重视社会网络的建设，是因为网络的存在对于其冲突动员能力密切相关。一个冲突的核心人物需要追随者，他不仅需要与这些追随者建立巩固的联系，这些追随者之间也应该建立较密切的联系。冲突的核心人物还需要支持者，这些支持者可以为冲突的发动和持续提供多方面的帮助。具备这些条件后，他就不再是单独一个人而是在一个团体的支撑下发动冲突。没有社会网络在背后提供的支持，冲突核心人物很难发动团体性的渠道冲突；即使发动了也难以使渠道冲突的规模和性质达到预期的目的。调查数据也说明了社会网络对于渠道冲突的重要作用。对于问卷中提出的"（冲突）核心成员越是后面有一群人支持，他们参与冲突的能力就越强"的说法，表示赞同的渠道成员占全部调查对象的91.3%。

5.3.1　社会网络与群体冲突动员

社会网络是一个比较成熟的社会学理论概念，具有一整套自己的核心测量指标，这些概念包括社会网的规模、关系构成、紧密程度、趋同性、异质性、结构洞、网络桥（周雪光，2003；Wasserman，1994；阮丹青等，1990；罗家德，2005）。我们直接采用现有学者尤其是阮丹青关于社会网络研究的成果，对相关概念作如下定义：①社会网规模是构成一个社会网成员的数目，实际上是社会网的大小或范围。②社会网的关系构成指的是社会网成员间的具体关系，特别是社会网的核心人物（即本书中的调查对象）与网络成员的具体关系。③社会网的紧密程度是衡量网络成员之间相互关系程度的一个重要概念。若一个社会网的所有成员仅仅与中心人物有联系，则其紧密程度为零。若网中所有成员都保持着紧密的联系，则紧密程度为百分之一百。④社会网的趋同性是网络成员与网络核心人物在社会特征方面的一致性。⑤社会网的异质性是指一个社会网中全体成员在某种社会特征方面的分布状况，实际上说明了网络成员的差异性和多样性。⑥结构洞是指网络核心人物的非重复性社会交往。具体而言。只要与某个社会群体中的某一个成员发生了交往（而不必与所有成员发生交往），就有可能获取该社会群体拥有的社会资源。⑦网络桥指的是跨社会网络的交往。网络核心人物越有能力进行跨社会网的交往，就越能动员本社会网不具备的社会资源参与自己的社会行动，获得更多种类与数量的社会支持。

下面分别用这些概念分析渠道冲突的核心成员的社会网对于起发动团体性冲突的作用。

社会网的大小表示一个社会成员拥有的社会资源的多少。在社会成员采取行动达到特定目标时，社会网规模越大就能越有可能得到更多的帮助，从而达到自己的目标。有经验的渠道团体性冲突的发动者，都会尽力扩大自己的社会网络，以寻求更多的社会支持。

社会网的关系构成在网络支持中也起着重要作用。中国人是重视初级社会关系的民族，血缘关系、地缘关系是网络核心成员必须优先考虑建立的关系，也是最为依赖的关系。从个案调查的情况看，这两种关系是核心人物社会网络的基础和主体，必须首先依靠初级社会关系建构规模比较小的关系紧密的社会网。可以把这样小规模但是关系特别紧凑的社会网称为核心网。再以该核心网构建规模更大、而且包含次级社会关系的社会网。在渠道团体性冲突最激烈的时候，冲突态度最坚决、对冲突发起者最忠诚的网络成员，一般都是这些核心网络成员。

社会网的紧密程度对于社会网络的支持也具有重要功能。一般来说，紧密程度越高的社会网对个人的影响作用越大，因为此时个人受到该网络的影响越深。渠道冲突发动过程中，社会网络的紧密程度越强，网络成员的思想与行动也越趋于一致，团结的程度也越高。相反，一个关系松散的网络对于核心成员的支持是有限的，如果一个核心成员仅仅建构了一张这样的网络，他发动冲突的信心是不够的。

社会网络的趋同性相当程度上代表网络成员对于核心人物的支持程度。趋同性越高，网络成员与网络核心人物的一致性就越强，冲突行动的发动就越便利。根据我们的观察，在诸多趋同性中，思想观念上的趋同性比性别、教育程度等方面的趋同性对于冲突的作用更明显。网络成员思想观念方面的趋同性主要指他们关于冲突的原因、必要性、方式手段等方面的认识上的一致性。显然，网络成员越能在这些冲突的关键性事项上与网络核心人物保持一致，核心人物发动团体性冲突的可能性就越大。

社会网的异质性代表网络核心成员运用多样性社会资源的能力。异质性越强，说明网络成员在某些社会特征上的差别越大。在这里需要指出的是，虽然网络的同质性能够为核心成员提供支持，网络的异质性提供的支持也是同样重要的。性别异质性成员的存在，可以使核心成员方便地通过该成员动员与自己性别相异的成员参与冲突（典型的例子如一个男性核心成员通过网络中的女性成员动员其他女性参与渠道冲突）。职业异质性成员则让核心成员有了动员不同职业的社会成员参与和支持自己发动的渠道冲突的可能。一个普通的经营农产品的工商户如果能够把当地的工商管理部门的干部发展为自己的网络成员，就会大大增加他在渠道中的声望，提高其他渠道成员参与他发动的渠道团体冲突的主动性。值得注意的是，网络异质性成员大都不是与网络核心人物有紧密关系的成员，也就是说，他们是网络中的"弱关系"。但是这种弱关系的力量有时是强关系不具备的。正是因为他们与核心成员的差异性，他们才把在本网络之外的社会交往延伸到其他同质性成员难以企及的地方，因此他们反而能帮助核心成员获得本网络中不存在的资源。

结构洞的主要功能是帮助网络核心成员更有效地获取更多的社会资源，而网络桥是联系不同的冲突团体，从而把具有相同利益诉求的冲突团体联合起来进行渠道冲突的工具。显然它们都对网络核心成员发动团体冲突的能力有极大的帮助。

社会网络的存在对于核心人物发动渠道的团体冲突提供了以下几方面的支持：一是物质支持。冲突需要消耗大量的物质资源，主要是资金，还包括一些必要的装备，如沟通联络使用的电话机与手机、会议需要的文具、交通工具等。二是人员支持。团体性冲突的关键是必须有足够的人员参与。社会网络就是由人构成的，它能够为核心人物发达冲突提供基本的人员保障。三是情感支持。人在群体中会感觉到自己的力量更加强大，而且后顾之忧也会减少。课题组在实地调查中经常看到网络中核心人物与网络成员相互鼓励的情况。网络成员在冲突发动过程中的一些负面情绪如恐惧、担忧等，基本上是由其他网络成员帮助排解的。社会网络的存在大大减少了冲突发动过程中渠道成员的犹豫、彷徨、观望的心理，客观上大大降低了他们参与渠道冲突的风险，对冲突的发起起到了明显的促进作用。四是信息支持。社会网络为网络成员尤其是核心成员提供法律法规、市场管理条例、地方政府的政策、冲突对手情况等多方面的信息，减少冲突的盲目性，有助于在冲突中做出最有利于己方的决策。

仔细分析核心人物与普通网络成员的关系发现，他们之间实际存在着支持与庇护的交换关系。这也是网络得以存在的基础。网络成员为核心人物提供了支持；作为回报，核心人物也必须为网络成员提供帮助。这类帮助包括两方面内容：一方面，由于核心人物的经济实力、经营能力相对较强，因此核心成员平时在经营方面必须为普通网络成员提供一定的指导与帮助；另一方面，在渠道冲突发生期间，核心人物更是应该在经济利益、人身安全等诸多方面保护普通网络成员。这种支持与庇护的交换关系越频繁，网络关系就越紧密。

在社会网络的建构完成后，核心人物需要为团体冲突的发动获取冲突所需要的资源。具体而言，渠道团体冲突的发动需要资金，需要渠道成员时间的投入，需要社会舆论的支持。我们可以把以上三方面称为冲突的资源。发动冲突的核心人物需要首先成功地获取这些资源。当资源的数量与质量都达到一定水平后，团体冲突的发动才有可能。核心成员的资源获取大都发生在其社会网络内部，但是也有向非网络成员获取的情况。实际上，如果核心人物不能首先成功动员网络内部资源，不能首先取得网络内部成员的了解与支持，就很难利用网络外部的资源。

5.3.2 冲突的发动与社会资源的获取

那么，核心成员也就是冲突的发起者运用了哪些方法来获取社会资源？在这里我们引入动员技术（mobilization technology）的概念。所谓动员技术就是近年来西方社会科学学者在研究社会运动现象（social movement）时提出的概念，是关于社会运动的组织者如何积累起社会运动所需要的资源的一整套知识和方法（帕米拉·E. 奥立佛，2002）。根据个案调查的材料，比较有经验的渠道成员在动员渠道冲突需要的资源方面，针对不同的资源运用了不同的动员技术。

（1）对资金的动员

所谓资金动员，就是渠道团体冲突的发动者向渠道成员筹集冲突需要花费的资金。这些资金有可能在一定条件下（如达到了冲突目的）部分返还给出资者，但是在多数情况下是不返还的，是渠道成员为渠道冲突无偿作出的贡献。根据我们的观察，渠道冲突的发起者在动员资金的过程中采用三种方式或技术：一种是口头劝说。这是一种常见的筹款方法，其具体方式灵活多样，可以是个人面对面交谈，可以是小规模的非正式座谈会，也可以是电话沟通，有时甚至可以辅以文字契约的形式，资金筹集者保证以一定比例给予出资者以回报，以此促使对方尽快捐资。另一种是社会活动，比如举行专门的晚宴邀请潜在的捐资者参加；或者召开比较正式的会议，与潜在的捐资者讨论筹资问题等。对资金的动员难度是比较大的，其成功与否取决于冲突发起者在渠道成员中的影响力和进行社会说服的能力。另外，由于资金的捐助与渠道成员的资金实力密切相关，因此冲突发动者必须有敏锐的判断能力，尽快找到那些既具有资金实力、又具有捐助意愿的渠道成员。有时，即使冲突发起者使用了以上两种技术，资金筹措的效果仍然不明显，这时发起者就会使用第三种技术：树立榜样，即向不愿捐资的渠道成员展示那些积极捐资者的情况，而冲突发起者自己往往也属于这些积极捐资者的一员。由于牵涉脸面、攀比等因素，这种树立榜样的技术比较容易成功。相当部分被劝说的对象在这种情况下会同意捐资不同份额的金钱。

（2）对时间的动员

对时间的动员就是劝说渠道成员在某个时间段内放弃自己的商业从业时间，把这部分时间无偿贡献给渠道团体冲突，或者直接参与冲突，或者为冲突提供服务。我们观察到，资金动员与时间动员的成员范围是有差异的。对资金的动员往往发生于与核心成员关系极其密切的渠道成员中间，而对于时间的动员对象的选择范围则宽泛得多，有时甚至发生于非渠道成员（如冲突发起者邀请市场管理人员为自己出谋划策）。其原因也许是金钱相对于时间是一种更有价值和更直接的资源（一个渠道成员可以一直守在自己的店内但是并不能保证这段时间他一定能赚钱赢利），因此更适合于在关系比较亲密的渠道成员那里获取。根据帕米拉等的研究，社会运动过程中对时间的动员可以包含直接动员与联合动员两种技术。课题组在对渠道冲突的观察中也发现了这两种技术。直接动员技术一般表现为公开请求，即直接邀请渠道成员参与团体性的渠道冲突。这种技术适应于与核心成员关系密切或者至少相互熟悉的渠道成员。联合形式动员技术表现为冲突发起者首先动员某一群体的领导者或有影响的人物（这些人物必须是冲突发起者社会网络中的成员），再通过这些关键人物动员他们所在群体的其他渠道成员。从社会网络的角度看，冲突发起者与这些成员的交往实际上是跨社会网络的间接交往，或者说是社会交往的传递。需要特别指出的是，个人联系的存在是时间动员成功的关键。如果不预先存在比较熟悉乃至密切的个人关系而泛泛地对所有接触到的渠道成员进行时间动员，其效果一般是很差的。

（3）对舆论的动员

对舆论动员的目的是使渠道冲突获得渠道中公共舆论的支持，增加渠道冲突的伦理色彩，调动冲突参与者以更强烈的情绪卷入冲突。从个案调查的情况看，渠道冲突中核心人物进行舆论动员的技术包括以下几种：一是扮演弱者角色。冲突的发起者发出的舆论，一般是塑造自己在渠道中的弱者形象，表明自己是被欺负、被欺骗、被愚弄的一方，以此获取其他渠道成员的同情。人类有同情弱者的天性，巧妙地利用这个心理特点是舆论动员得以成功的先决条件。在个案调查中我们发现，即使经济实力相对较强的渠道成员，在进行冲突动员时也尽力把自己包装成为弱者。二是扮演维护社会正义的角色。无论冲突的真实原因是什么，冲突发起者一般都会宣称自己发起冲突是有正当理由的，社会公理在自己一边。而自己发起冲突的目的，不仅仅是争取自己的正当权益，而是为了维护渠道内部的公正公平。三是目标替代。冲突发起者发动渠道冲突的目标本来是争取部分渠道成员的利益，但是为了获得更多渠道成员的支持，有经验的冲突发起者往往把这个目标包装为整个渠道的利益，声称自己发起冲突的目的不是（或者至少不仅是）自己所属团体的利益，更是全体渠道成员的利益。目标替代也是广泛采用的舆论动员技术，它有助于帮助冲突发起者找到与多数渠道成员的共鸣点、增加冲突的道义色彩，对于获得更多渠道成员的认可很有帮助。四是寻找舆论敏感点。所谓敏感点，就是能够激起其他渠道成员共鸣从而参与渠道冲突的舆论宣传诉求点。而核心成员寻找的最为普遍的敏感点就是渠道中的利益分配问题。核心成员必须能够告诉那些潜在的可能参与渠道团体冲突的成员：他们是目前的渠道利益分配格局的受害者，而这通常是通过仔细的数字计算来实现的。一个精明的冲突动员者必须应该是一个进行心算的高手，会在极短的时间内计算出渠道成员应得的利益是多少、实际得到了多少、损失了多少，然后用一种简洁明快甚至夸张的方式告诉相关的渠道成员；这时，利益算计在舆论动员中占据了重要地位，运用数字帮助渠道成员进行利益上的得失分析通常都能收到良好的动员效果。

5.3.3 冲突的动员与冲突利益的获取

核心成员进行动员的目的，就是激起渠道成员参与冲突的动机。但是根据心理学的规律，人的动机被激起并持续一段时间后会逐渐衰退。如果在该时间段内渠道冲突未能达到核心成员确定的目标，这时候核心成员必须持续进行资源动员以确保冲突可以继续维持下去。换言之，一个有经验的渠道团体冲突的发起者，在冲突没有达到既定目标时，应该尽可能延长渠道成员的兴奋状态。

从上面的分析可知，群体性渠道冲突中，冲突发起者也就是核心成员的工作是一项非常艰难的工作。问题是，核心成员为什么愿意承担这项工作呢？或者说，冲突发起的"产权"归于谁？收益有多大？从制度经济学角度看，如果发起冲突的"产权"不清而导致收益太少，那么必然导致渠道中冲突发起者的供给不足，从而渠道团体冲突就难以发生。

冲突发起者（核心成员）的收益主要包括以下几个方面：一是社会声望。人们在内心真正敬佩的是那些能够做自己不能做的事情的社会成员。由于缺乏勇气或者能力，一般渠道成员即使有发动冲突的强烈动机，却迟迟不能把思想转化为实际行动。能够完成这种转化的渠道成员永远都是少数。而核心成员就是这种少数成员，在渠道团体冲突中扮演了领导者角色。在组织渠道冲突、进行资源动员的过程中，核心成员赢得了其他渠道成员的尊重和敬佩，从而迅速提高自己在渠道中的声誉。二是经济利益。前面的分析已经指出，核心成员主动发起渠道团体冲突的重要原因就是渠道中目前的报酬结构不合理，或者心理上认为目前的报酬结构不合理，自己的正当权益受到了损害。通过渠道团体冲突，核心成员在渠道中能够得到更多的报酬，提高自己的经济效益。需要说明的是，社会声望的提高会给核心人物带来更多的商业交易机会。实际上渠道团体冲突的发动具有强烈的信号效应，它向整个渠道的成员表明核心人物是有能力、有胆识的素质较高的渠道成员，由此增加了核心人物的参照权力（referent power），促使人们受到核心人物的吸引而更愿意与其开展商业活动，这也间接地提高了核心人物的经济收益。三是成就感。这是一种心理上的自我满足感，在我们看来，这种满足感是对自己能力的自信、受到别人赞美之后的愉悦、领导别人的权威感，以及对于自己未来充满期望等心理因素的混合物。我们不要忘记本次调查的农产品营销渠道中的成员基本上由以前生活在社会最基层的农民和城市普通居民构成，他们相当部分是被社会边缘化的社会成员，以前很少理直气壮地形成团队争取自己的正当权益；而一旦他们敢于团结起来抛头露面争取自己的权益，而且这种团结还是在自己的领导下形成的，我们可以想象此时核心人物心理上的成功感。实际上，这种良好的心理感觉是冲突核心成员最大的收益，从此他们的领导能力、社会活动能力、社会影响力、思维方式等都逐渐超出普通的渠道成员，为他们在商场上不断扩展实力、由个体工商业户逐渐演化为企业家奠定了基础。

由于具有以上三方面的收益，渠道中并不缺少希望成为渠道团体冲突发起者的成员。我们观察到，就团体冲突的发动而言，渠道中真正缺乏的是有领导能力和社会声望的冲突发起者。有一些渠道成员试图成为团体冲突的发动者，但是显然他们尚未具备成为发动者的条件，他们的冲突动员行动很少得到其他渠道成员的响应，有时甚至会被嘲笑。

下面我们分析冲突中渠道成员的"搭便车"问题。"搭便车"（free ridering）是人类行为中的普遍现象。在渠道冲突中，如果过多的渠道成员都采取"搭便车"的方式，都希望别的渠道成员参与冲突而自己坐享冲突带来的好处，那么渠道团体性冲突几乎是开展不了的。于是渠道中发展了反"搭便车"行为的机制。这些机制主要包括两种。

一是惩罚机制。如果某个渠道成员有意躲避渠道冲突，那么核心人物会劝说其他渠道成员在产品供应、产品价格、市场机会等方面拒绝为该成员提供优惠。有时即使没有核心人物的劝说，其他成员也会主动采取类似的行动。至于冲突成功带来的利益，该渠道成员更是没有机会获取。例如，课题组在华南农产品批发市场和深圳布吉农产品批发市场调查时发现，因为产品价格问题，几个渠道成员联合起来与浙江的海产品批发商发生冲突。批发商最后妥协，同意降低批发价格；但是这几个渠道成员又要求批发商业不能以同样价格把产品卖给同一市场的某一渠道成员，因为该成员经他们反复鼓动也没有参与这次冲突。

二是孤立机制。即核心人物要求其他渠道成员减少与拒绝参加渠道冲突的成员的交往。这种交往不仅包括商业活动方面的交往，还包括日常生活中的交往。例如，不邀请他们参加娱乐活动、不在一块儿喝酒吃饭等。对于非常注重人际关系的中国人来讲，这种孤立机制甚至比前面提到的惩罚机制更难以忍受。被调查者中有一个经销商被其他渠道成员孤立的时间较长，为了摆脱这种难堪，他在没有接到邀请的情况下自己带上两瓶好酒主动参加核心人物举办的酒宴，并向众人解释说自己当时没有与大家一块参与冲突是一时糊涂，而且主要是"受到老婆的影响"，因为老婆当时坚决反对他参加那场冲突；其实这只是他的一个借口，同当初不参与渠道冲突活动一样，现在因为害怕被孤立主动谋求重新加入渠道冲突群体中，实质上都是基于自身利益的算计。

渠道中反"搭便车"行为机制发生作用的关键是必须使"搭便车"的成本大于收益，使渠道成员通过理性算计而偏向于参与冲突。但是需要指出的是，渠道成员拒绝参加团体性渠道冲突也是具有正功能的，因为并非所有的渠道群体冲突都具有正当性。渠道中核心人物希望鼓动尽可能多的渠道成员参与冲突，而有些渠道成员则坚决抵制渠道冲突，这两股对抗性力量的存在，有利于渠道冲突向着理性的方向发展，对于渠道建设是有利的。

5.4　群体冲突卷入程度与冲突方式及其制约因素的分析

下面是对渠道冲突由冲突动员阶段发展为显在冲突后的分析。虽然冲突的方式、手段、激烈程度等都有专章进行分析，这里还是要解剖一些问卷调查难以收集、而只有通过个案调查才能收集到的资料，从而揭示渠道显在冲突阶段的规律。

核心人物在成功发动渠道群体冲突后，冲突就转入显在冲突阶段。我们观察后认为，在这个冲突阶段，有一个非常重要的问题在以前的渠道冲突研究很少回答：是什么因素影响了人们的渠道冲突行为？在回答这个问题之前，我们先讨论渠道冲突行为与渠道冲突破坏性的关系。

5.4.1 渠道冲突行为与渠道冲突破坏性的关系

受达伦多夫关于冲突紧张程度与冲突激烈程度观点的启发（达伦多夫，2004），本书结合农产品营销渠道的实际，把人们的渠道冲突行为划分为两部分：一是最终有多少渠道成员会参与这场冲突？有多少渠道成员会一直坚持到底而不中途退出冲突？每个参与者怎么决定在冲突中付出多少时间、精力、资源？渠道冲突行为的这部分可以简称为渠道冲突卷入度。二是人们在渠道冲突中使用何种方式与手段进行冲突？渠道冲突的该部分可以简称为渠道冲突方式。

我们认为，渠道冲突造成的破坏程度，取决于渠道冲突卷入度与渠道冲突方式两者的共同作用，即

$$渠道冲突的破坏程度 = 渠道冲突卷入度 × 渠道冲突的方式$$

之所以得出这样的结论，是因为如果人们在渠道冲突中使用了非常激烈的方式，但是渠道冲突的参与者很少，或者参与者虽然多但是对冲突的投入程度很低，那么渠道冲突的规模和范围就会受到很大的限制，从而制约了渠道冲突造成的破坏程度。另外，即使参与渠道冲突的渠道成员很多，人们在冲突中投入程度也很高，但是人们选择了比较温和的、有节制的冲突方式，那么渠道冲突造成的破坏程度同样也是有限的。如果渠道成员冲突的卷入程度很高，同时在冲突中又使用了非常激烈的、攻击性很强的冲突方式，势必给渠道造成巨大的震荡和破坏。

那么，渠道冲突卷入度与渠道冲突的方式之间的关系是什么？什么因素影响了渠道成员对于冲突卷入程度和冲突方式的选择？

从个案调查的情况看，渠道冲突卷入度与渠道冲突的方式是相对独立的。渠道冲突的卷入程度高，渠道冲突的方式不一定更激烈。反过来也如此。但是我们也观察到，在某一冲突形式下，两者的关联程度很高。这种渠道冲突形式就是非现实性冲突（或者非理性冲突）。

非现实性冲突的思想是著名社会学家、冲突理论家科塞（1989）提出的。他认为冲突可以划分为两种，以解决现实问题为目的而发起的冲突称为现实性冲

突，而以宣泄愤怒和敌对情绪为目的的冲突称为非现实性冲突。前面已经分析，渠道团体冲突发起之初是因渠道报酬或者报酬期待问题引起的，因此大部分都是现实性冲突，冲突的理性色彩明显。人们参与冲突只不过是通过斗争促进对话、沟通和谈判，获得自己应该获取的利益。但是也有一些渠道团体冲突最后发展为非现实性冲突。这类冲突发起的原因不在于解决现实问题如解决渠道报酬重新分配等问题，而是为人们内心的紧张寻找一个发泄的出口，并常常把对某个具体渠道成员的攻击甚至人身伤害当作冲突的目的，因此它的非理性色彩非常浓厚。

在非现实性冲突中，渠道成员由于受情感支配的缘故，一旦卷入冲突，对冲突的投入程度就比较高。而且，由于完全以情绪发泄是否得到满足为结束冲突的依据，而情绪的发泄又会引起冲突另一方的强烈反应，如此使得冲突陷入恶性循环，因此冲突的时间往往延续较长。在愤怒情绪的支配下，人们在冲突中使用的手段也比较激烈，争吵、斗殴乃至请人出面对冲突的另一方成员进行人身伤害等违法事件也时有发生，使冲突突破法律底线而上升为刑事案件，造成许多悲剧性事件。课题组在白沙洲农产品批发市场调查期间就了解到这样的事件：有一个武汉本地的蔬菜批发商因为一个来自河南的外地批发商抢夺了自己的业务，出于报复，联合了同是武汉本地的其他几个批发商，雇凶闯入这个外来批发商的商铺对其进行殴打，一场因为争夺商业利益引发的渠道冲突演变成一场暴力冲突。这告诉我们，渠道冲突有其黑暗、丑恶的一面，农产品营销渠道中也发生着许多畸形的社会事件。

5.4.2　渠道冲突行为及其影响因素

考虑到渠道冲突行为是由冲突卷入度与冲突的方式组成的，我们将把两者分别进行讨论。

人们在渠道冲突中的行为方式当然与人们所具有的冲突观念、每一次具体冲突的原因等有关。由于这些内容在本书其他章节有专门深入的讨论，在这里我们讨论几个通过个案观察发现的其他方面的影响因素。需要特别说明的是，本书以下的讨论吸收了达伦多夫的冲突团体形成、冲突紧张程度与冲突激烈程度等关于社会冲突的思想（达伦多夫，2004）。

从个案观察的材料分析看，如下几个因素影响了渠道冲突行为。

一是渠道团体性冲突发起人的组织能力的影响。一般情况下，冲突发起者的组织能力越强，就越能动员更多的渠道成员参与冲突并使其在冲突中贡献更多的时间、精力、资源，因此冲突发起者的组织能力越强，冲突卷入度越高。另外，冲突发起者的组织能力越强，渠道冲突的组织化程度就越高，冲突的目标、规范、界限也就越清楚，对一些随机性、即兴性的冲突行为的制约就越有力，因此人们使用的冲突方式就越温和。但如果渠道冲突是以宣泄敌对情绪为目的的非现实性冲突，冲突发起者的组织能力越强，冲突方式可能反而更激烈。

二是渠道报酬结构的影响。渠道中的报酬结构越不公平，受到不公平待遇的渠道成员改变当前报酬结构的动机就越强烈，但是受惠于该报酬结构的渠道成员维持该报酬结构的动机也相应的越强烈，因此很有可能同时导致更高的冲突卷入程度和更激烈的冲突方式。实际上，渠道冲突中那些持续时间长、冲突方式激烈的群体性渠道冲突，多由明显不公平的渠道报酬结构引起。

三是渠道中社会流动的影响。所谓渠道中的社会流动，是指渠道成员在社会地位上的变化情况，即渠道弱势成员通过努力上升为强势成员、强势成员因经营不善而降格为弱势成员的可能性。在市场开放程度、经营品种等外在条件一致的情况下，渠道中社会流动的情况显然取决于渠道成员的经营能力。因此，一个渠道中，暂时处于弱势地位的成员中经营能力强的成员越多，渠道内社会流动就会越频繁。频繁的社会流动意味着虽然渠道成员之间存在地位的差别，但是处于弱势地位的渠道成员有更多的机会改变自己的地位，而强势成员不能长期稳定地占据渠道中较高的社会地位。在这种情况下，渠道成员冲突团体的归属感是临时性的和比较薄弱的，因此渠道中准团体转化为利益团体的机制受到破坏，渠道成员参与渠道冲突的热情会明显降低。从而使得团体性渠道冲突的卷入度会降低，人们在渠道冲突中使用的冲突方式也会趋向于平和。

5.5 本章小结

本章的分析重点是：一个小规模的、单个渠道成员之间的冲突，如何通过一系列中间环节，在一系列特定条件和环境下，演变为规模比较大的群体性冲突的过程。研究发现，在渠道成员相互合作的阶段，就隐藏了冲突的萌芽、种下了冲突的种子。

本章主要借助一些著名社会冲突理论家的分析框架，分析农产品营销渠道中的群体性冲突问题。正如达伦多夫分析群体性冲突时指出的那样，本书的研究结果发现渠道成员之间群体性冲突的基本过程可以概括为：吸引－竞争－分化－整合－单个冲突－群体冲突。

研究发现，冲突理论提出的"强制性协调组合"也广泛存在于农产品营销渠道中且是渠道冲突发生的基本平台。由于这种组合隐含着渠道弱势成员与渠道强势成员利益的对立，因此，"强制性协调组合"的出现是渠道冲突仍然停留在潜在阶段的标志。

本章认为，渠道冲突由隐性冲突转变为显性冲突的过程是由两个并列的过程组成的：一是渠道成员必须认识到自己的外显利益，这是一个利益发展为潜在利益，再发展为外显利益的过程，可以表示为："利益－潜在利益－外显利益"；二是有相同利益的渠道成员逐渐结合为冲突群体，这是一个冲突群体逐渐形成的过程，经历了由准团体发展为利益团体再发展为冲突群体的过程，可以表示为："准团体－利益团体－冲突团体"。

　　冲突群体由准团体发展为利益团体也必须满足一些必要条件，换言之，不是所有的准团体都能发展为利益团体。这些条件包括领导条件、纲领条件和沟通条件。社会网的存在为核心人物发动渠道的团体冲突提供了支持。核心人物对于渠道冲突的动员包括对资金的动员、对时间的动员、对舆论的动员。渠道冲突造成的破坏程度取决于渠道冲突卷入度与渠道冲突方式两者的共同作用，即渠道冲突的破坏程度＝渠道冲突卷入度×渠道冲突的方式。

第 6 章
农产品营销渠道冲突对渠道绩效的影响

6.1 理 论 背 景

渠道冲突对渠道绩效的影响以及两者间的关系：渠道冲突会降低渠道绩效，还是有助于提高渠道绩效？这些问题是研究营销渠道冲突无法回避的；而且这个问题决定了我们以怎样的态度来看待渠道冲突问题，若渠道冲突是渠道绩效提升的障碍，那我们在理论和实践中就应寻求解决乃至消除渠道冲突的办法和途径；若渠道冲突有助于提高渠道绩效，是渠道绩效提高的"推进器"和"驱动力"，那我们就应分析其中的作用机制，提出管理建议，建立和提倡冲突环境。

传统渠道研究认为所有冲突都是不好的，组织必须尽可能避免冲突的发生，如目前占支配地位的所谓"冲突－绩效"假说[①]，其核心思想是冲突将降低渠道绩效，如 Kelly 与 Peters（1977）的实证研究发现，渠道冲突与渠道绩效存在负相关。不过，有些学者并不同意这样的看法。例如，Person（1973）的经验研究未发现渠道冲突与渠道合作给渠道带来不同的渠道绩效，且在一些特定的冲突事项上，冲突具有建设性功能。早期，关于渠道冲突与渠道绩效的关系就出现了两派观点：一派认为渠道冲突只有纯粹的负功能，而另一派则认为在一定范围和条件下渠道冲突具有正功能。

其后，随着这一问题的深入研究，有学者提出：渠道绩效受多方面因素的影响，渠道冲突与渠道绩效的关系及其性质（正相关/负相关）不能一概而论。有代表性的观点包括以下两种。

1）冲突分类说。如 Rosenbery（1974）就将冲突分为功能性冲突与非功能性冲突：非功能性冲突会影响渠道绩效，起破坏作用；功能性冲突可以刺激渠道成员修正原本欠佳的渠道行为与活动，对提升渠道绩效有积极和正面作用。因而，渠道冲突不见得会对渠道结构产生负面影响。此外，Lusch（1976）将冲突分为

[①] "冲突－绩效"假说等文献前面第二章已提及；为保持研究的完整性和逻辑性，不致使本章后文中研究假设的提出显得突兀，部分文献略有重复。

情感性冲突和事项性冲突，他认为前者一般对渠道具有负功能，后者因为以解决问题为导向而具有正功能。

2）冲突过程说。如 Rosenbloom（1973）曾经提出过一个概念模型，其主要的观点是，渠道冲突对渠道效率的影响表现为类似倒"U"形的结构，即先是水平的中性作用，然后是一个向上的积极性刺激作用，最后随着渠道冲突的急剧增加而呈现负向的拖累作用。Duarte（2003）在倒"U"形概念模型基础上，运用经验数据并借助实证分析方法验证了 Rosenbloom 提出的渠道冲突与渠道绩效的关系，进而提出了"阀限理论"。该理论认为，冲突的缓慢上升引起渠道绩效的下降，一旦阀限下降突破某个阀限值，渠道冲突就会突然快速上升，从而对渠道造成严重的破坏。

关于冲突程度究竟如何影响渠道效率的实证研究并没有得到一致的结论，渠道冲突与渠道绩效之间的非确定性关系有许多解释。例如，Stern 曾经对渠道冲突与渠道绩效的这种关系做出过理论解释，他认为：一方面，渠道冲突可能产生积极的影响，没有渠道冲突，渠道将失去可行性和活力，渠道成员将失去创新精神而走向消极被动；因为冲突促使渠道成员审视自己的行为、打破旧的习惯、分析自身的不足，并加强与渠道伙伴的沟通。另一方面，冲突毕竟是以对手为中心的行为，很容易导致破坏、妨碍对方的行为，这种行为必然影响对方分销目标的实现，从而降低渠道效率。

根据 Stern 的观点，冲突与合作是所有营销渠道系统的自然组成部分，冲突伴随渠道成员利益的分歧而产生，同时也因彼此需要的满足而消弭。一个典型的事例是当一个渠道成员觉得另一个成员对他不公时（如利益分配不公平），或是渠道系统的运作机制不完全符合其意愿时，就可能出现冲突，在农产品营销领域也是如此。即渠道冲突很难避免，但渠道成员对待冲突和竞争的态度和行为方式却可以减少渠道冲突发生的频率或者降低渠道冲突的强度。

6.2 概念内涵

渠道冲突（channel confict）一般界定为：一个渠道成员察觉到其他成员阻碍其目标实现的一种不和谐的状态，其结果是导致压力或紧张不安。Stern 等认为，当某渠道成员察觉到其他渠道成员妨碍其达成自身目标或经营绩效时，即产生渠道冲突（Etgar，1979；Gaski and Nevin，1985；El-Ansary and Stern，1988；Frazier，et al.，1989）。Pondy（1967）将渠道冲突视为一个从不相容的潜在状态到可察觉到的冲突到情绪性冲突到显性冲突再到冲突结果或后果的过程。Frazier 等（1989）认为，渠道组织因利益追求与经营考虑的不同，而会与其他成员发生渠道关系上的冲突。Kumar 等（1995）则将渠道冲突视为阻碍、封锁或挫折其他公司完成自身目标的行为。因此，渠道冲突可视为渠道关系中因为预期与实际结果不一致或其他渠道成员妨碍自身达成目标与绩效，因而引发的双方的紧张关系或挫折感。我国学者庄贵军（2002）总结了西方营销理论的渠道冲突概念界定：渠道冲突是一个渠道成员意识到另一个渠道成员正在阻挠或干扰自己实现目标或有效运作；或一个渠道成员意识到另一个渠道成员正在从事某种伤害、威胁其利益，或者以损害其利益为代价获取稀缺资源的活动。

渠道绩效（channel performance）这一概念可以从不同角度理解，本书将其界定为：渠道绩效是指渠道链或者渠道成员取得的实际结果，可以通过一系列财务指标和市场指标来衡量达成其特定目标的程度。其他关于渠道绩效的内涵有从渠道关系和满意度角度去定义的，如 Robicheaux 和 El-Ansary（1976）认为，渠道成员对渠道领导者满意或不满意的结果，是两个公司间渠道关系的结果与目的。Gaski 和 Nevin（1985）认为，渠道绩效是指供货商与经销商之间的关系，能够协助经销商达成供货商所设定目标的程度，即成员对渠道的贡献程度。另外，关于渠道绩效，可以从许多不同的构面来衡量，El-Ansary（1975）指出，渠道绩效的测度分为定性与定量两个方面，定性方面如渠道的合作、协调、冲突、认同、承诺、弹性程度等；定量方面则如单位分销成本、单位仓储成本、缺货成本、顾客服务成本等。Geyskens 等（1999）将渠道绩效分为财务绩效及关系质量绩效。

渠道协同（channel collaboration）是指渠道成员间通过合同约定、信任承诺等方式实现沟通和协作，从而对顾客需求作出快速反应。正如本书第 1 章论述的那样，渠道协同实质上反映了渠道成员在彼此面临利益冲突时表现出的一种合作意愿和态度。Bucklin（1965）认为，一个理想的渠道结构可以通过合理调整产品或服务产出水平，来使系统的总成本降到最低的一种结构，而这需要大量的相互协调和合作。

渠道结构（channel structure），按照 Stern 等的观点，渠道结构描述了渠道中各种类型的成员、市场上共存的每一类型成员的密度和数量，以及市场上共存的不同渠道的数目。即渠道结构包括渠道长度、渠道密度和渠道广度三个维度。渠道长度决定是否选择中介以及选择何种中介来分销产品，渠道密度决定同一层级的渠道成员数量，渠道广度决定是采用单一渠道还是选择多元化渠道。渠道结构是整个营销渠道中一个非常重要和核心的概念，决定了渠道的结构，就确定了整个渠道体系。

渠道职能（channel function），即渠道成员在产品流转过程中采取的主要专业性活动。农产品从生产者到最终消费者，需要经过不同的阶段，职能相应的由营销渠道的各个环节共同或分别承担，而渠道成员在履行职能的过程中伴随着价值增值和成本增加。农产品的有些效用（如形式效用、时间效用和地点效用等）

并不天然具有，而是各渠道成员在履行职能过程中附加的，即渠道职能的履行过程同时伴随着农产品的价值和效用的增加。因此，本书中的渠道职能实际是指渠道成员以一定的成本费用来创造用以满足消费者的价值和效用。一般来讲，渠道成员的管理水平越高，其承担相同职能所付出的代价越低，因此，渠道职能实际反映的是渠道成员的管理效率问题。

6.3　渠道冲突与渠道绩效的关系

6.3.1　假设模型

本部分重在分析渠道冲突如何影响渠道绩效以及两者的关系，并分析渠道协同背景下对渠道冲突的调节、控制与化解，以及对渠道绩效的作用机理与效果。

结合前面渠道理论的相关论述以及 Rosenberg-Stern 的渠道冲突模型（Rosenberg and Stern，1971），我们形成了下列分析思路和逻辑框架（图6-1）。

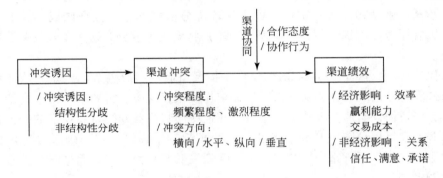

图6-1　渠道冲突与渠道绩效分析框架

其中，渠道冲突的测量主要从冲突程度和冲突方向两方面来体现，即主要探讨不同冲突程度、不同冲突方向对渠道绩效的影响及其差异性。关于渠道绩效的测量，主要采用 Geyskens 和 Kumar（1999）等的研究，即包括经济影响和非经济影响两方面，前者主要是从渠道效率角度来衡量，后者则是从渠道关系角度来衡量。

具体变量间的研究假设如下。

（1）渠道冲突诱因与渠道冲突程度的关系假设

根据营销渠道管理专家 Etgar（1979）的研究，将渠道冲突诱因归为两类：结构性分歧与非结构性分歧。所谓结构性分歧，即当渠道成员间存在本质上的利益冲突时，一方利益最大化目标的实现是以牺牲和损失另一方利益为前提，这种利益的不同或对立会使双方存在不可调和的分歧和矛盾，容易引发激烈的渠道冲突。因此，我们提出假设 H_a。

H_a：渠道冲突诱因与渠道冲突程度正相关。不同冲突诱因引发的渠道冲突，其冲突程度存在差异；越是由于结构性分歧引发的渠道冲突，其冲突程度越激烈、频繁。

（2）渠道冲突程度与渠道绩效的关系假设

根据 Rosenbloom（1987）的观点，渠道冲突水平和程度可以分为高、中、低三种类型。不同冲突程度产生的结果不一，即低水平冲突对渠道效率没有大的影响，中等水平的冲突对渠道效率有好的或建设性的影响，而高水平的冲突则对渠道效率有坏的或破坏性影响。因此，我们提出假设 H_b。

H_b：渠道冲突程度与渠道效率负相关。即渠道冲突越激烈、越频繁、强度越大，对渠道效率的负面影响越大。

关于渠道冲突与渠道关系质量，Geyskens 等（1999）的研究认为，剧烈的渠道冲突与上述三个变量具有如下关系：冲突会降低渠道成员的满意程度；同时，冲突不仅直接影响渠道成员之间的信任，而且通过降低满意程度进一步影响渠道信任；并且不信任的渠道成员关系往往会破坏渠道的承诺关系，从而使得渠道成员之间的长期合作变得困难。因此，我们提出假设 H_c。

H_c：渠道冲突程度与渠道关系质量负相关。即渠道冲突越激烈、越频繁、强度越大，对渠道成员间的信任、满意、承诺等的负面影响越大。

（3）渠道冲突与渠道协同的关系假设

渠道协同，即渠道成员间的互动、配合与协作的意愿，以及实际采取的协作行为。

Frazier（1983）提出，冲突发生的强度与可能采取合作的态度及意愿密切相关。持续、频繁和激烈的渠道冲突行为会降低渠道成员间的合作意愿。因此，我们提出假设 H_d。

H_d：渠道冲突程度与渠道协同负相关。

渠道协同需要具备一定的前提和基础，即合作双方的营销目标具有一致性，如互利共赢，由于目标不一致所带来的结构性分歧会降低渠道成员间的合作意愿。因此，我们提出假设 H_e。

H_e：渠道冲突诱因与渠道协同负相关。

（4）渠道协同与渠道绩效的关系假设

正如前面文献回顾已提及的：渠道成员间持续、长期的协作，有助于降低交易成本、提高渠道效率、改善和强化渠道成员间的信任关系。因此，我们提出假设 H_f。

H_f：渠道协同与渠道绩效正相关。

6.3.2 数据与方法

（1）量表设计

量表包括：①渠道冲突量表包括冲突频率和冲突强度两个子构面，共有 10 个题项。②渠道绩效量表包括渠道效率指标和渠道关系质量指标。其中，渠道效率指标又包括财务指标和市场指标两个子构面，共有 6 个题项；渠道关系质量指标包括渠道成员信任度、满意度、承诺等 9 个题项。③渠道协同量表包括信任承诺、利益共享和活动协调三个子构面，共有 15 个度量指标。各题项采用李克特 5量表加以测度。

（2）抽样方法与样本

本研究在全国范围内进行跨省市不同农产品营销渠道组织的分层抽样。实证样本分布在山东、广东、湖北、河南、四川和陕西 6 个省，其中既包括沿海经济发达的省市，也包括经济欠发达的西部省市，样本的选择具有一定代表性。

由于调查内容涉及企业的多方面情况，因此调查对象选定为了解企业情况的负责人（至少为中层的经理），具体调查采用邮寄调查法。本次调查共发放问卷200 份，最终回收 119 份，其中有 9 份作答不完全，所以有效问卷为 110 份，有效率为 55.0%。

为使研究结果可以进行推广，需要对未回收问卷可能产生的偏误（no-response bias）进行检验。本研究采用外推法（extrapolation method）来进行检验。根据邮戳的时间，将邮寄调查回收的问卷分为第一次回收和第二次回收两组，比较这两组样本企业是否存在显著性差异，以此来判断未回函者的偏误的情形。同质性检验结果显示，在 5% 的显著性水平下，第一次回收和第二次回收两组样本无显著性差异存在，也就是说，本研究可以不考虑偏误的影响。

采用 LISREL 对数据进行分析。LISREL 分析的样本数应满足：样本数减去待估计的参数个数应大于 50，如果是采用最大似然法（ML）来估计，样本数最少应为 100～150。本研究的样本数为 110，符合 LISREL 的数据分析要求，故可采用 LISREL 进行数据分析。

（3）数据分析方法与假设检验

根据研究目的和检验假设的需要，我们运用 SPSS13.0 和 LISREL8.7 分析软件对调查数据进行分析。数据分析包括两部分内容：一是量表的信度与效度检验。主要方法包括信度分析和验证性因素分析等；二是研究假设的验证。根据Anderson 和 Gerbing（1988）等学者的建议，我们采用两阶段法对研究模型进行LISREL 分析。第一阶段，对每一个构面及其度量指标进行信度和效度分析，确定各个构面的信度与效度水平。若构面的信度和效度没有达到理想标准，则需对度量指标进行调整，直到符合理想的标准；第二阶段，在第一阶段的基础上，将构面的多个度量指标缩减为少数或单一的度量指标，再运用 LISREL 分析软件对模型进行分析。

同时，本研究采用了最常用的 Cronbach'sα 系数来测量该量表的内部一致性。一般认为，Cronbach'sα 系数在 0.7 以上，其信度是可以接受的（Lin, et al., 1995）。

6.3.3　数据分析结果

（1）冲突诱因与冲突程度的关系（表6-1）

表6-1　冲突诱因与冲突程度的相关关系

冲突诱因	冲突程度			
	频繁程度	显著性	激烈程度	显著性
结构性分歧	4.85[a]	0.524[b] (0.01 **)	4.62	0.718 (0.05 *)
非结构性分歧	2.81	—	3.11	0.339 (0.04 *)

注：a 表示题项均值；b 表示 *pearson* 相关系数及其显著性水平

** 表示极显著，* 表示显著，—表示不显著而加以省略。表6-2～表6-4同此

表6-1 结果表明：由结构性分歧和非结构性分歧引发的渠道冲突，其冲突程度无论是频率还是强度，前者都大于后者（4.85 > 2.81；4.62 > 3.11），即越是由于结构性分歧引发的渠道冲突，其冲突程度越激烈频繁。

进一步分析表明：渠道成员或者渠道系统内部基于利益冲突或者目标不一致等结构性分歧所引发的渠道冲突，其冲突的频率和程度均要大于由于情绪、态度或认知等非结构性分歧引发的渠道冲突。此外，结合前面关于冲突具体原因的聚类分析[①]，窜货与目标分歧、契约意识、职能事项、退货库存这四类因子都会影响渠道冲突的激烈程度，渠道成员越是因为这些方面的原因与其他渠道长远发生冲突，则冲突的激烈程度越高；另外，窜货与目标分歧因子、契约意识因子、职能事项因子、行情判断与短期利益因子则影响冲突发生的频率，渠道成员越是因为这些方面的原因与其他成员发生冲突，冲突发生也就越经常、越频繁。

同时，结合前面第2章有关冲突观的分析发现，在同一冲突诱因情境下（如

---

① 具体影响程度和相关关系，参见前面第3章"图3-4冲突原因因子与渠道冲突行为的相关关系"。

即使同样面对结构性分歧），渠道成员秉持的不同冲突观对于引发的冲突行为其频率和强度都存在显著的差异性。其中，针锋相对冲突观对所引发冲突的频繁程度和激烈程度有着显著相关关系；而因人而异冲突观对冲突频繁程度没有影响，而权变策略冲突观对冲突激烈程度没有影响。同时也证实，不同冲突观与渠道绩效没有直接和显著的相关关系。比较激烈的冲突观虽然会同时提高渠道成员的冲突频率和冲突激烈程度，却并不一定直接降低渠道成员的经营绩效；而比较温和的冲突观虽有助于降低渠道冲突的频率和激烈程度，但是并不一定直接提高渠道成员的经营绩效。

（2）冲突程度与渠道绩效的关系（表6-2）

表6-2　冲突程度与渠道绩效的相关关系

渠道绩效	冲突程度	
	频繁程度	激烈程度
渠道效率	−0.433[a]（0.01[**]）[b]	−0.658（0.05[*]）
渠道关系	−0.521（0.04[*]）	−0.739（0.01[**]）

分析结果显示：渠道冲突的激烈程度对渠道效率有显著的负向作用，即渠道冲突越激烈、强度越大、破坏性越强，其对渠道效率的影响也越大，造成渠道效率低下。渠道冲突发生的频繁程度也与渠道效率有着显著的负相关关系，即渠道冲突多发、频发也会推高渠道交易成本，阻碍渠道成员赢利目标的实现。同时，渠道冲突的发生频率也会对渠道成员间的关系质量产生负面影响，降低彼此的信任度和满意度；渠道冲突多发本身就是渠道成员间的不信任和不满意状态的一种体现。分析结果也支持渠道冲突的激烈程度与渠道关系质量有着显著的相关关系的结论。

另外，渠道冲突在不同层次的渠道成员间发生（即垂直渠道冲突，如供应商和零售商），还是在同一层次的渠道成员间发生（即水平渠道冲突，如经营同一农产品的批发商与批发商），其对渠道绩效的影响不一。垂直渠道冲突对渠道绩效具有显著的负面影响（相关系数为−0.75），这种冲突会加剧渠道交易成本，降低流通效率，影响渠道成员赢利目标的实现。而水平渠道冲突对渠道绩效的影响较为复杂，与整体渠道绩效（来自上下游关系渠道成员间的综合评价）有着微弱的正相关关系（相关系数为0.25），说明水平渠道冲突有助于强化渠道内部的竞争。在激烈的市场竞争中，赢利能力差、经营管理水平低下的渠道成员遭到淘汰和替代，从而整体上提高渠道绩效；但从个案分析来看，水平渠道冲突对单个被调查者自身渠道绩效的影响不一，相关系数非常微弱而且没有通过显著性检验。

（3）渠道冲突与渠道协同的关系（表6-3）

表6-3　渠道冲突诱因、冲突程度与渠道协同的相关关系

子构面/题项		渠道协同	
		合作意愿（态度）	协作反应（行为）
渠道冲突诱因	结构性分歧	-0.645^a（0.01^{**}）[b]	-0.717（0.05^*）
	非结构性分歧	—	—
渠道冲突程度	频繁程度	-0.361（0.05^*）	—
	激烈程度	—	-0.515（0.01^{**}）

分析显示：由结构性分歧引发的渠道冲突，对渠道成员采取协同策略的态度和行为两方面都有显著的负相关关系，即面对结构性分歧时，如渠道成员存在根本性的对立的利益冲突，对渠道成员的合作意愿以及实际的协作行为都有着负面影响。这种背景下，渠道成员间的合作变得较为困难，取而代之的是竞争性和对抗性的经营行为。这一分析结果与Frazier（1983）的研究较一致。

同时，从冲突发生的频繁程度和激烈程度来看，冲突频繁程度对渠道成员的合作意愿有着显著的负相关关系，即冲突频发、多发会降低渠道成员的合作意愿；而冲突激烈程度与影响渠道成员的协作行为有着显著的负相关关系，即严重的或激烈的渠道冲突会阻碍渠道成员的配合性或互动性的协作行为，转而采取消极退让的反应行为甚至更为激烈的对抗行为以维护自身利益。

（4）渠道协同与渠道绩效的关系（表6-4）

表6-4　渠道协同与渠道绩效的相关关系

子构面/题项		渠道绩效	
		渠道效率	渠道关系
渠道协同	合作意愿（态度）	0.597^a（0.01^{**}）[b]	0.551（0.00^{**}）
	协作反应（行为）	0.424（0.05^*）	0.638（0.02^{**}）

表6-4显示：渠道成员的合作意愿与协作行为，对渠道绩效都有着显著的正相关关系。即渠道成员间的合作意愿有助于提高渠道效率，改善彼此间的关系质量，提高信任度和满意度；渠道成员在冲突发生前后实际采取的协作行为也有助于提高渠道效率，改进渠道关系质量。这可以解释为：一方面，在渠道冲突发生前，由于渠道成员间具有长期合作意愿和协作行为，出于长远和整体利益考虑，会尽量避免频繁和激烈的渠道冲突事件发生；另一方面，由于双方采取协同策略，即使冲突发生了，也会采取适当的解决办法来消除渠道冲突，维护渠道整体和长远利益。即渠道协同策略的采用，有助于抑制和控制渠道冲突从而提高渠道绩效。

（5）渠道冲突、渠道协同策略与渠道绩效的关系验证

使用 LISREL8.7 软件对渠道冲突、渠道协同策略与渠道绩效相互关系的一系列假设进行验证，分析结果如表6-5所示。样本数据的拟合度指标为 $\chi^2 = 7.883$（$df = 3$，$p = 0.231$），GFI = 0.978，AGFI = 0.887，RMR = 0.025。这表明数据对假设模型有良好的拟合优度。各假设关系的路径系数如表6-5所示。

表6-5　变量间的影响关系及系数估计

路　径	标准化估计系数	t 值
渠道冲突→渠道协同	-0.369	-2.512 **
渠道协同→渠道绩效	0.437	2.227 **
渠道冲突→渠道绩效	-0.262	-1.785 *
GFI	0.978	
AGFI	0.887	
RMR	0.025	
χ^2（$df = 3$）	7.883（$p = 0.231$）	

＊表示在0.05水平上显著；＊＊表示在0.01水平上显著，表6-6、表6-7同此

由表6-6可知，渠道协同对渠道绩效有极显著的正相关关系；而渠道冲突对渠道绩效有显著的负相关关系。

表6-6　变量间的相关系数矩阵

项　目	渠道冲突	渠道协同	渠道绩效
渠道冲突	1		
渠道协同	-0.356 **	1	
渠道绩效	-0.259 *	0.455 **	1

同时，通过对被调查者的有关渠道冲突（冲突题项综合排序前20，冲突题项均值 >4.3）和渠道协同（协同题项综合排序前20，协同题项均值 >4.3）的应答情况，分为两组，进一步比较两个组别间渠道绩效水平和态度倾向是否存在显著差异。

表6-7显示，两个组别间存在显著差异，且渠道协同组的渠道绩效要整体优于渠道冲突组。一定程度上这也显示渠道冲突与渠道协同对渠道绩效分别存在负向和正向的影响。

表 6-7　渠道冲突、渠道协同对渠道绩效的影响显著性分析

项　目		自由度 f	均方 mean square	F 值	显著值 Sig.
渠道冲突组、渠道协同组	组间	1	4.228	5.747	0.021 *
组别间渠道绩效水平的	组内	108	0.736		
方差分析	total	110			

6.4　渠道绩效影响因素分析

前面章节已经分析了渠道冲突如何对营销渠道的效率和效益产生影响；下面进一步对渠道协同策略对渠道绩效的正向影响进行深入剖析，力图对渠道协同策略影响渠道绩效的路径和作用机理进行解释，为后续有关渠道冲突的解决方式以及控制机制研究提供理论支撑。

6.4.1　概念模型及研究假设

在对相关研究文献回顾的基础上，我们将渠道结构、渠道协同、渠道职能和渠道绩效同时纳入模型之中，建立了一个新的渠道结构与渠道绩效间关系模型，如图6-2 所示，整体性探讨渠道结构与渠道绩效间的关系。模型中四个变量间关系如下：

（1）渠道结构与渠道协同、渠道绩效的关系

渠道结构和渠道协同这两个概念相互交织，它们共同对渠道绩效产生影响作用。从消费者行为的角度来看，渠道协同是指组织间产生现有和潜在顾客需求采取协调一致的适当反应。从组织行为的角度来看，渠道协同作为一种组织行为，能更有效率和效能地创造必要的行为为顾客创造卓越的价值。

这就是说，无论从消费者行为角度还是从组织行为角度来看，渠道结构都只有与渠道协同相结合，才能对渠道绩效产生正向的影响。这一结论也为 Brester 与 Biere（1996）等的实证研究所分别证实：二位学者以 411 家美国公司为实证样本，采用 CSPETOR 量表，对渠道结构、信任承诺（一种渠道协同度量）和渠道绩效之间的关系进行实证研究。研究发现，渠道结构和信任承诺对渠道绩效均有正向影响，渠道结构与信任承诺对渠道绩效有综合的影响。也就是说，一个企业若对渠道成员没有信任承诺，将降低渠道间的协同能力，这样，即使拥有理想的渠道结构也并不会提高其渠道绩效。

Kumar（1995）则以渠道协同为中介变量，采用 CSPETOR 量表，对渠道结构—渠道协同—渠道绩效间的连锁关系进行实证研究。结果显示，渠道协同对渠道结构与渠道绩效间关系具有一定的中介效应。

据此，本书将渠道协同作为渠道结构与渠道绩效间的中介变量，提出并将验

证下列假设：

H₁：渠道结构对渠道绩效有正向的显著影响；

H_1：渠道结构对渠道绩效有正向的显著影响；

H_2：渠道结构对渠道协同有正向的显著影响；

H_3：渠道协同对渠道绩效有正向的显著影响。

（2）渠道结构与渠道职能、渠道绩效的关系

渠道结构的本质是指企业针对市场状况所作出的渠道决策和管理方式，是一种创新行为的表现形式，从这个意义上来说，绩效是渠道结构的"后果"。[30]借助于渠道结构，企业和上下游渠道成员间可以实现双向互动。因此可以说，合理的渠道结构能促进企业产品更好地占领市场，获得较高的市场占有率。

除了单独研究渠道结构与渠道职能、渠道职能与渠道绩效外，还有学者全面研究渠道结构—渠道职能—渠道绩效间的连锁关系。Schmidt（1972）等以银行业为实证样本，采用 CSPETOR 量表，证实渠道结构、渠道职能和渠道绩效间存在连锁关系。但也有学者的研究结论与之相反，Kelly（1977）在对渠道结构—渠道职能—渠道绩效间的连锁关系进行实证研究时发现，渠道职能并没有对渠道结构与渠道绩效间的关系产生显著的中介效应。

鉴于对渠道结构与渠道绩效间关系的中介效应的研究结论不一致，因此，本书将渠道职能作为中介变量引入渠道结构与渠道绩效的关系模型中，对渠道结构—渠道职能—渠道绩效间的连锁关系进行修正，提出并将验证下列假设：

H_4：渠道结构对渠道职能有正向的显著影响；

H_5：渠道职能对渠道绩效有正向的显著影响。

（3）渠道协同和渠道职能的关系

渠道协同有助于以较低的费用和成本实现渠道职能在不同渠道成员间的分配和履行，即依赖于渠道成员间的信任承诺、合作态度等，渠道职能的履行与划分将会变得容易。Frazier（1989）的研究结果显示，渠道协同与渠道职能之间存在正向的关系。从本质上说，渠道协同实际上是一种企业间的协作关系。结合渠道协同的内涵来看，企业的渠道协同行为将主要促使渠道职能的快速和高效执行。因此，本书提出并将验证下列假设：

H_6：渠道协同对渠道职能有正向的显著影响。

根据上述研究假设的推导，模型中各个变量间的因果关系可通过图6-2来表示。

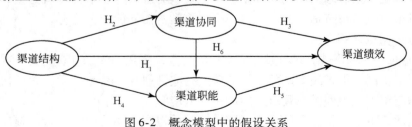

图6-2　概念模型中的假设关系

农产品营销渠道冲突与整合研究

6.4.2　研究设计

（1）量表设计

渠道绩效研究在西方已有十余年的历史，现已发展出一些具有较高信度与效度水平的研究量表。本书为了确保所用量表的信度与效度水平，借鉴多数国外学者使用的量表；结合前期调查的结果，并对渠道协同和渠道绩效等测量题项和测量指标进行了进一步的细化和调整，以更切合农产品营销领域经营主体的认知水平和实际情况。

确定量表初稿之后再对量表进行预试，以评估量表的语意表达的准确性。预试先后进行了三轮，在每次预试后，对量表中存在的问题进行修正。修正后的量表情况为：①渠道结构量表包括渠道长度、渠道密度和渠道广度三个子构面，共有 17 个度量指标，其中，有关渠道长度的指标 7 个，渠道密度的指标 4 个，渠道广度的指标 6 个；②渠道协同量表包括信任承诺、利益共享和活动协调三个子构面，共有 15 个度量指标，其中，有关对信任承诺的指标 6 个，利益共享的指标 5 个，活动协调的指标 4 个；③渠道职能量表包括职能履行和效用创造两个子构面，共有 11 个度量指标，其中，有关职能履行的指标 5 个，效用创造的指标 6 个；④渠道绩效量表包括财务指标和市场指标两个子构面，共有 6 个度量指标，其中，财务性指标和市场性指标各为 3 项。

（2）抽样方法与样本

需要说明的是，由于是后续跟踪调查的量表（第一次发放的是"冲突—协同—绩效量表"；为研究需要，针对同一批被调查者进行后续跟踪调查，第二次发放的是"结构—协同—绩效量表"），样本抽取方法与前面相同，本次调查共发放问卷 200 份，实际最终回收 119 份，其中有 9 份作答不完全，所以有效问卷为 110 份，有效率为 55.0%。

（3）数据分析方法

根据研究目的和检验假设的需要，我们运用 SPSS13.0 和 LISREL8.7 分析软件对调查数据进行分析。数据分析包括两部分内容：一是量表的信度与效度检验。主要方法包括信度分析和验证性因素分析等。二是研究假设的验证。根据 Anderson 和 Gerbing（1988）等学者的建议，我们采用两阶段法对研究模型进行 LISREL 分析。第一阶段，对每一个构面及其度量指标进行信度和效度分析，确定各个构面的信度与效度水平。若构面的信度和效度没有达到理想标准，则需对度量指标进行调整，直到符合理想的标准。第二阶段，在第一阶段的基础上，将构面的多个度量指标缩减为少数或单一的度量指标，再运用 LISREL 对模型进行分析。

6.4.3　数据分析结果

6.4.3.1　信度

采用内部一致性指标 Cronbach's α 系数对量表的信度进行检验。具体结果如表 6-8 所示。表中各构面及其子构面的 Cronbach's α 系数都在 0.8 以上，全部超过了 0.7 这一可以接受的信度水平。

表 6-8　各构面的 Cronbach's α 系数

构　面	子构面	Cronbach's α	构　面	子构面	Cronbach's α
渠道结构 （0.908）	渠道长度	0.843	渠道协同 （0.910）	信任承诺	0.866
	渠道密度	0.832		利益共享	0.853
	渠道广度	0.802		活动协调	0.818
渠道职能 （0.860）	职能履行	0.804	渠道绩效 （0.870）	财务指标	0.863
	效用创造	0.803		市场指标	0.807

注：括号内为构面的 Cronbach's α 分数

6.4.3.2　效度

1）内容效度。内容效度主要用来反映量表内容切合主题的程度。检验的方法主要采用专家判断法，由相关专家和专业人士就题项恰当与否进行评价。本书所采用的量表主要是根据相关文献中已有的量表，结合个案访谈的结论修改而成，因此具有很高的内容效度。

2）建构效度。建构效度主要用来检验量表是否可以真正度量所要度量的变量，主要分为会聚效度和区分效度两种。

会聚效度一般通过验证性因子分析来检验。验证性因子分析的拟合情况如下表所示。可以看出，各构面的验证性因子分析的拟合情况较好。验证性因子分析结果显示，各个题项及子构面的因子载荷都在 0.5 以上，且 t 值都达到了显著性水平，这说明各个构面都具有很强的会聚效度。

区分效度的检验采用相关系数法。各个构面的子构面之间的相关系数如表 6-9、表 6-10、表 6-11、表 6-12 所示。表中数据显示，各个相关系数值的 95% 的置信区间不包含 1，这说明各个子构面之间具有一定的区分效度。

从以上检验结果可以看出，经过修改后的量表，具有相当高的信度和效度水平，采用这些量表进行调查而获得的数据具有很高的内部一致性，能真实反映所要度量的变量。

表 6-9　渠道结构量表

构　面	题　项	因子载荷（标准化系数）	区分效度	
			构面	相关系数（置信区间）
渠道长度（MCL）	MCL1	0.79[a]	MCL—MCD	0.84（0.80，0.88）
	MCL2	0.65**		
	MCL3	0.61**	MCL—MCE	0.91（0.88，0.94）
	MCL4	0.73**		
	MCL5	0.85***	MCD—MCE	0.89（0.85，0.93）
	MCL6	0.67**		
	MCL7	0.53**		
渠道密度（MCD）	MCD1	0.54[a]		
	MCD2	0.81**		
	MCD3	0.81**		
	MCD4	0.70**		
渠道广度（MCE）	MCE1	0.72[a]		
	MCE2	0.72**		
	MCE3	0.78**		
	MCE4	0.52**		
	MCE5	0.61**		
	MCE6	0.83**		

$\chi^2 = 205.35$　$df = 116$　$GFI = 0.84$　$CFI = 0.97$　$RMSEA = 0.073$

注：a 设为固定值

＊＊表示 $P < 0.05$　＊＊＊表示 $P < 0.01$

表 6-10　渠道协同量表

构　面	题　项	因子载荷（标准化系数）	区分效度	
			构面	相关系数（置信区间）
信任承诺（BTP）	BTP1	0.85[a]	BTP—BVS	0.80（0.76，0.84）
	BTP2	0.83***		
	BTP3	0.65**	BTP—BAC	0.82（0.77，0.87）
	BTP4	0.73***		
	BTP5	0.80***	BVS—BAC	0.77（0.72，0.82）
	BTP6	0.67**		
利益共享（BVS）	BVS1	0.84[a]		
	BVS2	0.84***		
	BVS3	0.78***		
	BVS4	0.52**		
	BVS5	0.86***		

构　面	题　项	因子载荷 （标准化系数）	区分效度	
			构面	相关系数（置信区间）
活动协调 （BAC）	BAC1	0.63^a	—	—
	BAC2	0.63^{**}		
	BAC3	0.84^{**}		
	BAC4	0.86^{**}		
$\chi^2 = 109.23$ df $= 87$ GFI $= 0.89$ CFI $= 0.98$ RMSEA $= 0.048$				

注：a 设为固定值；

** 表示 $P < 0.05$ *** 表示 $P < 0.01$

表 6-11　渠道职能量表

构　面	题　项	因子载荷 （标准化系数）	区分效度	
			构面	相关系数（置信区间）
职能履行 （CFC）	CFC1	0.33^a	CFC—CUC	0.64 （0.57，0.71）
	CFC2	0.88^{**}		
	CFC3	0.94^{**}		
	CFC4	0.82^{**}		
	CFC5	0.56^{**}		
效用创造 （CUC）	CUC1	0.39^a	—	—
	CUC2	0.59^{**}		
	CUC3	0.83^{**}		
	CUC4	0.88^{**}		
	CUC5	0.83^{**}		
	CUC6	0.43^{**}		
$\chi^2 = 83.55$ df $= 43$ GFI $= 0.89$ CFI $= 0.97$ RMSEA $= 0.093$				

注：a 设为固定值；

** 表示 $P < 0.05$ *** 表示 $P < 0.01$

表 6-12　渠道绩效量表

构　面	题　项	因子载荷 （标准化系数）	区分效度	
			构面	相关系数（置信区间）
财务指标 （FPI）	FPI1	0.88^a	FPI—MPI	0.79 （0.74，0.84）
	FPI2	0.86^{***}		
	FPI3	0.80^{***}		
市场指标 （MPI）	MPI1	0.78^a	—	—
	MPI2	0.78^{**}		
	MPI3	0.77^{**}		
$\chi^2 = 12.92$ df $= 8$ GFI $= 0.96$ CFI $= 0.99$ RMSEA $= 0.064$				

注：a 设为固定值；

** 表示 $P < 0.05$ *** 表示 $P < 0.01$

6.4.3.3 结构方程模型评价

（1）理论模型及其参数

以构面的度量指标为其子构面，以各子构面的度量题项评分的平均值作为该子构面的评分，将构面的多个度量指标缩减为少数度量指标。具体来说，本书中各个构面的度量指标为：

1）渠道结构含渠道长度（x_1）、渠道密度（x_2）、渠道广度（x_3）三个度量指标；

2）渠道协同含信任承诺（y_1）、利益共享（y_2）、活动协调（y_3）三个度量指标；

3）渠道职能含职能履行（y_4）、效用创造（y_5）两个度量指标；

4）渠道绩效含财务指标（y_6）和市场指标（y_7）两个度量指标。

本书的理论模型转化为结构方程模型路径图。模型路径图及其参数如图6-3所示，其中，潜在变量以椭圆形来表示，标识变量则以矩形来表示。

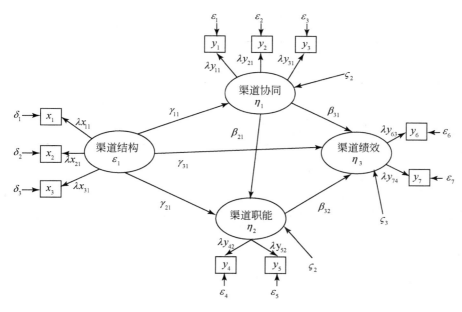

图6-3 模型路径图及其参数

（2）模型的信度与效度

模型中各个构面的信度、区分效度和会聚效度如表6-13和表6-14所示。结果显示，信度、区分效度和会聚效度都达到理想接受水平，这说明，模型中各个构面的内部一致性程度高，具有较好的会聚效度和区分效度。

表 6-13　模型的信度与区分效度

构　面	Cronbach's α	区分效度	
		构面	相关系数（置信区间）
渠道结构（CS）	0.91	CS – CC	0.94 (0.91，0.97)
		CS – CF	0.71 (0.64，0.78)
渠道协同（CC）	0.87	CS – CP	0.64 (0.57，0.71)
渠道职能（CF）	0.80	CC – CF	0.79 (0.73，0.85)
		CC – CP	0.61 (0.53，0.69)
渠道绩效（CP）	0.81	CF – CP	0.73 (0.67，0.78)

表 6-14　整体模型拟合度的评价标准

指　标	绝对拟合度			简约拟合度			增值拟合度		
	χ^2/df	GFI	SRMR	RMSEA	PNFI	PGFI	NFI	NNFI	CFI
评价标准	<3	>0.9	<0.08	<0.06	>0.5	>0.5	>0.95	>0.95	>0.95

6.4.3.4　结构方程模型拟合度的评价

模型拟合的基本情况如表 6-14 所示。我们从基本拟合标准、整体模型拟合度和模型内在结构拟合度三方面对模型的拟合度进行评价。各个构面的标识变量的因子载荷都为 0.5 ~ 0.95，都达到 0.01 显著性水平，且没有负的测量误差。这表明模型完全符合基本拟合标准，包括绝对拟合度、简约拟合度和增值拟合度三类指标。这三类指标的评价标准如表 6-14 所示。这些指标与标准比较的情况分别为：

1）绝对拟合度指标与标准比较的情况为 $\chi^2/df = 31.74/29 < 2$、$P = 0.332 > 0.05$、GFI $= 0.94 > 0.9$、SRMR $= 0.030 < 0.08$、RMSEA $= 0.029 < 0.06$。这说明，观测的方差协方差矩阵与估计的方差协方差矩阵不存在显著性差异，样本数据与模型拟合程度很高。

2）简约拟合度指标与标准比较的情况为 PNFI $= 0.63 > 0.5$、PGFI $= 0.50 = 0.5$。可以看出，PNFI 完全符合标准，而 PGFI 刚好处于标准的临界水平。总的来说，模型的简约拟合度指标比较好，它反映出模型比较简约。

3）增值拟合度与标准比较的情况为 NFI = 0.98 > 0.95 、NNFI = 1.00 > 0.95 、CFI = 1.00 > 0.95。这三个指标都达到了标准，其中，NNFI 和 CFI 的值还高达 1。这就从与虚无模型比较的角度进一步说明本书的结构方程模型具有极为不错的拟合程度。

从模型内在结构拟合度中的组成信度来看，渠道结构、渠道协同、渠道职能和渠道绩效的组成信度分别为 0.91、0.88、0.80 和 0.83，都在 0.7 以上；从平均变异抽取量来看，这些研究变量的平均变异抽取量分别为 0.75、0.70、0.67 和 0.71，都在 0.5 以上。这两方面的指标都显示，本研究模型具有很好的内在结构拟合度。

综合以上三方面的评价指标来看，结构方程模型具有非常理想的拟合度，可以利用它的结果对研究假设进行验证。模型拟合的基本情况如表 6-15 所示。

表 6-15 模型拟合的基本情况

变 量	因子载荷[a]（λ 或 γ）	t 值	测量误差（ε 或 ζ）	组成信度	平均变异抽取量
渠道结构				0.90	0.75
渠道长度	0.83[b]	—	0.31		
渠道密度	0.86	11.02***	0.26		
渠道广度	0.91	12.26***	0.17		
渠道协同				0.88	0.71
信任承诺	0.85[b]	—	0.28		
利益共享	0.84	10.99***	0.29		
活动协调	0.81	10.28***	0.35		
渠道职能				0.80	0.67
职能履行	0.79[b]	—	0.37		
效用创造	0.84	8.46***	0.30		
渠道绩效				0.83	0.71
财务指标	0.74[b]	—	0.45		
市场指标	0.92	7.40***	0.15		

绝对拟合度：χ^2 = 31.74　df = 29　P = 0.332　GFI = 0.94　SRMR = 0.030　RMSEA = 0.029

简约拟合度：PNFI = 0.63　PGFI = 0.50　增值拟合度：NFI = 0.98 NNFI = 1.00 CFI = 1.00

注：a 因子载荷为标准化值；b 设为固定值

*** 表示 $P < 0.01$

6.4.3.5 研究假设的验证

研究假设的验证情况如表 6-16 所示。可以看出，这 6 个假设中只有 H_2、H_5

和 H_6 3 个假设得到了支持。根据验证结论,对模型进行修正,将不显著的路径删除,修正后的模型如图 6-4 所示。

表 6-16 研究假设的验证

假 设	标准化的参数估计值	t 值	验证结果
H_1:渠道结构对渠道绩效有正向的显著影响	$\gamma_{31} = 0.76$	1.48	否定
H_2:渠道结构对渠道协同有正向的显著影响	$\gamma_{11} = 0.94$	9.92**	支持
H_3:渠道协同对渠道绩效有正向的显著影响	$\beta_{31} = -0.69$	-1.08	否定
H_4:渠道结构对渠道职能有正向的显著影响	$\gamma_{21} = -0.30$	-0.62	否定
H_5:渠道职能对渠道绩效有正向的显著影响	$\beta_{32} = 0.73$	2.87**	支持
H_6:渠道协同对渠道职能有正向的显著影响	$\beta_{21} = 1.07$	2.17*	支持

*表示 $P < 0.05$;**表示 $P < 0.01$

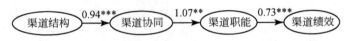

图 6-4 修正后的模型及构面间关系

从图 6-4 可以看出,修正模型中各个研究变量之间的关系形成一条前后相连的关系链条,跨越中介变量的所有直接联系都不存在。为了更清楚地了解这些变量之间的全面关系,我们将各个研究变量之间的直接效应、间接效应和总效应整理于表 6-17。表中每一个方格中第一排为直接效应(即模型中的路径系数),第二排为间接效应,第三排括号内的数字为总效应(直接效应加间接效应)。例如,渠道结构对渠道绩效的直接效应为 0,通过渠道协同和渠道职能的间接效应为 $\gamma_{11} \times \beta_{21} \times \beta_{32} = 0.73$,则总效应为 0.73。各个研究变量之间的效应关系分析如下:

渠道结构也只与渠道协同一个变量有直接效应,其值为 0.94,与渠道职能和渠道绩效只存在间接效应,其值为 1.01 和 0.73。这样,渠道结构与这些变量的总效应就分别为 0.94、1.01 和 0.73。可以看出,渠道结构只对渠道协同形成积极的直接影响,而对渠道职能和渠道绩效都不能产生直接影响,其影响是由中介变量产生的间接影响。

表 6-17 各研究变量之间的直接效应、间接效应和总效应

外生变量	内生变量		
	渠道协同	渠道职能	渠道绩效
渠道结构	0.94^a	0	0
	0^b	1.01	0.73
	$(0.94)^c$	(1.01)	(0.73)

外生变量	内生变量		
	渠道协同	渠道职能	渠道绩效
渠道协同	—	1.07 0 (1.07)	0 0.78 (0.78)
渠道职能	—	—	0.73 0 (0.73)

注：a 表示各个研究变量之间的直接效应；b 表示各个研究变量之间的间接效应；c 表示各个研究变量之间的总效应（直接效应 + 间接效应）

　　渠道协同与渠道职能之间仅存在直接效应，其值为 0.07，渠道职能与渠道绩效间的直接效应为 0.73，而渠道协同与渠道绩效间则只有通过渠道职能产生的间接效应。这说明渠道协同对企业渠道职能的履行效力具有非常重要的积极影响，并借之影响渠道绩效水平。

6.4.4　结论与启示

（1）研究结论

1）关于渠道冲突与渠道绩效的关系。研究发现：在农产品营销领域，渠道冲突的频繁程度和激烈程度与渠道绩效有着显著的相关关系，频繁发生的、高强度的渠道冲突会对农产品流通效率和渠道成员关系产生消极影响。这一点与已有针对一般快速消费品市场中的渠道冲突研究结论相似，即严重的渠道冲突将不可避免地导致渠道绩效的下降，而且渠道冲突越普遍，渠道成员对于渠道关系的满意度越低。这也说明，同其他产品市场一样，渠道冲突均会对渠道整体绩效造成负面影响。

　　垂直渠道冲突和水平渠道冲突对渠道绩效的影响不一。前者会降低渠道绩效，造成农产品在渠道体系内流通效率低下，并加剧渠道成员利益分配的不公平性，为下一次更激烈的冲突爆发埋下了隐患；后者通过竞争有助于淘汰效率低下、市场需求响应慢的渠道成员，从而提升整个渠道体系的效率水平。

　　渠道冲突程度与诱发冲突的原因有密切关系。越是基于利益和目标的冲突，越是难以调和，且冲突程度往往越是激烈，其破坏性也越强。

　　不同渠道成员面对同一冲突事件做出的反应不同，其中，冲突观是决定性因素。与一般消费品市场中的参与者相比，农产品营销领域参与者的层次和素养参差不齐，更多带有个体经营性质，资产专用性相对较差，这些因素使得其在冲突发生后容易采取非理性的方式来解决和应对冲突。因此，从这个意义上来说，培育更高层次、更专业化的营销主体对降低渠道冲突发生的概率有积极意义。

渠道协同（合作行为或者意愿）对避免和化解渠道冲突有着积极意义。渠道成员间有着长期合作经历，或者签订了长期合同的，其合作意愿较为强烈，能够克服投机行为而维护渠道稳定性，降低渠道冲突的发生，或者降低冲突发生的强度。同时，这种共同的协同行为在冲突发生时也能有效起到调节作用，避免冲突的发生恶化成员间的关系质量和影响彼此长远利益。研究也证实，冲突组和协同组的绩效表现有着明显差异。

2）关于渠道绩效及其影响因素。研究发现，渠道结构对渠道绩效无直接影响，必须透过渠道协同和渠道职能才会对渠道绩效形成间接正向影响。该结论初步揭示出渠道结构与渠道绩效之间的作用机制：通过设计和选择渠道结构后，渠道成员间的数量和密度等即被确定，农产品经过哪些环节和路径到达消费者手中也一并被确定，而透过配合和协调将促进渠道成员在较低的渠道间交易费用水平下实现渠道职能的履行进而实现效用和价值创造，最终渠道成员在满足消费者需求的同时也借助于渠道利益共享机制获得了其所创造效用的回报，农产品渠道成员各自实现了其目标。

这一作用机制说明，如果一个企业要通过实施渠道结构来提高其渠道绩效，则必须透过渠道协同和渠道职能的执行才能达到其目的。也就是说，渠道协同和渠道职能是渠道结构实施的关键和必要环节，对渠道结构的最终确立起到了决定性作用。否则，现有的渠道结构将难以被稳定下来。

研究同时发现，渠道协同和渠道职能这两个中介变量与渠道绩效的关系也是单一的，渠道协同对渠道绩效无直接影响，必须通过渠道职能才会对渠道绩效形成间接影响。换而言之，渠道职能是渠道协同与渠道绩效之间的完全中介变量。这说明，渠道协同是渠道职能的前因，是渠道职能的原动力，没有渠道成员关于职能履行的约定，将会出现有渠道成员过多承担渠道职能的现象，即会出现渠道职能的迁移和流转，直到渠道成员间重新达成协议或者协调一致。由此看来，渠道成员的协同有助于化解农产品在销售过程中的渠道冲突和渠道利益分配不均等问题。

由于渠道协同和渠道职能的完全中介效应，使得所有跨越中介变量的路径都不显著，这是一个非常重要的发现，其是否具有普适性，还需更多的实证检验。

（2）管理意义

研究所揭示出的"渠道结构－渠道协同－渠道职能－渠道绩效"连锁关系，对于营销实践具有重要的意义。

1）选择合适的渠道结构能提高渠道绩效。渠道结构与渠道绩效之间存在正向的间接影响。这说明，农产品生产企业、批发商及零售商等渠道成员可以通过设计、选择和调整渠道结构来提高其渠道绩效，也就是说，对于处于转型经济中的农产品营销渠道组织来说，建构理想的渠道结构应该是其提高渠道绩效的关键。

2）渠道协同和渠道职能是渠道结构成功实施的关键环节。渠道结构对渠道绩效无直接影响，必须透过渠道协同和渠道职能才会对渠道绩效产生间接的正向影响。这是本书一个极为重要的结论，它说明，渠道协同和渠道职能是渠道结构实施过程中的关键环节。一个企业在实施渠道结构时，必须重视渠道协同，通过采取协调一致和协作配合来共同创造消费者所需要的价值和效用，而且，面对变化中的消费者需求也能透过渠道成员的信息传递及时调整渠道服务产出以更好适应消费者。忽视渠道协同和渠道职能两者中的任何一个环节，都不能实现其提升渠道绩效的目的。因此，单有理想的渠道结构而缺乏渠道成员间的配合和对渠道职能的合理安排，农产品营销渠道组织的绩效目标将难以实现。

3）渠道结构、渠道职能、渠道协同的良性互动会形成一种渠道竞争力。按照波特关于价值链的观念，这种渠道竞争力能适应环境的变化而不断加以调整。渠道结构决定了渠道成员各自在渠道体系中扮演何种角色，当承担何种职能；渠道协同兼顾专业化和分工的需要，又能通过合作和一体化降低交易费用。要实现产品从生产者经过分销商到达消费者手中的平稳过渡，就必须协调好生产者与分销商之间的关系，真正做到生产者与分销商之间的"无缝"连接。即渠道成员为了提高整条营销渠道的服务质量，从而为消费者创造更有价值的服务，营销渠道中的各成员组织打破原有的组织边界和渠道结构，在多层面的基础上实施渠道协同、相互协作，共同响应消费者的效用需求，并共同分享渠道利益。其结果是形成一种渠道竞争力。

（3）研究启示

根据渠道协同的思想，在渠道系统内进行联合或一体化是非常重要的，无论是生产者（农户）、中介组织，还是消费者。

一体化有两种实现方式（"软联合"或"硬联合"）、两种联合方向（"纵向"或"横向"）。①"硬联合"即兼并其他渠道成员，发生所有权转移，其优点在于实现了规模经济；其缺点是需要资金支持，此外，规模扩大的同时会增加管理难度。而"软联合"是通过合同约定采用共同或者一致的营销行为，不发生所有权转移，其出发点是希望通过"软联合"能降低交易费用，降低渠道冲突的发生频率，达到提高渠道绩效的目的。其优点是不会像"硬联合"那样随着兼并的深入占用资金，缺点是相对松散，不及"硬联合"有效力。②"纵向联合"使大量专业化生产条件下的市场交易转变为组织内部交易，消除或降低交易成本。"横向联合"的出发点是实现规模经济效应。

一是横向联合。①对生产者（农户）而言，一方面，横向联合或者一体化有助于提高生产和营销规模。生产规模是影响市场结构的原始力量，生产规模扩大后，生产者可以不通过集货程序，直接运到批发市场或超级市场销售，从而减少周转次数、缩短营销渠道。因为这种缩短的营销渠道建立在规模生产的基础上，它不同于传统社会阶段生产者直接卖给消费者的情况，因而是有效率的。另一方面，在没有条件采取规模生产的地区，可以参考美国营销合作社、台湾地区共同营销和日本农协的经验以扩大营销规模、增强谈判力量。对我国小规模、分散化的农户而言，通过"软"的"横向联合"，有助于克服单个农户的弱势地位、形成群体合力、具备整体竞争能力。②对中介组织来说，横向联合有助于更大范围控制市场，提高市场占有率。③对于消费者而言，横向联合有助于增强在买卖过程中的讨价还价能力，降低购买价格①。

二是纵向联合。①对有一定实力的农业生产者可以考虑"软"的"纵向联合"，与下游中介组织合作，实现其生产经营与市场的有效连接，顺利进入市场。②对于中介组织，则可以通过前向一体化（如批发商组建零售终端）或者后向一体化（零售商进入批发环节甚至直接与农户或者生产基地联合）来缩短渠道环节、降低交易成本。这种联合也有助于降低垂直渠道冲突，进而提高渠道效率。

6.5 本章小结

本章重在讨论渠道冲突如何影响渠道绩效以及两者的关系，分析渠道协同背景下对渠道冲突的调节、控制与化解，以及对渠道绩效的作用机理与效果。

首先，本章分析了渠道冲突对渠道绩效的影响，分析结果表明：渠道冲突的频繁程度和激烈程度与渠道绩效有着显著的相关关系，频繁发生的、高强度的渠道冲突会对农产品流通效率和渠道成员关系质量产生消极影响。此外，垂直渠道冲突和水平渠道冲突对渠道绩效的影响不一。

其次，本章分析了渠道协同对渠道冲突的抑制与控制作用，验证了渠道协同与渠道绩效间的相关关系，并进一步对其作用机制进行深入分析，即农产品营销渠道结构是影响渠道绩效的关键因素，渠道结构透过渠道协同和渠道职能对渠道绩效产生间接的正向影响。

上述研究结论为后面进一步探讨渠道冲突的解决方式和控制机制提供了理论解释。

---

① 横向联合之所以发展滞后，是因为其目标在于扩大规模、控制和垄断市场，最终形成价格或产业垄断，所以往往因为被视为违背竞争原则，而受到来自各方的干预和反对。而纵向一体化的目标在于节约交易成本。

第 7 章
农产品营销渠道冲突的解决方式

渠道冲突解决方式一直以来是营销学界研究的重点问题之一，在这方面学者们从不同角度开展了多项研究。Kevin（2004）把冲突处理的行为划分为对抗性处理行为、包容性处理行为和合作性处理行为，经过对 81 个企业的实证研究，他发现合作性冲突处理方式有利于提高渠道成员对于渠道的满意度和继续合作的愿望，包容性处理方式次之，破坏性最大的是对抗性冲突处理方式。Jong（2004）则把冲突的解决方式划分为五种：退出冲突、妥协、强迫、平滑、问题解决，冲突的后果与五种冲突处理方式之间联系密切。周筱莲和庄贵军（2004）则在总结西方学者研究的基础上，提出了渠道冲突解决的四种有效方法：问题解决法、劝解法、讨价还价法和第三方介入法。

总的来看，目前关于渠道冲突解决方式的研究还不尽如人意。虽然学者们提供了解决渠道冲突的一些具体思路和措施，但这些措施一般是在西方市场经济的营销环境下提出的，目前涉及中国市场环境下营销渠道冲突解决方式的研究还比较少；而有关中国农产品营销渠道冲突的解决方式的研究大部分都是定性研究，虽然这些研究也探讨了农产品营销渠道冲突解决的一些具体方式，但是很少有研究对这些方式的冲突解决效果以及形成机制进行分析和评价。

7.1 农产品营销渠道冲突解决方式的来源

7.1.1 渠道冲突解决方式的测量

本书在总结前人研究的基础上，结合个案调查收集的信息，在问卷的有关量表中列出了目前农产品营销渠道中最为常用的五种渠道冲突解决方式：与经销商多沟通与交流、发生矛盾时请第三方参与调解、制定大家共同遵守的行为规则、经常给经销商或经销商的负责人好处、设身处地考虑经销商的利益。"与经销商多沟通与交流"可以建立起渠道成员间的信息分享机制（information-intensive mechanism），从而解决渠道内存在的一些冲突；而"制定大家共同的行为规则"

则可以协调渠道成员的目标，建立起一套大家共同遵循的行为规则，减少不必要的内耗；"设身处地考虑经销商的利益"是一种由冲突一方有意识地去考虑另一方的需要，调整自己的行为，从而协调冲突双方的利益关系、减少或解除冲突的方式；"发生矛盾时请第三方参与调解"是一种借助外来力量的介入协调冲突双方关系、减少或解除冲突的方式；"经常给经销商或经销商的负责人好处"也是一种比较常用的解决冲突的方式，在营销渠道中，冲突双方发生冲突的原因往往都是由利益引起的，因此采取直接给好处的方式事实上是一种利益分配调整的问题。此处的"好处"可以是直接的给予金钱，也可以是供货的质量、效率、经销权限等。

综上所述，以上五种冲突解决方式较好地涵盖了在农产品营销渠道中所发生的冲突的解决方式，可以较为有效地测量渠道成员冲突解决方式的使用情况，因此，我们得到了一个包括 5 个量表项目的冲突解决方式的测量量表（表7-1）。

表 7-1　渠道冲突解决方式量表

冲突解决方式量表题项（items）	题项代码
1. 与经销商多交流与沟通	D1
2. 发生矛盾时请第三方参与调解	D2
3. 制定大家共同遵守的行为规则	D3
4. 经常给经销商或者其负责人好处	D4
5. 设身处地考虑经销商的利益	D5

7.1.2　渠道冲突解决方式的使用倾向

表 7-2 是本次实证研究中五种冲突解决方式选择情况的频次分布表，反映了渠道成员使用各种冲突解决方式的偏好。由表 7-2 可以发现：被调查对象在"与经销商多沟通与交流"、"制定大家共同遵守的行为规则"、"设身处地考虑经销商的利益"这三种冲突解决方式上，选择"多"的有效百分比均比较高，都占了有效样本量的 2/3 以上。其中，在"与经销商多沟通与交流"这种解决方式上选择"多"的被调查对象的有效百分比高达 89.5%，这说明沟通与交流是渠道成员在发生冲突时最经常采用的一种方式；其次是"设身处地考虑经销商的利益"与"制定大家共同遵守的行为规则"，常常使用这两种渠道解决方式的渠道成员的有效百分比分别达 69.9% 与 69.2%。

表 7-2　渠道冲突解决方式的频率分布

渠道冲突的解决方式	运用得多/%	运用得少/%	有效样本量/n
与经销商多交流与沟通（D1）	89.5	10.5	416
发生矛盾时请第三方参与调解（D2）	38.4	61.6	399
制定大家共同遵守的行为规则（D3）	69.2	30.8	402
经常给经销商或者其负责人好处（D4）	32.7	67.3	394
设身处地考虑经销商的利益（D5）	69.9	30.1	403

与上述三种冲突解决方式相比，"发生矛盾时请第三方参与调解"与"经常给经销商或经销商的负责人好处"这两种冲突解决方式的渠道成员的有效百分比则分别为 38.4% 和 32.7%，这说明渠道成员使用这两种冲突解决方式的情况相对比较少。

7.1.3　渠道冲突解决方式间的相关性

从实证角度分析渠道冲突解决方式之间的相关性，能为我们更进一步地理解渠道成员对冲突方式使用偏好的选择，进而为我们综合使用这几种解决方式解决渠道冲突提供参考。

表 7-3 中的数据反映的是五种冲突解决方式的自相关关系，即冲突解决方式之间的内部关联。数据显示，各个冲突的解决方式之间一共存在 5 对相关性数据（显著性水平为 0.01）。

表 7-3　冲突解决方式的零序相关矩阵

项　目	与经销商多沟通交流	请第三方参与调解	制定共同遵守的行为规则	给经销商或其负责人好处	设身处地考虑经销商利益
与经销商沟通交流	1				
请第三方参与调解	0.889 *	1			
制定共同遵守的行为规则	−0.003	−0.035	1		
给经销商或其负责人好处	−0.075	−0.073	0.232 *	1	
设身处地考虑经销商利益	0.190 *	0.045	0.211 *	−0.185	1

*表示相关系数通过显著性水平为 0.01 的双尾检验（$P < 0.01$）

1）"与经销商多沟通与交流"与"发生矛盾时请第三方参与调解"呈正相关关系，在 0.01 的显著性水平下，Person 相关系数为 0.889。这说明，渠道成员越是经常采取"与经销商多沟通与交流"的冲突解决方式，也越可能更多地采取"请第三方参与调解"的方式。两者之间的这种高相关性，可能是由于注重与经销商沟通和交流的渠道成员，平时就比较注意处理与其他渠道成员的人际关系，因此在发生冲突时比较偏向于以人际关系的方式来调解矛盾。

2）"与经销商多沟通与交流"与"设身处地考虑经销商的利益"呈正相关关系，在 0.01 显著性水平下，Person 相关系数为 0.190。这说明，注重以沟通和交流方式处理渠道冲突的成员也会比较多地考虑经销商的利益。这两者的相关可能是由于注重以沟通、交流解决渠道冲突的渠道成员，更理解经销商的利益诉求和面临的困难，因此会比较多地考虑他们应当得到的利益而不会仅仅只考虑自己的利益。

3）"制定大家共同遵守的行为规则"与"经常给经销商或经销商的负责人好处"两者呈现正相关关系，在 0.01 显著性水平下，Person 相关系数为 0.232。这说明，越是偏向于采取制定行为规则的方式解决冲突的渠道成员，也越经常采取给予商业上的业务伙伴好处的办法来消除冲突。换言之，渠道成员往往联合运用制定规则和暗中给予好处的方法化解渠道冲突。

4）"制定大家共同遵守的行为规则"与"设身处地考虑经销商的利益"两者呈正相关关系，在 0.01 显著性水平下，Person 相关系数为 0.211。这说明，越是注重以制定规则和制度解决冲突的渠道成员，也越有可能更多顾及经销商的利益，而不会仅仅考虑自己的利益需求。

5）"经常给经销商或经销商的负责人好处"与"设身处地考虑经销商的利益"两者呈负相关关系，在 0.01 显著性水平下，Person 相关系数为 -0.185。这说明，越是常常采取给予经销商好处的方式解决冲突的渠道成员，对于经销商的利益考虑越少。这是一个有趣的发现，说明了两层含义：一是对于渠道成员而言，给予经销商好处只是一种迫不得已的选择，并非是真心实意地想增加经销商的利益；另外，一旦给予了经销商好处，渠道成员可能会认为再无必要设身处地地考虑对方的利益。这启示我们：经常从其他渠道成员处得到"好处"的渠道成员，他们最终得到的利益并不一定比那些没有得到"好处"的渠道成员更多。

7.2 渠道成员基本特征与冲突解决方式的方差分析

7.2.1 不同冲突解决方式下的基本成员特征

表 7-4 是关于调查对象与冲突解决方式的交互分类表，主要反映了渠道成员八个方面的基本特征与五种渠道冲突解决方式的交互分类情况。

表 7-4　渠道成员的基本特征与冲突解决方式的交互分类

渠道成员特征		冲突解决方式															
		与经销商多交流与沟通			发生矛盾时请第三方参与调解			制定大家共同遵守的行为规则			经常给经销商或经销商的负责人好处			设身处地考虑经销商的利益		
		多/%	少/%	总计(N)	多/%	少/%	总计(N)	多/%	少/%	总计(N)	多/%	少/%	总计(N)	多/%	少/%	总计(N)
资产规模	50万元以下	89	11	255	38.2	61.8	241	67.2	32.8	247	31.7	68.3	240	69.9	30.1	246
	50万~100万元	93.6	6.7	90	40.9	59.1	88	73.9	26.1	88	35.6	64.4	87	66.3	33.7	86
	100万~300万元	81.5	18.5	27	26.9	73.1	26	60.9	39.1	23	36	64	25	80.8	19.2	26
	300万~500万元	93.7	6.7	29	39.3	60.7	28	75.9	24.1	29	32.1	67.8	28	79.3	20.7	29
	总计(N)	360	41	401	146	237	383	26.7	120	387	125	255	380	273	114	387
2004年销售总额	50万元以下	85	15	160	38.8	61.2	152	64.8	35.2	159	31.2	68.8	154	63.5	36.5	156
	50万~100万元	91.8	8.2	85	41.7	58.3	84	68.4	31.6	79	33.3	66.7	81	70.4	29.6	81
	100万~300万元	90.4	9.6	83	32.5	67.5	77	74.4	25.6	78	25.6	74.4	78	78.2	21.8	78
	300万~500万元	95.3	4.7	64	44.3	55.7	61	74.2	25.8	62	45.8	54.2	59	72.6	27.4	62
	总计(N)	350	42	392	146	228	374	261	117	378	122	256	372	262	115	377
近一年来的经营状况	很好	91.9	8.1	37	27.8	72.2	36	55.6	44.4	36	33.3	66.7	36	55.6	44.4	36
	良好	86.6	13.4	142	36.5	63.5	137	67.9	32.1	137	41.2	58.8	136	70.1	29.9	134
	一般	92.1	7.9	191	43.3	56.7	180	70.7	29.3	184	26.4	73.6	178	73.7	26.3	186
	差	86.7	13.3	30	31	69	29	76.7	23.3	30	31	69	29	70	30	30
	总计(N)	359	41	400	147	255	382	266	121	387	124	255	379	272	114	386
从业人数	1~3人	84.1	15.9	126	37	63	119	70	30	120	34.5	65.5	119	67.8	32.2	121
	4~6人	92.7	7.3	124	41.2	58.8	119	69.7	30.3	122	28.8	71.2	118	68.9	31.1	119
	7~10人	98.4	1.6	61	37.3	62.7	59	63.8	36.2	58	29.3	70.7	58	68.3	31.7	60
	11人以上	92.6	7.4	81	36.7	63.3	79	71.3	28.8	80	33.3	66.7	78	80.2	19.8	81
	总计(N)	356	36	392	144	232	376	263	117	380	118	255	373	270	111	381

渠道成员特征		冲突解决方式															
		与经销商多交流与沟通			发生矛盾时请第三方参与调解			制定大家共同遵守的行为规则			经常给经销商或经销商的负责人好处			设身处地考虑经销商的利益		
		多/%	少/%	总计(N)	多/%	少/%	总计(N)	多/%	少/%	总计(N)	多/%	少/%	总计(N)	多/%	少/%	总计(N)
文化程度	小学及以下	92.9	7.1	28	44.8	55.2	29	65.5	34.5	29	37.9	62.1	29	75	25	28
	初中	89.9	10.1	149	39.3	60.7	145	69	31	142	36.7	63.3	139	66.9	33.1	142
	高中	86.8	13.2	167	38.7	61.3	155	65.6	34.4	160	27.1	72.9	155	69.8	30.2	159
	大专及以上	94.9	5.1	59	29.6	70.4	54	80.7	19.3	57	33.3	66.7	57	79.3	20.7	58
	总计(N)	361	42	403	146	237	383	268	120	388	123	257	380	273	114	387
对商业竞争的看法	看法1	86.8	13.2	53	45.8	54.2	48	67.3	32.7	49	32	68	50	58.7	41.3	46
	看法2	88.9	11.1	323	38.5	61.5	312	69.6	30.4	316	33.9	66.1	307	72.6	27.4	317
	总计(N)	333	43	376	142	218	360	253	112	365	120	237	357	257	106	363
在武汉经商的时间	1~3年	85.6	14.4	104	37.3	62.7	102	71.6	28.4	102	34.3	65.7	102	66	34	103
	4~6年	91.2	8.8	113	38.5	61.5	104	68.3	31.7	104	36.7	63.3	103	73.1	26.9	104
	7~10年	89.6	10.4	125	37.8	62.2	119	66.1	33.9	121	26.7	73.3	116	71.3	28.7	122
	11年以上	94.5	5.5	55	39.6	60.4	53	72.7	27.3	55	29.6	70.4	54	67.9	32.1	53
	总计(N)	356	41	397	144	234	378	264	118	382	120	255	375	267	115	382
您觉得您的性格	好胜心很强	97.5	2.5	80	40.3	59.7	77	73.1	26.9	78	33.8	66.2	77	73.4	26.6	79
	好胜心比较弱	88.3	11.7	179	37.9	62.1	169	68.8	53	170	37.6	62.4	165	70.9	29.1	172
	好胜心一般	85.5	142	120	36.5	63.5	115	63.8	36.2	116	26.1	73.9	115	68.1	31.9	116
	好胜心比较弱	85.7	143	14	46.7	53.3	15	80	20	15	40	60	15	57.1	42.9	14
	总计(N)	351	42	393	144	232	376	260	119	379	124	248	372	267	114	381

7.2.2 不同冲突解决方式下的单因素方差分析

（1）年销售总额与冲突解决方式 D4 的单因素方差分析

表 7-5 数据表明，"2004 年销售总额"对渠道成员采用"经常给经销商或经销商的负责人好处"这种冲突解决方式的频率没有显著影响。均值图 7-1（a）显示，2004 年销售额共分为 50 万元以下、50 万～100 万元、100 万～300 万元、300 万～500 万元四组。如图所示，在 50 万元以下和 50 万～100 万元两组中的均值变化比较平稳，而在 100 万～300 万元这个组中达到了最高，在 300 万～500 万元这组中又跌落到最低点（在原题目的设定中，"1"表示多，"2"表示少，所以均值越高表示题项的选择频率越低，以下各题亦同），这说明年销售额在 100 万～300 万元的渠道成员较少采用给予经销商或其负责人好处的方式来解决冲突，而年销售额在 300 万～500 万元的渠道成员选择这种方法的则比较多。

表 7-5　渠道成员特征与渠道冲突解决方式的单因素方差分析

渠道成员特征	渠道冲突解决方式	F 值	P 值	结　论
年销售总额	经常给经销商或其负责人好处（D4）	2.184	0.090	不显著
近一年的经营状况	经常给经销商或其负责人好处（D4）	2.588	0.043	显著
从业人数	与经销商多沟通与交流（D1）	4.007	0.008	极显著
对商业竞争的看法	发生矛盾时请第三方参与调解（D2）	6.481	0.011	显著
对商业竞争的看法	设身处地考虑经销商利益（D5）	12.466	0.000	极显著

注：$P < 0.01$ 为极显著，$P < 0.05$ 为显著

（2）渠道成员近一年的经营状况与冲突解决方式 D4 的单因素方差分析

表 7-5 数据显示，"渠道成员近一年的经营状况"对"经常给经销商或经销商的负责人好处"这种冲突解决方式的使用频率有显著影响。均值图 7-1（b）表明，经营状况属于"良好"的渠道成员对该方法的使用频率最多，而经营状况"一般"的渠道成员使用频率最低。总的来看，经营状况较好的渠道成员倾向于通过给予经销商或其负责人好处的方式解决渠道冲突，这说明在目前的农产品营销渠道中，虽然这种渠道解决方式在很多情况下不符合市场或者渠道成员自身制定的管理规定，但是它在渠道成员的经营活动中是比较有效的，对于提高渠道成员的经营绩效有一定促进作用。这也从一个侧面说明农产品营销渠道的规范化、制度化管理还有待加强。

（3）渠道成员从业人数与冲突解决方式 D1 的单因素方差分析

表 7-5 数据显示，"渠道成员的从业人数"对其采取"与经销商多沟通、交流"的渠道冲突解决方式的频率有显著影响。从均值图 7-1（c）可以看出：从

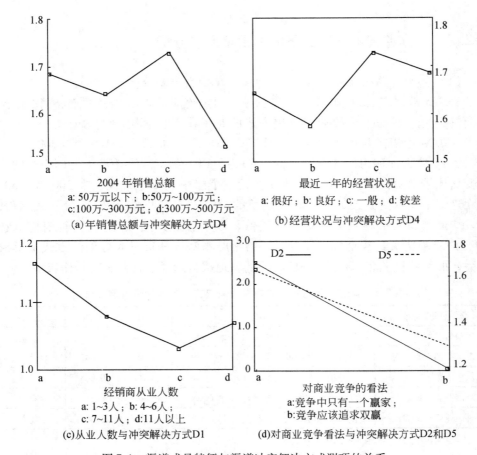

图7-1　渠道成员特征与渠道冲突解决方式测项的关系

业人数在 11 人以下的渠道成员中，从业人数越多，对该方法的使用越频繁，这说明随着从业人数的增多，渠道成员开始注重以沟通、交流等比较理性和温和的方式化解渠道冲突；而从业人数在 11 人以上的渠道成员中，渠道成员更愿意采用其他的渠道冲突解决方式。

（4）渠道成员对商业竞争的看法与冲突解决方式 D2 和 D5 的单因素方差分析

表7-5 数据显示，"渠道成员对商业竞争的看法"会影响"发生矛盾时请第三方参与调解"、"设身处地考虑经销商的利益"这两种冲突解决方式的使用频率。均值图7-1（d）表明渠道成员越相信"竞争中只有一个赢家，竞争的目的在于彻底打败对手"，对这两种方式的使用频率越低；越相信"竞争应该追求双赢"的渠道成员，对两种方式的使用频率越高。这表明渠道成员的竞争观攻击性越强，越忽略人际关系调解在渠道冲突解决过程中的作用，也越少在冲突解决过

程中顾及对方的利益，这明显将给他们解决渠道冲突带来困难。

7.3　冲突解决方式与其他渠道冲突变量的关系

7.3.1　冲突解决方式与冲突激烈程度

表 7-6 数据显示，"经常给经销商或经销商的负责人好处"这种冲突解决方式与"冲突的激烈程度"之间存在显著的正相关关系。Gamma 相关系数为 0.209（显著性水平为 0.05）。这说明冲突越是激烈，渠道成员越更多地采用该冲突的解决方式；反之则使用越少。这启示我们，为了解决比较严重的农产品营销渠道冲突，给予冲突方利益仍然是一种比较普遍的冲突解决方式。从表 7-5 还可以看出，"设身处地考虑经销商的利益"的冲突的解决方式与"渠道冲突激烈程度"存在显著的负相关关系，Gamma 相关系数为 − 0.197（显著性水平为 0.05）。这说明，冲突越是激烈，渠道成员越少设身处地考虑经销商的利益；反之，若冲突越是缓和，则渠道成员对经销商利益的考虑就比较多。

表 7-6　冲突解决方式与冲突激烈程度的相关关系

冲突解决方式		您觉得您与经销商之间发生的冲突一般情况下激烈程度如何				
		非常激烈	比较激烈	不太激烈	很不激烈	总计（N）
经常给经销商或经销商的负责人好处	多	2.4%	19.7%	55.9%	22.0%	127
	少	2.7%	11.5%	55.3%	30.5%	262
	总计（N）	10	55	216	108	389
		$\chi^2 = 6.358$　df = 3　　Gamma = 0.209　$P = 0.024$				
设身处地考虑经销商的利益	多	2.9%	11.9%	53.8%	31.4%	227
	少	2.5%	19.5%	55.1%	22.9%	118
	总计（N）	11	56	214	114	395
		$\chi^2 = 5.498$　df = 3　　Gamma = − 0.197　$P = 0.035$				

7.3.2　冲突解决方式与渠道成员的公平感

（1）渠道成员的感知公平与冲突解决方式

如表 7-7 的数据所示，"渠道成员的公平感"（感知公平）与"与经销商多沟通与交流"、"经常给经销商或经销商的负责人好处"以及"设身处地考虑经销商的利益"这三种冲突的解决方式存在相关关系。

表 7-7　冲突解决方式与渠道成员公平感的相关关系 I

冲突解决方式		您觉得目前与您打交道的经销商待您的公平程度如何				
		非常公平	比较公平	不太公平	很不公平	总计（N）
与经销商多交流与沟通	多	9.7%	65.9%	19.9%	4.6%	372
	少	2.3%	55.8%	30.2%	11.6%	43
	总计（N）	37	269	87	22	415
	$\chi^2=8.525$　df $=3$　　Gamma $=0.393$　$P=0.008$					
经常给经销商或经销商的负责人好处	多	7.0%	60.9%	25.0%	7.0%	128
	少	9.4%	66.8%	18.9%	4.9%	265
	总计（N）	34	255	82	22	393
	$\chi^2=3.284$　df $=3$　　Gamma $=-0.176$　$P=0.077$					
设身处地考虑经销商的利益	多	10.0%	67.9%	16.4%	5.7%	280
	少	6.7%	60.0%	28.3%	5.0%	120
	总计（N）	36	262	80	22	400
	$\chi^2=7.859$　df $=3$　　Gamma $=0.221$　$P=0.027$					

　　公平感与"与经销商多沟通与交流"这种冲突的解决方式之间存在着显著的正相关关系，Gamma 相关系数为 0.393（显著性水平为 0.05）。这说明，农产品生产、加工企业（个人）越是觉得受到了经销商公平的待遇，越频繁采用沟通与交流的方式解决渠道冲突；反之，则越少采用这种方式。公平感较高的渠道成员在处理渠道冲突时比较理性，对对方的好感也比较强，这就为采取沟通与交流的方式解决渠道冲突奠定了基础。

　　公平感与"经常给经销商或经销商的负责人好处"这种冲突的解决方式之间不存在显著的相关关系。这说明"渠道成员觉得自己是否得到了经销商的公平对待"与"采用给对方人好处的方式来解决冲突"之间没有关系。换句话说，即使给经销商或其负责人好处也不能改变经销商对自己的看法，这种渠道冲突的解决方式无法改善对方对自己的政策和好处。

　　公平感与"设身处地考虑经销商的利益"这种冲突的解决方式之间存在着显著的正相关的关系，Gamma 相关系数为 0.221（显著性水平为 0.05）。这说明渠道成员越是觉得自己受到了经销商的公平对待，越有可能在冲突中设身处地考虑对方的利益诉求，从而为解决渠道冲突打下良好基础。

　　（2）渠道成员的利益公平与冲突解决方式

　　表 7-8 数据显示，"与经销商多沟通与交流"、"设身处地考虑经销商的利益"这两种冲突解决方式与渠道成员的收支平衡感之间存在相关关系。越是采取沟通与交流方式解决冲突的渠道成员，越认为他们从渠道获得的经济利益与其付

出相比是平衡的，两者的 Gamma 相关系数为 0.353。与此相似，越是在冲突中设身处地考虑经销商利益的渠道成员，其收支平衡感也越强，Gamma 相关系数为 0.227。这个很有意义的发现告诉我们：在目前的农产品营销渠道中，那些在渠道冲突中注重沟通、能更多地考虑他人利益的渠道成员，并没有因为这些比较温和的冲突处理方式而损失自己的利益。相反，倒是那些反对这类处理方式的渠道成员受到的损失更大。这启示我们：虽然目前的农产品营销渠道中一些激烈的、甚至带有非伦理色彩的冲突方式并不少见，但是那些坚持以温和与理性方式处理冲突的渠道成员最终仍然得到了实惠，农产品营销渠道成员处理冲突的主流方向是正确的和充满希望的。

表 7-8　冲突解决方式与渠道成员公平感的相关关系 II

冲突解决方式		我从渠道获得的经济利益与我的付出相比		
		公平	不公平	总计（N）
与经销商多交流与沟通	多	91.7%	8.3%	364
	少	74.0%	26.0%	43
	总计（N）	288	119	407
	$\chi^2 = 5.192$　$df = 1$　$P = 0.042$　Gamma $= 0.353$			
设身处地考虑经销商的利益	多	72.9%	27.1%	275
	少	62.8%	37.2%	118
	总计（N）	280	113	393
	$\chi^2 = 3.851$　$df = 1$　$P = 0.058$　Gamma $= 0.227$			

7.3.3　冲突解决方式与渠道成员的信任度

表 7-9 数据显示，"与经销商多沟通与交流"这种冲突的解决方式与对其他渠道成员的信任程度正相关，Gamma 相关系数为 0.612。这说明渠道成员对其他渠道成员的信任度越高，越有可能采用沟通与交流的方式来解决渠道冲突。

"设身处地考虑经销商的利益"这种冲突的解决方式与"对渠道成员信任度"正相关，Gamma 相关系数为 0.375。这说明，渠道成员对其他渠道成员的信任度越高，越有可能在渠道冲突的解决中设身处地考虑对方的利益。

以上两点说明，在农产品营销渠道中，渠道成员之间的信任程度对于渠道成员选择理性和建设性的方式解决渠道冲突具有积极作用。目前，农产品营销渠道中信任程度还不高，势必驱动渠道成员在渠道冲突中更多地采取非理性甚至破坏性的方式来解决渠道冲突，给农产品营销渠道的运作效率带来严重不利影响。当前阶段我国农产品营销渠道的建设不仅要重视基础设施、市场秩序的建设，也应该把渠道信任作为建设的重要内容。

表7-9　冲突解决方式与渠道成员信任度的相关关系

冲突解决方式		总的来看，我对渠道成员的信任程度		
		高	低	总计（N）
与经销商多交流与沟通	多	85.2%	14.8%	366
	少	58.1%	41.9%	43
	总计（N）	337	72	409
	$\chi^2 = 19.492$　$df = 1$		Gamma = 0.612 $P = 0.001$	
设身处地考虑经销商的利益	多	85.1%	14.9%	276
	少	72.3%	27.7%	119
	总计（N）	321	74	395
	$\chi^2 = 9.055$　$df = 1$		Gamma = 0.375 $P = 0.004$	

7.3.4　冲突解决方式与渠道成员的满意度

表7-10 的数据显示，"与经销商多沟通与交流"、"发生矛盾时请第三方参与调解"以及"设身处地考虑经销商的利益"这三种冲突的解决方式与渠道成员对渠道的满意度之间存在相关关系。

表7-10　冲突解决方式与渠道成员满意度的相关关系

冲突解决方式		总的来看，我对渠道的满意度		
		高	低	总计（N）
与经销商多沟通与交流	多	75.3%	24.7%	364
	少	41.9%	58.1%	43
	总计（N）	292	115	407
	$\chi^2 = 21.181$　$df = 1$		Gamma = 0.617 $P = 0.000$	
发生矛盾时请第三方参与调解	多	78.3%	21.7%	152
	少	67.2%	32.8%	238
	总计（N）	279	111	390
	$\chi^2 = 5.575$　$df = 1$		Gamma = 0.275 $P = 0.015$	

冲突解决方式		总的来看，我对渠道的满意度		
		高	低	总计（N）
设身处地考虑经销商的利益	多	75.6%	24.4%	275
	少	63.6%	36.4%	118
	总计（N）	283	110	393
		$\chi^2 = 5.975$ df=1 Gamma = 0.281 $P = 0.019$		

"与经销商多沟通与交流"这种冲突解决方式与渠道满意度是正相关关系，Gamma 相关系数为 0.617。这说明渠道成员越是采取沟通与交流的渠道冲突解决方式，对渠道的满意度也越高；反之则越低。

"发生矛盾时请第三方参与调解"这种冲突解决方式与渠道满意度是正相关关系，Gamma 相关系数为 0.275。这说明渠道成员越是采取请第三方参与调解的冲突解决方式，其对渠道的满意度也越高；反之则满意度越低。

"设身处地考虑经销商的利益"这种冲突解决方式与渠道满意度是正相关关系，Gamma 相关系数为 0.281。这说明，越在冲突中设身处地考虑经销商利益的渠道成员，对渠道的满意度也越高；反之则越低。

以上的分析表明，越是寻求以理性和温和的方式解决渠道冲突的渠道成员，他们对于渠道的满意度也越高。他们是渠道建设可以倚靠的重要成员，是增强农产品营销渠道对成员的凝聚力、保持渠道和谐稳定的重要力量。

7.4 渠道冲突解决方式的实施效果

7.4.1 不同冲突解决方式单独使用的效果分析

从表 7-11 中的数据可以看出，就认为渠道冲突解决得"非常好"和"比较好"的两者合计的比例而言，注重沟通与交流冲突解决方式的渠道成员的比例为 84.2%；注重第三方调解的为 89.4%；注重给予经销商好处的为 72.8%；注重制定共同行为规则的为 82.4%；注重设身处地考虑对方利益的为 84.1%。

从统计数据看，在冲突发生时让第三方参与冲突的解决是目前农产品营销渠道中解决冲突的最有效方式。值得注意的是，给予经销商好处的渠道冲突解决方式的效果在五种渠道冲突解决方式中是最不理想的。这也提示我们：虽然目前渠道成员对该冲突解决方式的运用并不少见，但是付出成本往往并没有达到解决冲突的目的，因此有理由相信，从长远看，农产品营销渠道成员对这种冲突解决方式的使用将会逐渐减少。

表 7-11　不同冲突解决方式与冲突解决方式效果的交互分析

冲突解决方式		各种渠道解决方式的效果				
		非常好	比较好	一般	不太好	总计（N）
与经销商多交流与沟通	多	29.4%	54.8%	15.1%	0.8%	126
	少	18.2%	45.5%	27.3%	9.1%	11
	总计（N）	39	74	22	2	137
发生矛盾请第三方参与调节	多	31.9%	57.5%	8.5%	2.1%	47
	少	25.6%	52.3%	20.9%	1.2%	86
	总计（N）	37	72	22	2	133
常给经销商或其负责人好处	多	27.3%	45.5%	25.0%	2.3%	44
	少	26.7%	59.3%	12.8%	1.2%	86
	总计（N）	35	71	22	2	130
制定共同遵守的行为规则	多	27.1%	55.3%	16.5%	1.2%	85
	少	23.4%	59.6%	17.0%	0	47
	总计（N）	34	75	22	1	132
设身处地考虑经销商的利益	多	27.7%	56.4%	13.9%	2.0%	101
	少	25.0%	50.0%	25.0%	0	36
	总计（N）	37	75	23	2	137

关于通过给予经销商好处的方式来解决渠道冲突的局限性，以下来源于对某经营水产品渠道成员的个案访谈材料可以给予一些启示：

对于采购员，我们都有特殊照顾。比如结账时，一般会给予一定额度的折扣；有时我们也额外附赠给他们一点货，比如正在试卖的新品，或者他们自己看上的什么东西。当然不能给得太多，多了我们也赔不起。这个额度彼此心理都有数，不会出格。（课题组在访谈过程中注意到，某酒店的一个采购员指着冰柜里的一包虾说："我想要这包"。后来门市部经理就让人把这包虾送给了他。）你知道我们食品行业的利润本来就比较薄，"关照"的力度根据采购人员的级别有所区别。每年过年过节都要接他们喝酒、给他们拜年，还要给他们红包（实际就是商业贿赂和回扣），一般额度是他们在本店购货总金额的 1% ~2.5%。

这个办法过去还是灵验的，冲突、矛盾都会少很多。有些矛盾大家马虎一点也就过去了。但是这几年越来越不灵了。现在各个单位、酒店管采购的都牛气，求他们的人、给他们送钱送物的人多于牛毛。大家都在送，你也送，那就没有优势了。

我现在正在摸一条新路子。现在我跟饭店谈生意，再也不把价格、把给对方多少回扣点当作武器；我不希望对方压我的价，也不希望对方找我要这要那；我们的核心竞争力不是价格和给对方好处，要是光比这个，我们就与众多的那些小摊小贩、家庭小店没有什么区别。我们的本事就是能够从全国各地搞到别人搞不到的货，然后以最快的速度运到武汉来。我在这个行业这么多年，关系已经很熟了，别人对我也很信任，有时没有现款也能拿到货，这点其他的店就做不到。看来与饭店做生意，要想长期做下去，还要想新招；我以前与饭店曾经共同开发新品菜，销路很好，很受饭店欢迎，这也许是一条路子。其实现在餐饮业竞争激烈得很，酒店最希望的就是你能帮助他们提高他们自己的销售量，能让他们多招揽顾客、多赚钱，你能做到这一条，你就是一分钱的好处不给搞采购的人，甚至天天与他们吵架，他们还是要来找你，因为利益至上。所以我说，搞农产品买卖的一定要懂餐饮业，否则难以获得长足发展。

从个案材料看，以给予经销商好处的方式来解决渠道冲突之所以现在难以取得理想效果，其一是因为该方法的普遍性，这种方式容易互相模仿，当一种方法为渠道中大部分成员使用的时候，就失去了独特性，其吸引力就下降了。其二是使用成本比较高，对于利润本来就比较薄的农产品营销渠道成员来说是沉重的负担。其三是这种方式在农产品营销渠道中虽然是通例，但却是不光彩的、有风险的，长期使用会让交易双方都感到别扭而且缺乏安全感；其四是现在的农产品营销渠道中正在出现对于经销商的新的、更高级的需求即帮助销售终端提高利润，这说明农产品营销渠道成员的素质与需求层次都在提升。在这种新的经营形势下，给折扣甚至通过不正当方式私下给好处已经不能完全满足这种新形势对农产品经营的需求了。总之，目前农产品渠道冲突解决方式正在酝酿着新的突破，这种突破对于解决渠道冲突是有利的。

7.4.2 不同冲突解决方式对渠道成员间人际关系状况的影响

如表 7-12 中的数据所示，从渠道成员与经销商关系的角度来看，就认为与经销商关系"非常好"、"比较好"两者合计的比例而言，注重沟通与交流冲突解决方式的成员为 73.5%；注重"请第三方参与调解"的为 89.3%；注重"给予经销商好处"的为 65.6%；注重"制定行为规则"的为 82.4%；注重"考虑对方利益"的为 73.4%。这些数据再次显示，"请第三方参与调解冲突"的方式有利于在冲突双方之间建立和谐的人际关系，是一种比较好的冲突解决方式。而"给予经销商好处"的解决方式很可能给渠道成员之间的人际关系带来伤害，并不是一种很有效果的冲突解决方式。

表7-12　不同冲突解决方式对渠道成员间人际关系状况的影响

冲突解决方式		总的来看您与您的大部分经销商的关系如何					
		非常好	比较好	一般	不太好	很不好	总计（N）
与经销商多交流与沟通	多	17.9%	55.6%	21.1%	4.3%	0.8%	368
	少	9.3%	39.5%	32.6%	18.6%	0	43
	总计（N）	70	222	92	24	3	411
发生矛盾请第三方参与调节	多	31.9%	57.4%	8.5%	2.1%	0	47
	少	25.6%	52.3%	20.9%	1.2%	0	86
	总计（N）	37	72	22	2	0	133
常给经销商或其负责人好处	多	12.5%	53.1%	23.4%	10.9%	0	128
	少	19.1%	52.7%	22.1%	4.6%	1.1%	261
	总计（N）	66	206	88	26	3	389
制定共同遵守的行为规则	多	27.1%	55.3%	16.5%	1.2%	0	85
	少	23.4%	59.6%	17.0%	0	0	47
	总计（N）	34	75	22	1		132
设身处地考虑经销商的利益	多	16.9%	56.5%	22.3%	3.2%	0.7%	277
	少	16.0%	47.9%	22.7%	12.6%	0.8%	119
	总计（N）	66	214	89	4	3	396

我们可以从社会心理学的观点尝试解释这种现象。中国人的人际交往中存在所谓"长老统治"现象，人们对那些德高望重、具有良好社会声誉的社会成员（长老）抱有深深的尊敬，并非常尊重这些长老的"面子"。在人与人之间发生矛盾时，请这些长老出面调解斡旋并听从其劝导，是中国人在处理冲突过程中一种比较普遍的行为取向，而且往往能够比正式制定的管理制度、规则取得更好的效果。在中国人看来，制度、规则只是毫无感情的管理工具，而长老出面解决冲突是一种给自己"面子"的行为，如果拒不接受"长老"的劝解，则不仅容易因为伤害"长老"的面子而引起众怒，而且实际上也是不在众人面前给自己"面子"，今后再想在一个地方生活、工作将会遇到极大的困难。因此在农产品营销渠道成员之间发生冲突时，邀请那些具有良好社会声望和社会地位的渠道成员参与调解冲突，比较容易取得良好的解决效果。

至于"给予经销商好处"的渠道冲突解决方式的效果不理想，可以依据"心理账户"理论进行解释。根据该理论，在人际交往中只有付出和回报基本平衡才能维持"心理账户"的平衡，交往才有可能顺利进行。在渠道成员的交往过程中，如果经常通过给予对方好处的方式来化解冲突，则施与方必然觉得自己的"心理账户"长期处于亏损状态。因此通过给予实惠、好处的办法来解决冲突，虽然暂时有利于冲突的解决，长期来看却为更多、更激烈的冲突留下隐患。这种冲突解决方式的效果因而也必然受到影响。

7.5　人际关系对渠道冲突解决方式的影响

人际关系是人和人之间通过交往或联系而形成的对双方或多方都会发生影响的一种心理连接（李春苗，2001）[①]，中国人历来重视人际关系的建立、发展、维护和利用。在中国的商业活动中，人际关系影响到商业活动的方方面面，在特定的情景下，人际关系在解决冲突方面发挥着不可替代的重要作用。因此，探讨人际关系对渠道冲突解决方式的影响及是必要的，也是必需的。

表7-13　渠道成员人际关系测量量表回答情况

题　项	同意/%	不同意/%	有效样本量（N）
与老客户有亲戚、老乡、同学关系	47.0	53.0	423
与老客户在互相困难时相互帮过忙	84.4	15.6	430
老客户与我做生意有助于他们提高销售量（赚钱）	80.5	19.5	430
与老客户里的核心人物（如酒店厨师和采购经理）关系较好	58.5	41.5	424
与老客户生意往来的时间越长越相互信任	86.5	13.5	429
即使是老客户，一般我也要求其在规定的期限交货	76.4	23.6	432

本部分主要利用调查数据检验渠道成员之间的私人关系对于农产品渠道冲突解决方式的影响。为此，问卷设计了一个包含6个相关题项的人际关系测量量表。需要说明的是，由于相关文献资料的缺乏，这6个题项主要来源于杨国枢（2004）[②] 的中国人人际关系测量量表和研究者对于农产品营销渠道成员的个案调查。表7-13是该量表的回答情况，数据显示，半数以上的被访者表达了人际关系在其商业活动中的重要影响，这一结论基本证实了人际关系（私人关系）在农产品营销渠道中的影响是存在的。

7.5.1　关系现状与渠道冲突解决方式

"关系现状"的测量题项为"我与老客户之间有亲戚关系、老乡关系、同学关系"。表7-14数据显示，该变量与"经常给经销商或经销商的负责人好处"、

[①] 李春苗. 2001. 人际关系协调与冲突解决. 广州：广东经济出版社，2001：13-15
[②] 杨国枢. 2004. 中国人的心理与行为：本土化研究. 北京：中国人民大学出版社，2004

"设身处地考虑经销商的利益"这两种冲突处理方式的使用情况相关，且与前者是正相关关系，与后者则为负相关关系。

表7-14 人际关系现状与渠道冲突解决方式的相关关系

冲突解决方式		我与老客户之间有亲戚关系、老乡关系、同学关系		
		同意	不同意	总计（N）
经常给经销商或者经销商的负责人好处	多	63.7%	36.3%	124
	少	40.6%	59.4%	261
	总计（N）	185	200	385
	$\chi^2 = 17.965$ $df = 1$		Gamma = 0.439 $P = 0.000$	
设身处地考虑经销商的利益	多	44.4%	55.6%	275
	少	55.2%	44.8%	116
	总计（N）	186	205	391
	$\chi^2 = 3.822$ $df = 1$		Gamma = −0.214 $P = 0.050$	

与老客户之间有亲戚关系、老乡关系、同学关系的渠道成员，更倾向于采取给予经销商或经销商负责人好处的方式解决渠道冲突，两者之间的 Gamma 相关系数达到 0.439。这说明渠道成员之间的人际关系越紧密，通过给予好处的方式解决渠道冲突的情况越普遍。这主要是因为人际关系越亲密，在利益面前斤斤计较的可能性更小，更愿意向对方让渡自己的利益。

与老客户之间有亲戚关系、老乡关系、同学关系的渠道成员更倾向在冲突中比较少地考虑经销商的利益，两者之间的 Gamma 相关系数为 −0.214。这是一个看起来与常理相悖的结论，因为人际关系越亲密，似乎越应该顾及对方的利益。之所以存在这种相关关系，可能是由以下原因造成的：渠道成员之间的人际关系越亲密，便越认为自己有理由和资格要求对方照顾自己的利益，这样对对方利益的考虑反而不及那些关系比较疏远的渠道成员多。个案调查的材料也能够证明这个结论。例如，个案调查中发现：如果渠道成员之间存在亲戚关系，经济实力比较弱小的一方常常在商业交易活动中以各种方式要求经济势力较强的一方无偿让渡利益，如果势力较强的一方真正这样做，便会在渠道中赢得比较好的口碑。当然，这种利益的无偿让渡也是有限度的，不能突破给予方的心理底线。

7.5.2 关系功能与渠道冲突解决方式

表7-15 数据显示，渠道成员在商业活动过程中越能帮助经销商实现经济利益，处理冲突时便越能设身处地考虑经销商的利益，两者的 Gamma 相关系数为

0.257。存在这种相关的原因，可能是由于渠道成员帮助经销商提高销售量的同时也给自己带来一定的经济利益回报，因此越能够顾及经销商的利益，就越有利于实现自己的利益。另外一个原因是在帮助经销商提升销量后，双方的人际关系更进一步紧密，因此具有设身处地考虑经销商利益的感情基础。

表7-15　关系功能与渠道冲突解决方式的相关关系

冲突解决方式		老客户与我做生意有助于他们提高销售量		
		同意	不同意	总计（N）
设身处地考虑经销商的利益	多	83.4%	16.6%	277
	少	74.8%	25.2%	119
	总计（N）	320	76	396
		$\chi^2 = 3.973$　$df = 1$	Gamma = 0.257 $P = 0.060$	

7.5.3　经销商核心人物关系与渠道冲突解决方式

渠道成员与经销商内部核心人物关系现状的测量题项为"我与老客户里面的核心人物（如酒店的厨师或销售经理）关系较好"。表7-16数据显示，该变量对于给予经销商或经销商的负责人好处这一冲突处理方式的使用状况有关，两者的Gamma相关系数为0.329。这说明与经销商内部能起决策作用的核心人物的关系越好，越有可能采取给予其好处与实惠的方式来解决渠道冲突。存在这种相关的原因，一方面可能是因为与核心人物关系较好，因此在给予好处时具有更多的便利性；另一方面也是因为核心人物具有决策权力，给予其好处后确实能达到自己的目的。个案调查的材料表明，给予经销商内部核心人物以好处（回扣），建立和维系良好的"关系"，在农产品营销渠道中是比较普遍的做法。

表7-16　与经销商核心人物关系状况与渠道冲突解决方式的交互分析

冲突解决方式		我与老客户里面的核心人物关系较好		
		同意	不同意	总计（N）
经常给经销商或者经销商的负责人好处	多	69.3%	30.7%	127
	少	53.3%	46.7%	261
	总计（N）	227	161	388
		$\chi^2 = 9.048$　$df = 1$	Gamma = 0.329 $P = 0.002$	

7.6 本章小结

　　本章用实证研究方法对农产品营销渠道冲突的解决方式进行了探讨。农产品营销渠道冲突及解决方式是农产品营销渠道研究的核心内容，本章首先梳理了渠道冲突解决方式的来源，并采用实证研究法探讨渠道冲突方式与其他渠道冲突变量（如冲突激烈程度、渠道成员公平感、渠道成员信任感、渠道成员的满意度等）之间的关系；随后我们分析了不同冲突解决方式的效果，尤其是探讨了不同冲突解决方式对渠道成员间人际关系的影响。在本章最后，我们重点探讨了人际关系对渠道冲突解决方式的影响。

第8章
农产品营销渠道冲突的控制机制

研究渠道冲突的重要目的就是寻求有效解决渠道冲突的机制。从目前已有的相关研究看，虽然学术界对渠道冲突解决机制进行了一定程度的探讨，但是研究的深度与广度都还有待提高，尤其是结合中国特定的市场环境和社会环境下的营销渠道冲突解决机制的探讨更加薄弱。本章在前文已经取得的一些研究结论的基础上，继续讨论中国农产品营销渠道冲突控制机制的问题。

8.1 基于冲突观念优化的控制机制

前文的研究显示，冲突观念对冲突具有重要影响。冲突观念对于渠道成员的冲突行为、渠道权力的使用，以及冲突解决方式都会带来重要的制约与控制作用。从心理学理论看，人们的行为是由动机引起的，而动机又是由需要决定的，即存在所谓"需要—动机—行为"链条。冲突行为的发生、发展也是符合该规律的。

冲突观念之所以重要，是因为它在一定程度上决定了人们的心理需要状况。例如，同样面对其他渠道成员的不公正对待，持针锋相对型冲突观的成员就容易立即产生冲突行为。如果没有冲突行为的发生，这类渠道成员将难以消除心理上的紧张感，容易导致心理失调，其心理上积聚的不满情绪将通过其他方式而且往往是破坏性的方式宣泄出来。相反，持尚和退让–交换待机型冲突观的成员一般会采取妥协、迂回的方式解决双方的分歧而不会直接发生面对面的冲突。从目前渠道冲突的现状看，在农产品营销渠道中通过各种方式培育正确的冲突观，对于维护渠道协作、提高渠道效率是非常重要的。

（1）要尽量调控和转化针锋相对冲突观

因子分析的数据显示，针锋相对冲突观包括两个子类：一是以牙还牙型的对等报复冲突观，二是对冲突对象进行加倍还击的增量报复冲突观。显然，这两种子类的冲突观都是激进的冲突观，容易导致激烈程度很高、破坏性很强的渠道冲突行为。应该看到，针锋相对型冲突观的存在，与经商者的人格特征、性格特点有关，同时也与我国目前农产品营销领域商业环境不佳、诚信度低有关。例如，有的渠道成员就表示：过去自己遵守渠道规则，遇到不公正的情况不敢反抗，因此经常被欺骗、被欺负，后来才明白只有毫不手软地进行斗争才能争取自己的利益。因此从一定程度上看，对于部分渠道成员而言，针锋相对型冲突观是被环境逼迫出来的，非如此不能保护渠道成员在渠道中的正当权益。可以说，经营环境越缺少规范性，针锋相对型冲突观越普遍。另外，农产品流通行业与其他行业有差异，该行业不仅竞争异常激烈，而且竞争都是公开化、表面化的，被掩盖的内容比较少，这就导致该行业的从业者好胜心理和竞争心理都比较强，导致持针锋相对型冲突观成员的比例比许多其他行业更高，因此渠道成员中持针锋相对型冲突观的成员相对比较多也是可以理解的。总之，虽然针锋相对性冲突观总体上对于渠道建设不利，需要正确引导和转化，但也要看到该冲突观念存在的原因是复杂的；如果调控得当，该冲突观念在一定范围和一定程度内的存在对于维护渠道公平、改善渠道管理甚至还可以发挥积极作用。

针锋相对型冲突观的引导与转化有如下几点值得注意：一是加强对于渠道成员的教育。由于针锋相对型冲突观容易使渠道成员与其他成员发生激烈程度与破坏程度都比较高的冲突行为，因此该类冲突观的后果往往是冲突双方两败俱伤，而且对整个渠道的运转也产生严重不利影响。渠道中一些暴力性甚至带有刑事犯罪性质的冲突行为，多由这类冲突观推动。由此，对于渠道成员的教育重点应该是该类冲突观带来的严重危害，使他们明确该类冲突观可能带来的高昂成本，从而逐渐淡化这类冲突观。二是加强对于针锋相对型冲突观的引导。要把该类冲突观引导列维护渠道公正和利益合理分配的轨道上来，而不仅仅是关注冲突本身，甚至把冲突当作宣泄敌对与仇恨情绪的手段，只有这样，才能让冲突产生有利于渠道建设的正功能。三是控制针锋相对型冲突观的类型。如果确实一时难以消除针锋相对型冲突观，也应该采取措施使该类冲突观尽量保持在"对等报复"的冲突阶段而不是"加倍还击"的增量报复冲突阶段。如果渠道成员间的冲突陷入增量报复冲突阶段，势必使得冲突不断升级而走向恶性循环，给冲突双方和整个渠道带来严重后果。四是为针锋相对性冲突观的转化营造良好的外部环境。部分渠道成员针锋相对冲突观的形成是由于经营环境不公平、管理不善造成的。因此，如果目前我国农产品营销的政策环境、法律环境、管理环境没有根本改善，将难以对渠道成员的针锋相对冲突观进行引导和转化，这是目前我国农产品营销体制建设面临的艰巨任务。

（2）要优化和提升尚和退让 – 交换待机型冲突观

"尚和"是中华民族的优良传统，其核心内涵是减少矛盾和冲突、崇尚和谐和安乐。该观念对于建设和谐渠道、提高渠道效率具有非常积极的作用。由于渠道冲突不可避免地带来渠道效率的降低，导致渠道成员对于渠道满意度和渠道建设的热情降低，因此未来渠道发展的方向应该探索在中国特定的文化和社会背景下建立和谐渠道的机制，注重渠道和谐建设。从农产品营销渠道竞争的态势看，我国农产品营销渠道与发达国家的渠道相比，在物流技术、信息技术等渠道运作技术层面上一时还难以取得竞争优势，因此我们应该开展非对称竞争、促进渠道和谐建设、减少渠道运作过程中的交易成本、消除渠道冲突带来的不必要损失，从而以渠道成员间关系上的优化弥补具体渠道运作技术的不足。应该注意的是，从调查数据看，崇尚渠道和谐、不希望与其他渠道成员发生冲突是大多数渠道成员的愿望，这为建设和谐渠道打下了坚实的基础。另外，农产品的利润相对较薄，赚取利润对于小规模的渠道成员而言并不容易，因此，渠道成员具有尽量避免渠道冲突以保持来之不易的经营利润的强烈动机，这也为建设和谐渠道提供了良好条件。

为了实现尚和退让－交换待机型冲突观的优化与提升，应该注意如下几点：一是"尚和"有原则。虽然渠道和谐是多数渠道成员的一致追求，但是和谐并不能仅仅依靠良好的愿望和一味地委曲求全实现。相当多的时候，和谐必须依靠坚定地维护自己的正当权益，甚至一定程度的斗争才能实现。从渠道管理的角度看，渠道成员最应该维护的原则是公平原则。渠道成员之间的商业活动本质上是一种经济交易活动，其核心是交换关系的互惠和公平。渠道成员在这个原则面前是不能迁就的，否则必然使得少部分渠道成员依靠对其他渠道成员的不公正交易而获取高额利润，造成渠道利益分配的扭曲，这样，大部分渠道成员不仅不能保护自己的正当利益，也会使不公正交易的氛围在整个渠道中蔓延，最终造成整个渠道的崩溃。二是退让有尺度。在与其他渠道成员发生冲突的过程中，适度的退让有时是一种很好的处理冲突的策略。它可以防止矛盾激化，减少突发性事件的发生。在渠道冲突不断发生的情况下渠道仍然能够维持运转，渠道成员间的退让和妥协发挥了重要作用。但是退让需要一个底线。从渠道管理的角度看，这个底线包括渠道成员的经济承受能力和心理承受能力。超越这两个承受能力的退让将使渠道成员付出超越自身条件允许范围的过高成本，造成不利后果。三是"尚和"制度化。"尚和"只是一种观念，虽然目前多数渠道成员都赞成这种观念，但是在渠道管理上却缺少可操作的手段以将这种观念转化为实际的渠道管理实践。从渠道管理的现状看，把"尚和"制度化是一个可行的办法，具体方法是所有渠道成员之间达成定期协商的机制，商讨渠道管理中的关键问题。一旦就这些问题达成共识，全体渠道成员都必须遵照执行。在条件成熟时可成立行业协会，就渠道经营的品种、质量、价格、包装等问题进行统一管理。行业协会的成立将是渠道成员自我管理的高级阶段。总之，优化和提升尚和退让－交换待机型冲突观的根本目的，是使渠道由以压制和消极退让为基础的消极和谐走向以公平交易与相互协作为基础的积极和谐，提高渠道和谐的层次与质量。

（3）弘扬现代渠道合作观念，提高渠道成员的契约意识

中国社会没有经过现代工业文明的充分发展阶段，经商者的许多观念包括渠道冲突的观念实际上仍然停留在小农意识阶段。农产品营销渠道冲突的一个突出现象是：渠道成员尤其是那些经商时间相对较长的成员具有比较丰富的冲突处理技巧，但是缺乏从根本上遏止渠道冲突的思考，对于渠道合作的重视程度严重不足，渠道成员之间相互孤立分散的"原子化"状况普遍，渠道运作的不确定程度很高。因此，有必要在渠道中进行渠道合作的宣传教育，增强渠道成员的契约意识，使渠道成员重合同、守信用。

一位农产品营销渠道成员这样描述他与其他渠道成员的关系：

> 现在做农产品买卖的人，合作意识还是很薄弱的，大家相互算计的情况太普遍了。签了合同，双方都不太当回事。所以我给渠道成员间的关系起了一个词：斗智斗勇。市场行情稍微一变，或者农产品生产的情况稍微一变，你的经销商就跑来说："现在情况变了，合同上的条款也不适应了。字是死的，人是活的嘛！我们的日子难过得很，你要让点利给我们才好！"所以这时你要有些狠气、霸气，耳朵不要软，但是在与他们斗的时候又不能把关系搞得太僵，否则今后生意还怎么做？钱还赚不赚？

由此看来，中国农产品营销渠道中讲合作、重诚信、遵守契约的良好氛围的形成还需要待以时日。从制度经济学的角度看，这种相互猜疑、"斗智斗勇"的营运环境极大地提高了渠道成员的交易成本，使多数成员难以形成稳定的行为预期。表面看来大家都在维护自己的利益，但是实际上却失去了更多更大的利益，是一种典型的因小聪明盛行而丧失大智慧的表现。要改变这种状况，应该首先从渠道成员的观念教育入手。具体而言应该包括以下几个观念的教育：

1）渠道成员的关系从根本上看是合作而非对抗的关系。从市场营销的角度看，渠道的本质功能是把产品和服务输送到顾客的管道，这条管道的顺利运转需要全体渠道成员的一致努力。任何一个环节出现问题都将影响整个渠道的运作从而危害全体渠道成员的利益。当然，我们不排除少数渠道成员并不注重渠道合作，而是通过对抗而当上渠道中的"霸王成员"获取超额利润的，但是这样的渠道由于压抑了大部分渠道成员的积极性因而是一条病态渠道，常常出现渠道管理混乱、运转不畅的困境，最终对渠道成员包括那些强势成员是不利的。明确这一点是渠道成员减少冲突、发展合作的基础。

2）渠道成员间的利益关系应该由单赢走向多赢。渠道稳定的关键是渠道利益在全体渠道成员之间的公平分布。所谓公平，指的是渠道成员从渠道中获得的报酬与其为渠道作出的贡献大体相当。虽然渠道成员在经营规模、从业经验和能力等诸方面存在差异从而不可避免地导致不同渠道成员收益上存在差异，但是这

种差异必须建立在公平的基础上才可能为渠道成员认可。而只要渠道利益分配是公平的，渠道成员之间的利益关系必然是多赢的。过去总有一种误解，似乎只有对部分规模较小、经营势力相对比较弱的渠道成员进行偏袒和照顾才能实现利益关系的多赢，其实这是不准确的。

3）从交易走向联盟。目前，由于渠道的信任度低、契约意识薄弱，农产品营销渠道内的经济交易活动大多是不稳定的、临时性的，渠道成员之间长期稳定的商业贸易尚不多见。同时，交易双方交易的内容也很简单，只在产品—现金层面上进行交易，双方进行深层次合作如市场信息共享、共同开发产品等类似活动的还非常少见，这样就不可避免地提高了渠道成员之间的交易成本，减少了渠道的凝聚力。渠道成员间的战略联盟如相互投资、共同进行仓储建设和管理等措施，能够实现渠道成员间利益的"相互锁定"，其一荣俱荣、一损俱损的利益连接关系将大大降低渠道冲突尤其是恶性冲突发生的比例。同时，战略联盟也提高了渠道成员的抗风险能力，增强了他们的市场经营能力。因此，发展渠道战略联盟应该是农产品营销渠道建设的发展方向。

4）要特别关注渠道核心成员树立渠道合作的观念。前文的分析已经指出，渠道核心人物在渠道冲突的组织、发展过程中具有举足轻重的作用。如果他们能够树立渠道合作的思想，则渠道冲突发生的频率会明显减少；即使发生了渠道冲突，冲突的紧张程度与激烈程度也会受到控制。因此，先帮助渠道核心成员转变渠道冲突的观念，再依靠他们去影响其他渠道成员，将有利于渠道冲突的管理。

（4）注意冲突原因与冲突观念之间的联系、控制冲突的"放大"效应

表8-1的研究数据显示：如果农产品营销渠道成员因为某个特定的原因而发生渠道冲突，而该渠道成员又刚好持有某一特定的渠道冲突观念，那么渠道冲突的破坏性就会越明显。具体而言，本书研究发现：

表 8-1　冲突观念、冲突原因的联合作用与渠道满意度、冲突功能的关系

变量1	变量2	变量1与变量2的Pearson相关系数	Pearson系数显著性
针锋相对冲突观×退货库存引发冲突	冲突正功能	-0.243（变量1越高正功能越少）	0.007
权变策略冲突观×契约意识引发冲突	渠道满意度	-0.233（变量1越大满意度越低）	0.012
权变策略冲突观×退货库存引发冲突	渠道满意度	-0.184（变量1越大满意度越低）	0.048
尚和退让－交换待机冲突观×退货库存引发冲突	冲突正功能	-0.327（变量1越高正功能越少）	0.000

注：冲突原因因子1：窜货与目标分歧因子；冲突原因因子2：契约意识；冲突原因因子3：职能事项；冲突原因因子4：退货库存；冲突原因因子5：行情判断与短期利益

因为退货库存方面的原因而发生的渠道冲突，如果渠道成员持有针锋相对冲

突观，或者尚和退让－交换待机冲突观，将导致冲突具有明显的负功能，给渠道成员造成比较大的损失。如果渠道成员持权变策略冲突观，则将导致渠道满意度明显下降。也就是说，持有上述三种冲突观的渠道成员，当自己因为退货库存方面的原因而与其他渠道成员发生冲突时，要特别注意对自己的冲突行为进行控制，以免给双方带来更大的损失和伤害；

因为契约意识方面的原因引起的渠道冲突，如果渠道成员持有权变策略冲突观，冲突将导致渠道满意度的明显下降。这说明如果渠道成员的契约意识较差，为了减少渠道冲突，或者在冲突发生后控制冲突造成的损失，渠道成员最好不要采用以权变策略冲突观去调控、引导自己的冲突行为。

8.2 基于渠道权力使用的控制机制

（1）要谨慎乃至尽量不使用渠道强制性渠道权力

目前的有关研究基本证明，强制性渠道权力的使用与渠道冲突是正相关关系。具体而言，强制性权力将导致更多的渠道冲突，而且冲突的激烈程度、破坏程度都会增加。强制性权力的基本内涵为惩罚权力。当其他渠道成员不服从自己的要求时，一些渠道成员便对其进行惩罚和威胁，农产品营销渠道中一些运用惩罚权力的常见做法包括故意终止或者违反合同、停止供应货物、故意提高销售价格等。

客观而言，在某些渠道成员反复违反渠道规则、已经对其他渠道成员的正常经营造成不利影响时，适度对其使用强制性权力是有利于渠道管理的。强制性渠道权力的使用应该考虑以下三方面的因素。

一是强制性权力的具体形式。应该尽量采取比较温和，其他渠道成员能够接受的强制性权力形式，以防止其他渠道成员强烈反抗而导致渠道冲突的激化。一般来看，恶意撕毁合同、向对方下最后通牒等形式的强制性权力使用形式最容易导致对方的反抗。

二是强制性权力使用的时机。如果一个渠道成员只是初次违反渠道规则，而且违反程度并不严重，则不适宜使用强制性权力。否则不仅会引起该渠道成员的强烈反应，而且也使得其他渠道成员给予该渠道成员同情和支持，使渠道权力运用的结果适得其反。只有当某些渠道成员多次违反渠道规则、违反程度比较严重，并且其违反渠道规则的行为不仅给交易方的渠道成员造成损失，而且可能威胁整个渠道的顺利运转时，对其使用强制性渠道权力的时机才成熟。这时，如果该渠道成员反抗强制性权力的惩罚，将不仅是对当事方渠道成员的对抗，而且是对整个渠道体系的对抗，将受到众多渠道成员的谴责，这样便有助于压制和缓解渠道冲突。

三是强制性权力与其他渠道权力的配套使用。很难想象仅仅依靠强制性权力就能解决渠道成员之间的分歧。强制性权力与其他渠道权力尤其是奖励性渠道权力的配套使用，将使权力使用更加具有公平性和灵活性，当事方渠道成员心理上也更加容易接受，因此也有利于缓解渠道冲突。

（2）要更多使用非强制性渠道权力

渠道成员要更多地使用非强制性权力，包括奖励权力、专家权力、参照权力、信息权力等来达成自己的目标。使用这些权力较少引起渠道冲突；即使引起了渠道冲突，其紧张程度与激烈程度也容易受到控制。

1）正确使用奖励权力。奖励权力的内涵是对符合自己期望的渠道成员给予多种奖励尤其是物质奖励。使用奖励权力将向其他渠道成员传达自己希望其他渠道成员采取何种行为的强烈信号，它具有直接、现实的特点，对于引导渠道成员的行为具有重要作用。但是应该注意的是，如果不恰当地使用奖励权力，也会导致渠道冲突，或者为渠道冲突的发生留下隐患。一般来看，对奖励权力的不恰当使用包括以下几种情况：一是奖励的额度不当。针对某一具体的渠道行为进行奖励，其额度应该与该行为的价值相匹配。奖励额度过大容易造成渠道成员对奖励的期望不断高涨，当再也不能满足这种不断增长的奖励期望时，渠道冲突就会发生。因此，过高的奖励额度可能导致未来的渠道冲突。而过低的奖励额度会使渠道成员认为自己没有得到公平的待遇，容易引起当前的渠道冲突。二是奖励的事项不当。如果奖励的事项不是有助于化解渠道冲突、解决渠道矛盾的，那么将给渠道发送错误的信号，有可能反而导致渠道冲突的发生。三是过度依赖物质奖励权力。奖励权力尤其是物质奖励权力的使用也是有其局限性的。长期使用物质性奖励权力，会使得渠道成员逐渐失去对其他渠道权力的敏感性而只对物质刺激产生兴趣，渠道成员将仅仅实施存在物质刺激的渠道行为而排斥非物质刺激性行为。但是并非所有有利于渠道建设的行为都会带来物质奖励，因此会造成渠道中有利于渠道建设的行为"供给不足"，这种"供给不足"往往成为渠道成员之间发生冲突的根源。总之，只有正确使用奖励权力才能起到缓解和消除渠道冲突的目的。

2）正确使用专家权力。专家权力正在受到渠道成员越来越多的欢迎。在个案调查中，相当部分渠道成员表示，目前渠道成员吸引客户的方法比较重复，无非是提供相对低价、提高服务质量、给予采购人员回扣等。当几乎所有渠道成员都在使用这些方法时，这些方法也就逐步失去了吸引力。在渠道内部争夺顾客的竞争日趋激烈时，渠道成员目前最具有竞争力的能力之一是能够帮助自己的客户提高销量从而增加利润。而要做到这一点，渠道成员必须依靠自己的专家能力。专家权力的内涵是对某个行业进行经营管理的专门知识与技术，属于非强制性权力的范畴，在目前是非常受渠道成员重视和欢迎的渠道权力。专家权力的获得非常艰难，它不仅要求渠道成员长期从事某一行业从而积累足够的行业经营管理经验，而且还需要该渠道成员具备一定的商业理论知识，能够站在理论高度对行业经营管理进行更深层次的思考，形成自己独有的、进行所在行业经营管理的观点。目前来看，农产品营销渠道中非常需要客户关系管理、市场研究、仓储管理、信息系统管理方面的专门知识，一旦某一渠道成员具有以上某方面或者某几个方面的专门知识，将比较容易吸引其他渠道成员与自己开展商业交易活动，并迅速形成长期巩固的联系。从这点上看，专家权力使得其他渠道成员对拥有专家权力的成员形成依赖，而这种依赖是渠道成员之间和谐的基础，这就很大程度上抑制了渠道冲突的发生。中国农产品营销渠道内的竞争由过去具体事项层面尤其是价格竞争层面开始提高到知识层面的竞争，这与目前强调知识经济的大背景相一致，是一个值得肯定的现象。

3）正确使用参照权力。参照权力的内涵是某渠道成员对其他渠道成员的吸引力。参照权力越强，对其他渠道成员的吸引力越大，带来的销售额和利润就越高。目前，农产品营销渠道中的参照权力主要来源于以下两方面：一是渠道成员的品牌。具有品牌效应的渠道成员很容易成为其他渠道成员追逐的对象。在这些渠道成员看来，与在行业中具有一定知名度的成员开展商业交易，在产品质量、服务质量等诸方面都有保证，减少了交易成本、提高了交易的安全性。因此，在问卷调查询问选择经销商的标准时，选择渠道成员品牌效应的答案最多。二是信誉。目前营销渠道的总体诚信程度尚有待提高。在这种情况下，信誉成为一种稀缺资源。因此，一个具有良好信誉记录、讲求诚实经营的渠道成员也比较容易在渠道中获得参照权力。目前的问题是，农产品营销渠道成员的经营规模普遍偏小，导致许多渠道成员仅仅把经营农产品当作权宜之计，这些小规模渠道成员建设品牌、讲求诚信的动力普遍不足，这也是目前相当部分农产品营销渠道成员诚信度偏低的重要原因。一条营销渠道中具有参照权力的渠道成员太少，就很难形成各种渠道权力的平衡，并导致渠道成员的短期行为突出，渠道冲突增多。因此，为了保持渠道和谐，应该有意识地培育一批规模和实力都能达到一定层次的农产品经营"大户"，并在必要时推动这些"大户"向企业化方向转化。这批具有参照权力的渠道成员的出现将有助于维护渠道稳定、控制渠道冲突。

4）在某些特定原因引起的渠道冲突过程中要避免使用某些渠道权力，以避免渠道冲突扩大化。换言之，在处理某类渠道冲突时，应该避免使用某些渠道权力。因为在这种情况下，使用这些渠道权力不仅无助于冲突的解决，反而会带来比较强的负面效果。根据研究数据（表8-2），具体而言有如下几点应该引起注意：

面对窜货与目标分歧方面的原因引起的渠道冲突，渠道成员要少使用信息权力、参照权力、奖励权力，因为在这种情况下使用这些类型的渠道权力将导致渠道冲突的破坏性增大、渠道满意度下降。

面对契约意识方面的原因引起的渠道冲突，渠道成员要少使用信息权力、法律权力、奖励权力、强制权力，否则将导致渠道满意度明显下降。

面对渠道成员农产品经营职能事项方面的原因引起的渠道冲突，渠道成员要少使用参照权力、法律权力、奖励权力和惩罚权力，否则也将导致渠道满意度明显下降。

表8-2　渠道权力、冲突原因的联合作用与渠道满意度之间的相关关系

变量1	变量2	变量1与变量2的 Pearson 相关系数	Pearson 系数 显著性
信息权力 × 冲突原因因子1	渠道满意度	−0.205	0.043
信息权力 × 冲突原因因子2	渠道满意度	−0.246	0.005
参照权力 × 冲突原因因子1	渠道满意度	−0.204	0.046
参照权力 × 冲突原因因子3	渠道满意度	−0.213	0.030
法律权力 × 冲突原因因子2	渠道满意度	−0.116	0.026
法律权力 × 冲突原因因子3	渠道满意度	−0.234	0.038
奖励权力 × 冲突原因因子1	渠道满意度	−0.214	0.029
奖励权力 × 冲突原因因子2	渠道满意度	−0.235	0.010
奖励权力 × 冲突原因因子3	渠道满意度	−0.211	0.034
惩罚权力 × 冲突原因因子2	渠道满意度	−0.248	0.005
惩罚权力 × 冲突原因因子3	渠道满意度	−0.229	0.014

注：（1）变量1越大满意度越低；（2）冲突原因因子1为窜货与目标分歧因子；冲突原因因子2为契约意识；冲突原因因子3为职能事项；冲突原因因子4为退货库存；冲突原因因子5为行情判断与短期利益

8.3　基于渠道设施条件的控制机制

如果仔细检查引起冲突的具体原因可以清楚地看到，目前，由于农产品营销渠道基础设施建设落后引起的渠道冲突比较普遍。中国是一个发展中国家，市场的基础设施建设本来就比较落后，而相对于其他类型产品，农产品由于具有易腐烂变质等特点，农产品尤其是海鲜产品、淡水鱼产品等，以及其他鲜活农产品对于基础设施的要求更高，由此引起的渠道冲突显得比较突出。

农产品流通市场的基础设施落后主要体现在以下几个方面：

一是运输条件落后。交通道路的状况比较差，尤其是从农产品原产地到进入高深公路网的地方性道路的路况更差，而农产品在跨地区、尤其是跨省进行运输时，道路上设立的收费站比较多，这样就大大延长了农产品运输时间。

二是仓储条件落后。课题组调查的许多农产品营销渠道成员都没有自己的仓库，即使经营规模较大的渠道成员也一般不愿意建立自己的仓库而更愿意租赁其他企业的仓库。已经建立的部分仓库的条件也很简陋，只有极少数渠道成员建立了真正能够长期存放农产品的、质量比较好的仓库，包括冷库。但是从个案调查的情况看，这些冷库的管理水平很低，由于缺少仓储管理的现代信息技术系统和操作人才，这些花费昂贵资金建立起来的冷库其功能没有得到充分发挥，尚不具备进行物质流通信息收集和甄别、进行快速物质料配送的能力，无法满足市场需求。

　　三是市场信息的收集与处理有限。调查发现，绝大部分渠道成员都没有派专人负责市场信息工作，渠道中目前也缺少能够进行此类工作的物质条件，尤其是必要的设备。政府的市场管理部门在这方面开展的相关工作也很少，渠道成员基本凭借自己的行业经验决定经营品种的种类、数量与价格。这样就不可避免地带来盲目决策，造成不必要的损失。由于市场信息的收集与处理的落后状况，大部分渠道成员目前的商业决策还停留在"碰运气"、"赌一把"的阶段，决策缺少科学依据，制约了农产品营销渠道经营管理水平的提高。

　　落后的农产品市场基础设施为渠道冲突的产生留下了隐患。具体情况可以参看下面的访谈材料。

　　材料一：对某渠道成员（苹果供应商）的访谈材料。

　　在农村，物流设施条件是非常落后的。一位四川的高山苹果供货商向我们讲述了他与从事仓储物流的渠道辅助机构的"合作"经历：

　　　　2009年，我为一家在华全球知名超市企业供货，超市方面要求我能持续稳定供应鲜果。为此，我曾经与一家物流企业签订了一个用气调仓库储藏鲜果的协议，但一段时间后超市拒货，原因是果品达不到收货标准。后经调查了解，原来那家签约的储藏苹果的物流企业并没有按照合同约定用气调仓库储存鲜果，签约时我过于信任这家企业而没有实地查看，其实他们根本就没有气调仓库及相关设备，用的是一般的冷藏库。结果，价值30万元的鲜果，一下就赔了57000元。问题是人家（物流企业）可不认账："我就是这种库，你开始干什么去了？"这还不算，因为与超市的供货合同无法履行，还牵扯到以后的合作。于是，我与这家物流企业以及超市之间的冲突就这样开始了。

　　材料二：对某渠道成员（海鲜批发商）工作人员的访谈材料。

　　　　我们现在两个最大的问题：一是目前的仓库太小，货物码放过于拥挤混乱，降低了出货效率；二是货物管理混乱，随意堆放，不同客户的货物混杂在一起。这两点影响了出货速度，让客户等待时间过长，客户十分不满意。尤其是业务高峰期时，或者遇到节假日（如春节），这种情况更加严重，顾客往往要等待近 4 个小时才能拿到货物；其实，我们也知道顾客也是采购回去做生意的，时间对他们也很宝贵。不过眼下生意还能维持，老板也没有要改进设备和调整管理方式的意思。

材料三：对某渠道成员（购买者）工作人员的访谈材料。

对于渠道经销商出货速度慢、出错货物的反应，该批发商的重要客户——某酒店的采购经理是这样说的：

> 我们这样规模的酒店，进货的时间是关键。原因是货买回去后，我们酒店还要马上进行加工、清洗、切、煮等；如果采购员的货到酒店的时间太迟，酒店加工的时间就不够，那么，中午客人来酒店点菜，许多菜就提供不了，客人就会上其他的酒店去吃。酒店生意做不成，我的饭碗也保不住，'不能按时把货进到酒店来，还干什么采购？'所以每天上午 9 点半以前，货一定要进酒店。我现在最希望的就是供货商把货配齐，给我们送货上门。

> 供货商出错货物也是很麻烦的，我对这个很有意见。给我们供货的供应商的仓库很小，管理方法也落后，屡屡出现出错货物的情况。有一次，我找他们买一批规格 2～3 公斤的小羊排，他们发给我的是 7～8 公斤重的大羊排。回去以后我才发现拿错了货，只好第二天再把那批大羊排运到他们店来退。我们酒店的厨师对我有意见，说我不体谅他们的辛苦，老板也责备我不会办事。第二天返退回去的那批货已经变得有些不新鲜，他们的店员拒绝接受，我还跟他们大吵一架，最后惊动了他们老板才最终把货退掉。所以碰到发错货物的事情我心里特别烦。我觉得这家供货商的货物质量、品种等都还好，但是设备、技术方面太差了，不能与之长久合作；不过眼下没有别的选择，只能暂时勉强与他们继续合作。

从以上访谈材料看，落后的农产品市场基础设施之所以容易引发渠道冲突在于以下原因：

首先是影响交易货物的质量。在引发渠道冲突的具体原因中，产品质量不合格是重要原因之一。客观地说，质量不合格并不完全是因为渠道成员经营诚信度不够，有些是因为渠道基础设施落后造成的。例如，冷库设备较差，导致储藏的鲜活产品很快变质，但是由于渠道成员的经营规模一般较小，完全抛弃这些变质产品将导致渠道成员无法承受的亏损，因此只能勉强进行销售，从而因为产品质量问题引起与购买者的渠道冲突。此外，由于两者间的合作不愉快导致产品质量出现问题，往往还会"牵一发而动全身"，连带影响第三方渠道成员乃至渠道体系无法正常运转。

其次是影响交易货物的数量和种类。由于多数渠道成员没有仓库，而少数建立了仓库的渠道成员，仓库内的货物堆放混乱，基本没有现代仓储管理信息系统，给经营带来了很大困难。例如，由于对仓库存有货物的数量与种类不清楚，常常会发生答应供给交易方某类品种和数量的货物而不能提供的情况，引发双方的冲突。在个案调查中发现，如果购买方为酒店和餐厅，则冲突会更加激烈。因为酒店、餐厅一般已经向市场公布自己经营的食品品种，而且需要每天进行及时采购才能在顾客就餐前有足够的时间对食品进行清洗、加工、烹饪。如果食品供应商突然宣布已经预先订购的某类食品缺货，将严重影响酒店、餐厅的声誉，造成顾客流失。

最后是制约渠道成员经营理念的提升。物质技术条件对经营者的思想观念必然产生深远影响。由于农产品营销渠道成员已经习惯于落后的渠道经营物质技术条件，他们很难接受现代大流通、大物流的观念，满足于渠道的低水平管理与经营，不相信甚至一定程度上排斥现代流通手段，使得农产品经营的整体水平显得比较落后。

总之，加强和改善农产品营销渠道的物质技术条件，提高渠道基础设施的建设水平和质量，对于减少渠道冲突的发生非常具有现实意义。今后应该重视渠道的交通运输、仓储、经营场所，以及以计算机为基础的现代信息系统等方面的建设，为渠道的正常运转提供更好的物质条件。考虑到大部分农产品营销渠道的成员的经济实力都比较有限，除渠道成员应该加大对渠道基础设施建设的投资力度外，地方政府也应该以多种形式进行适度投资。地方政府财力不足的，可以与企业等共同进行投资，以加快农产品营销渠道基础设施建设的步伐，为农产品流通提供更好的物质技术条件。

8.4　基于冲突原因的冲突解决措施

研究发现，当对某种特定原因引起的渠道冲突采取某些冲突解决措施时，不仅不利于化解渠道冲突，反而会加剧渠道冲突，具体情况如表8-3所示并分析如下。

表8-3　冲突原因及解决措施的联合作用与渠道冲突激烈程度及渠道满意度之间的相关关系

变量1	变量2	变量1与变量2的Pearson相关系数	Pearson系数显著性
冲突原因因子1×措施1	冲突激烈程度	0.329	0.046
冲突原因因子1×措施3	冲突激烈程度	0.283	0.005
冲突原因因子1×措施4	冲突激烈程度	0.276	0.001
冲突原因因子1×措施5	冲突激烈程度	0.283	0.001
冲突原因因子2×措施1	冲突激烈程度	0.293	0.000
冲突原因因子2×措施3	冲突激烈程度	0.286	0.000

变量 1	变量 2	变量 1 与变量 2 的 Pearson 相关系数	Pearson 系数 显著性
冲突原因因子 2 ×措施 4	冲突激烈程度	0.315	0.000
冲突原因因子 2 ×措施 5	冲突激烈程度	0.260	0.003
冲突原因因子 3 ×措施 3	渠道满意度	−0.202	0.047
冲突原因因子 3 ×措施 4	渠道满意度	−0.211	0.040
冲突原因因子 3 ×措施 5	渠道满意度	0.205	0.049
冲突原因因子 4 ×措施 4	冲突激烈程度	0.231	0.015
冲突原因因子 4 ×措施 5	冲突激烈程度	0.219	0.025

注：（1）冲突原因因子 1 为窜货与目标分歧因子；冲突原因因子 2 为契约意识；冲突原因因子 3 为职能事项；冲突原因因子 4 为退货库存；冲突原因因子 5 为行情判断与短期利益；（2）冲突解决措施内涵：措施 1 为与经销商多交流多沟通；措施 2 为发生矛盾时请第三方参与调解；措施 3 为制定大家共同遵守的行为规则；措施 4 为经常给经销商或者经销商的负责人好处；措施 5 为设身处地考虑经销商的经济利益

如果渠道冲突是由于"窜货与渠道成员经营目标分歧"方面的原因引起的，那么使用多交流多沟通的方法、共同制定行为规则的方法、给予其实际好处的方法，以及设身处地考虑其经济利益的方法来解决冲突，不仅不会收到理想的处理效果，反而会导致冲突激烈程度上升，给冲突方带来严重损失。

如果渠道冲突是由于"渠道中契约意识缺乏"引起的，那么使用多交流多沟通的方法、共同制定行为规则的方法、给予其实际好处的方法，以及设身处地考虑其经济利益的方法来解决冲突也会收到负面效果。值得注意的是，这里提到的四条冲突解决措施对于窜货与渠道成员经营目标分歧引起的渠道冲突、对于渠道中契约意识缺乏而引起的渠道冲突，都是起反面作用的。由这两方面的原因引起的渠道冲突抵制冲突解决措施的力量非常强，即大部分冲突解决措施在其面前都是失灵的。这也说明，这两类原因引起的渠道冲突一旦发生就很难找到有效的解决措施，将长期存于农产品营销渠道之中。

如果渠道冲突是由"渠道成员农产品经营中的具体职能性事项"引起的，那么使用共同制定行为规则的方法、给予其实际好处的方法，以及设身处地考虑其经济利益的方法来解决冲突将收到负面效果，导致渠道满意度的下降。

如果渠道冲突是由"退货库存方面的原因"引起的，那么通过给予经销商实际好处的方法以及设身处地考虑其经济利益的方法来解决冲突，也会收到反面效果，将导致冲突激烈程度的上升。

应该指出的是，统计数据显示，冲突解决措施 2（即发生矛盾时请第三方参与调解）并没有因为应用于某一具体原因引起的渠道冲突而导致冲突激烈程度的升级或者渠道成员对渠道满意度的下降，这在本书所考察的所有冲突解决方式中是绝无仅有的，因此它也间接说明这是一个比较有效的冲突解决方式，这一结论与本书第7章的结论是一致的。

根据以上的分析，我们在试图解决特定原因引起的渠道冲突时应该尽力避免使用可能激化矛盾的冲突解决方式。只有这样才能收到比较好的冲突解决效果。

8.5 基于人际关系的控制机制

中国社会是一个重视人际关系的社会，"关系"在社会生活中扮演着重要角色。许多依靠制度和规则解决不了的渠道冲突问题，通过人际关系的方式却有可能得以缓解。

8.5.1 人际关系在解决渠道冲突方面的功能

（1）制止或者延缓冲突的功能

良好的人际关系能够增加渠道成员之间的感情。由于受到感情的制约，渠道成员之间发生冲突的概率就会相应下降。中国人都是讲求"面子"的，而渠道成员双方如果人际关系比较好，则会更加注意不伤害对方的"面子"，即使在商业交易活动中有些事情使得双方不愉快，也不会轻易地撕破面子而发生冲突。而根据社会心理学家的研究，中国人之间"给面子"是一个相互的行为，如果某一方给了另一方面子，那么接受这种"给面子"行为的一方也应该还给对方以"面子"，这样在相互交换"面子"行为的过程中，渠道冲突被减少了。

另外，由于良好的人际关系有助于渠道成员之间相互交换信息，增进了双方的了解、减少了误解，这样也减少了渠道冲突发生的机会。实际上，渠道成员之间的冲突许多是由于信息交换不够而引起的。

最后，良好的人际关系还增加了渠道成员之间的相互信任。心理学家的研究发现，信任一般发生在相互熟悉、关系良好的社会成员之间。人际关系越亲密，相互信任程度越高。相反，人际关系越疏远，相互信任越低。因此，渠道成员之间的良好人际关系有助于渠道成员之间信任的形成，而信任关系的存在会大大减少渠道冲突的产生。

（2）缓解激烈冲突、减少冲突破坏的功能

人际关系较好的渠道成员之间即使发生冲突，冲突双方一般会自觉控制冲突使用的手段，不会使冲突无限升级而给对方造成重大损失。实际上，在人际关系较好的渠道成员之间有一些双方共同遵守的"潜"规则，如双方不因为某些事情发生冲突，不在冲突中使用某些冲突手段等。虽然冲突双方都没有明确指出这些规则是什么，但是双方在冲突中都尽量避开这些规则所涉及的内容，所以冲突的激烈程度和破坏性都受到一定的控制。从个案调查的情况看，一些恶性的渠道冲突事件也主要发生在渠道成员间人际关系不好甚至对立的渠道成员之间。

（3）冲突发生后修补冲突双方关系的功能

在渠道冲突结束后，人际关系比较好的渠道成员比较容易立即修补关系，使渠道成员之间的关系恢复到冲突前的水平。这主要来源与以下原因：首先，由于冲突过程中双方的冲突手段受到一定限制，冲突造成的实际后果并不严重，因此给冲突双方造成的感情伤害并不深，这就为双方恢复关系奠定了一个有利的平台。其次，由于冲突双方在发生冲突以前的人际关系比较好，因此相互之间了解较多，双方都知道以何种方式才能消除对方的隔阂，重新建立良好的关系。最后，冲突双方都有恢复良好关系的愿望。这不仅是因为以前拥有良好关系的基础，还因为在商业经营中关系良好的合作伙伴是很难寻求的。而对于渠道成员而言，他们又非常重视商业伙伴的作用，因此冲突双方都不愿意丢失一个重新获得具有良好人际关系的商业合作伙伴的机会，冲突结束后进行人际关系的修补也是理所当然的。

8.5.2　运用人际关系解决渠道冲突的条件

一般来看，人际关系要在渠道冲突解决中发挥积极作用，必须满足以下三个条件。

一是冲突问题的非原则性，即冲突不能围绕原则性问题展开。在个案调查中发现，如果冲突是围绕一些无关渠道成员根本利益的细节性问题如一些次要产品的价格问题和退货问题、个别工作人员的服务态度等问题展开，那么依靠人际关系可以比较容易地解决这些冲突。但是如果冲突是因为争夺相同的重要顾客、大批量货物的质量问题等一些涉及渠道成员根本性利益的原因引起的，则解决渠道冲突的最有效方式是利益关系的重新调整而非人际关系的运作。从这一点看，渠道成员是高度理性的"经济人"，他们在追逐商业利润的过程中虽然为人际关系和情感留下了一定空间，但是绝对不会让人际关系超越商业利益需求之上。

二是冲突双方都能在一定程度上考虑对方的利益。冲突双方越能考虑对方的利益，则人际关系越能有效解决渠道冲突。但是如果冲突双方都过于关注自己的利益而忽略对方的利益，则双方失去了感情沟通的基础，人际关系在冲突解决中基本不能发挥作用。社会心理学的研究也证实，卷入冲突的双方如果忽略对方的利益，将使冲突双方的感情向恶性循环的方向发展，冲突将越来越激烈。

三是冲突双方都重视人际关系在商业活动中的重要作用。商业活动中良好的人际关系是经商者非常重要的资源。正因为如此，有许多渠道成员认同"朋友就是财路"这一说法。但是，并非所有的渠道成员都注意到人际关系在商业活动中的功能。对于这些渠道成员而言，希望以人际关系来解决与他们的渠道冲突是基本不可能的。一般来看，这些渠道成员更倾向于使用强制性权力解决渠道冲突问题。

8.5.3　运用人际关系解决渠道冲突的局限性

首先，维持良好的人际关系需要花费时间、金钱等成本。例如，在重要节日或者对方发生一些特殊事件（结婚、生子、升迁、生病）时购买礼品上门拜访或看望对方，平时还需要开展陪对方聊天、喝酒等情感维系活动。如果希望与渠道中社会经济地位较高者建立和维护良好的关系，则花费的成本更高。对于一些规模较小、经济实力相对较弱的渠道成员，人际关系方面的支出是一个不容忽视的负担。

其次，人际关系已蜕化为纯粹的利益工具。目前渠道中这方面的典型现象是一些渠道成员或者这些渠道成员聘请的工作人员以人际关系为名向其他渠道成员索要现金和货物，如果对方拒绝则责备对方不重视双方的友谊并威胁中断业务往来，人际关系不仅没有起到缓解渠道冲突的作用，反而促成新的渠道冲突。

最后，人际关系对渠道管理规定和市场管理规则容易产生负面影响。渠道成员间的人际关系使这些渠道成员紧密团结在一起，从而形成单个渠道成员难以企及的力量，因而也增大了其中某些渠道成员集体破坏渠道规则、扰乱市场秩序的信心。典型的现象是一些渠道成员集体哄抬物价、垄断市场供应，从而达到盘剥其他渠道成员和消费者的目的，造成市场秩序混乱并引发与利益受到损害的渠道成员的尖锐矛盾。从这个意义上来说，渠道中的人际关系又是一把双刃剑，运用恰当可以促进渠道和谐、化解渠道冲突；运用不当则会引发渠道冲突，阻碍渠道管理向规范化、制度化方向发展。

8.6　本章小结

本章探讨了中国农产品营销渠道冲突控制机制问题。

第一，本章提出了基于冲突观念优化的冲突控制机制，包括尽量调控和转化针锋相对冲突观，优化和提升尚和退让 – 交换待机型冲突观，弘扬现代渠道合作观念，提高渠道成员的契约意识。此外，应注意冲突原因与冲突观念之间的联系，控制冲突的"放大"效应。研究发现，持有某些特定冲突观的渠道成员在面对因某些冲突原因引起的冲突时，冲突可能带来更大的负面效果。

第二，本章探讨了基于渠道权力使用的冲突控制机制，认为要谨慎乃至尽量不使用渠道强制性权力，正确使用奖励权力、专家权力和参照权力。研究发现，在某些特定原因引起的渠道冲突过程中，渠道成员要避免使用某些特定的渠道权力以防止渠道冲突的激化。

第三，本章讨论了基于渠道基础设施建设的冲突控制机制，认为当前加强和改善农产品营销渠道的物质技术条件、提高渠道基础设施的建设水平和质量，对于减少渠道冲突非常具有现实意义。今后应该重视农产品营销渠道的交通运输、仓储、经营场所，以及以计算机为基础的现代信息系统等方面的建设，为渠道的正常运转提供更好的物质条件。

第四，本章提出应该根据冲突原因寻求有效的冲突解决措施。数据分析发现，当某些原因引发的渠道冲突发生时，渠道成员如果采用某些特定的冲突解决措施，其结果会适得其反，造成更激烈的渠道冲突。

第五，本章结合中国文化的特点，分析了渠道中的"面子"心理和"面子"行为，认为运用良好的人际关系手段有助于解决渠道冲突，同时也要注意人际关系可能给渠道冲突解决带来的负面效果。

第 9 章
农产品营销渠道整合模式

9.1　营销渠道整合：模型和内容

9.1.1　营销渠道整合的概念

整合（integration）是一个词意宽泛而且内涵较为模糊的词语，被大量地用于社会学和经济学领域，要么被用作动词意义上的协调、合作或者再造，要么被用作名词意义上的有序、统一或者和谐。在营销学研究中，很多学者都试图明晰地提出营销渠道整合（marketing channel integration）的概念，然而，实质性的改进意见并不多见。对"营销渠道整合"的认识，普遍情况是采用"嫁接式"的多学科观点，具有宏大解释的特征，即认为营销渠道是一种复杂社会系统（杨政，2004），理所当然地要借鉴运筹学、决策学、博弈论、信息学、计算机科学，甚至工程科学等思想。

著名营销学者 Stern 和 Sturdivant（1987）曾认为，渠道整合与渠道协作较为接近，他指出"为了提高整条营销渠道的服务质量以及效率，为消费者创造更具有价值的服务，营销渠道中的组织跨越各自的组织边界，在与营销活动相关的若干职能活动中共同工作，就如同在一个企业的团队中工作一样"。他以消费者价值为基本取向，提出渠道整合的准则是要提升渠道服务质量和效率水平，这已经成为营销渠道整合目标的权威论述。然而，渠道组织成员在各渠道职能活动中跨出各自边界"共同工作"，这一描述则显得过于简单和模糊，还缺少纲领性的行动框架。对此，国内很多学者作了进一步的充实。杨政（2004）构建的渠道成员行为整合模型中就把"整合"与"控制"联系起来，并同"合作"和"冲突"一起出现。他认为，行业标准、渠道组织、渠道结构和渠道成员地位是能直接控制的，而很多环境因素如文化、法律和政治体系等则不能直接控制但却是渠道整合的重要决定因素，这实际上是开始提出内部系统整合和外部系统整合的思想。张庚淼等（2002）坚持了 Stern 关于渠道的服务质量和效率的观点，认为渠道整合旨在提高渠道绩效，并进一步强调整合的主要途径是保证渠道职能在成员间的合理分配。沙振权和王建华（2005）则从渠道系统内部要素整合（包括渠道结构整合、渠道关系整合、渠道终端整合和渠道流整合）以及内部系统和外部系统之间的要素整合（如产品、价格、品牌和消费者等要素的整合）两方面对"营销渠道整合"进行了较为全面的说明。

综上所述，我们认为：渠道整合，即以消费者价值创造为导向，通过对渠道系统内部和外部要素进行综合协调以提高渠道服务质量和效率的系统化管理过程。

9.1.2 营销渠道整合的模型

（1）营销渠道整合的影响因素

在早前的研究中，渠道整合只是作为传统的营销学政治经济分析框架内一个很小的部分。这时，渠道系统类似于一个有机的政治经济体，除了内部有复杂的政治力量构成（如组织形式、权力和依赖关系等），还时时刻刻地同外部环境进行各种行为或关系交互。因此，渠道整合被认为是对环境的适应性调整过程，这一观点自然地得到普遍认同。

Dwyer 和 Welsh（1985）的环境影响分析框架十分成功地应用了这一思想，并告诉我们渠道整合的驱动力至少包括外部环境和渠道结构两个方面（图 9-1）。在他们的分析图式下，环境异质性造就了复杂和可塑化的渠道结构，以此应对环境的不确定性，而环境的易变性则孵化出渠道垂直一体化和行政官僚作风，据此以减少对外界的依赖性。他们屡次重申渠道内部政体构成（权力系统）决定了内部经济结果（活动协调及资源分配）。而且，组织系统为了实现其战略目标，就必须积极预见外部反应，并主动地进行交互和调适。这种观点最有代表性地揭示了当时营销渠道整合的坚实理论依据。尽管如此，Dwyer 和 Welsh 并没有进一步分析环境异质性和易变性的具体构成，以及它们如何对渠道的重塑或整合产生作用。

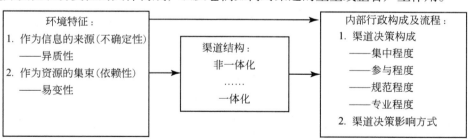

图 9-1　环境影响渠道结构和渠道流程

资料来源：Dwyer F R，Welsh M A. 1985. Environmental relationships of the internal political economy of marketing channels . Journal of Marketing Research, 11：397 – 414.

（2）已有的营销渠道整合模型及整合内容

通过文献分析发现，目前已发表的关于营销渠道系统整合的模型并不多见，但针对其中具体部分的论述大量散见于各类研究成果中。Michman 和 Sibley（1980）的渠道成员行为整合模型以及沙振权和王建华（2005）的渠道整合概念模型为我们提供了有益思路。

　　Michman 和 Sibley（1980）构造了一个渠道成员行为整合模型（图9-2）。他们的模型分为三个部分：①影响因素，包括环境、行业标准、渠道组织、渠道结构和渠道成员定位；②渠道行为变量，包括合作、权力、控制、绩效和满意；③渠道成员对渠道冲突的反应。模型中五大影响因素作用于渠道成员间的行为关系，而渠道冲突与渠道行为之间则形成了一个反馈环。

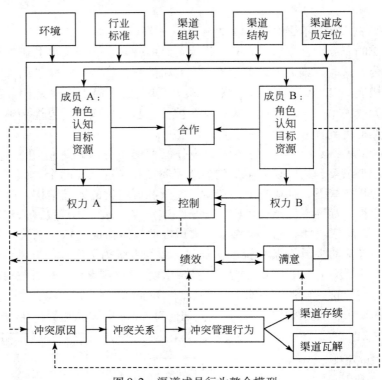

图 9-2　渠道成员行为整合模型

资料来源：①Michman R D, Sibley S D. 1980. Marketing channels and strategies. 2th ed. Ohio, Grid Publishing. ②杨政. 2000. 营销渠道成员行为的整合模型. 南开管理评论, 2000,（4）：64－70.

　　杨政（2004）对 Michman 和 Sibley 的模型进行了较为客观和详细的评述。在此基础上，他进一步把产品、价格、促销和渠道四大渠道职能分工作为整合变量，提出了部分前向整合、彻底前向整合、部分后向整合和彻底后向整合，并强调各渠道成员之间经营策略的高度协调。杨政的重要贡献之一就是把渠道职能纳入整合视野之内。

　　沙振权和王建华（2005）提出了"渠道系统整合"的概念模型（表9-1）。

他们把整合分为两个部分，即渠道系统内部的整合和渠道系统与外部要素的整合。他们认为，渠道系统整合是依次逐层进行的，是由内部四个层面循序渐进地推广到后面的两个层面。

表 9-1 营销渠道系统整合的概念模型

营销渠道系统整合				
Ⅰ：渠道系统内部整合		Ⅱ：渠道系统与外部的整合		
第一层：渠道结构整合	包括水平结构整合、垂直结构整合、多渠道整合和一体化整合	第五层：与市场营销其他要素的整合：主要指与产品、价格、促销、品牌等要素的多维度整合	第六层：与顾客的整合：主要指加强客户关系管理，整合营销渠道系统与客户之间关系
第二层：渠道关系整合	整合渠道行为，减少冲突加强合作，形成或作伙伴关系，形成渠道联盟		
第三层：渠道流程整合	通过外包和引进先进技术等整合渠道流程		

资料来源：沙振权，王建华.2005.营销渠道整合模型及对我国企业的启示，商业经济之荟，（3）：17－19

综合上述两个模型以及其他学者的研究成果，我们认为渠道整合的内容至少包括以下几个方面。

1）渠道结构整合，包括水平结构整合、垂直结构整合、多渠道整合和一体化整合。

2）渠道行为整合，主要涉及渠道成员间的权力、控制、合作和冲突整合。

3）渠道关系整合，主要涉及关系质量的提高，协调承诺、满意、信任等因素。

4）渠道职能整合。

5）渠道终端整合。

6）与市场营销其他要素的整合，主要指与产品、价格、促销、品牌等要素的多维度整合。

7）与外生环境变量的整合，包括对新技术发展、文化和意识、政治和法律等的学习的调适。

9.2 基于渠道结构的农产品营销渠道整合

9.2.1 渠道结构整合的起点：渠道结构是如何决定和演化的

（1）渠道结构的概念内涵——多种视角

人们经常把任意两个（或多个）事物归结为具有某种结构，这种归结往往依据一个甚至多个标准，如数量上的、时间上的、空间上的、功能上的、形式上的，或其他的标准。这些结构的标准可以用一个（或一组）函数关系来表现事物结构体系（内格尔，2005）。渠道结构是渠道构成成员（组织或个人）之间某个函数映射（映射集）的外化表现。对于分销渠道或者营销渠道这类复杂系统，渠道成员结构体的标准是多重的。

对渠道结构的定义，学者们大多停留在一两个准则上。因此，渠道结构常常被描述为成员类型的多寡、不同类型成员的数量关系、成员绩效和渠道整体绩效的关系。例如，Coughlan 等（2003）就把渠道结构定义为渠道成员类型的总数、每种类型成员数（密度），以及共存于同一市场内的不同渠道数。Bucklin（1965）继承了 Anderson 的观点，利用"延期"和"预测"这组概念把分销渠道的结构内涵扩展到时间维度。Rosenbloom（1990）回归到早前基本"交易"或"交换"的逻辑起点，把渠道结构定义为一个渠道成员集合体，规定了渠道成员交换任务（exchange tasks）的分配和交易行为的准则（norms）。

综上所述：

1）渠道结构的内涵主要来源于 Stern 和 Reve 的观点，强调渠道的长度和密度以及渠道类型的组合，主要应用于早期渠道设计。

2）渠道结构概念的新发展对审视渠道理论的未来研究方向有重要启示。"延期"和"预测"的观点承认时间维度上的渠道结构分布，从而维系了渠道成员的"目标折现"（战略折现）规律以及渠道成员价值期望。空间商圈结构早有论述，然而对传统零售商圈设计和分销中心设计的某些超越仍将具有一定意义。而把渠道结构回归到"交易"和"交换"的集合体，更容易让我们填补渠道结构理论和渠道行为理论的距离。

3）传统的渠道结构定义与渠道理论的阐述和实践运作存在一个扭曲。问题主要表现在对消费者（或最终用户）结构地位的处理上。很显然，渠道结构分析是立基于渠道成员的，而渠道成员一般被认为包括消费者（或最终用户），这在概念界定中是非常明朗的。然而，无论是渠道结构理论还是渠道行为理论，消费者（或最终用户）都有别于其他渠道中间成员，被单独置于渠道理论分析和渠道营销实践。渠道密度的论述只讲中间商或零售商的密度，而不同时强调顾客/消费者密度；渠道类型组合的论述往往要抛开顾客/消费者类型（细分）的组合。

（2）渠道结构与渠道存续——"无形之手"

渠道结构不断变化和演进，其背后那只"无形之手"是什么？渠道结构决定的研究内容就是讨论这只"无形之手"。Stern 等分别从两个相对应的方面论述了渠道存在的依据：一是需求方面，即消费者对渠道系统产品/服务的效用和价值感知；二是供给方面，某个渠道结构的出现和存续应该以渠道成员之间成本和效率的比较为基础。需求和供给相衔接时，特定的渠道结构和模式才能出现。竞争和环境变幻的情况下，需求和供给更优的匹配会替换次优匹配，从而表现为渠道的变化和演进。

1）顾客效用对渠道结构的决定。效用一词在经济学领域中是一个重要的基础概念。效用只有针对本体论中的微观主体才有意义，它反映的是人类的主观价值感受和判断。渠道结构一旦形成，人们就会给出各自的效用判断。对效用替代性和效用大小的判断及选择指导了人们的行为活动，从而表现出对渠道结构的决定作用。

巴特勒（1923）最早提出了"渠道四效用理论"。他认为，某种渠道形态一旦呈现，将至少提供四组效用形式，即基本效用、形式效用、地点效用和时间效用。他进一步指出，时间效用和地点效用很大程度上决定了渠道结构的中间商状态。中间商以要求的时间和要求的地点，将商品和服务从生产者传送至最终消费者，实现消费者的时间效用和地点效用最大化（科特勒，2005）。

Csipak 等（1995）在研究消费者感知服务分销系统的文章中分析到，消费者涉入同渠道结构有着显著联系。消费者需求和效用感知决定他们的渠道选择偏好（Stern and Sturdivant，1987）。消费者不是一个被动接受者，而是渠道活动的重要积极参与者（Funkhouser and Parker，1986）。当消费者表现出对服务产出的高需求时，便意味着该市场还没有充分发展（Coughlan et al.，2003）。

2）渠道成员效率对渠道结构的决定。同效用对渠道结构的决定作用相比，效率一词的使用具有更加明确的意指和可操作性。效率性原则指导渠道结构状况的重要标准。一般认为，对效率的理解包括三个方面：①经济效率，即资源投入与生产产出的比率，这是封闭约束下的效率；②帕累托效率，即一方福利增加必然造成另一方福利损失时的均衡状态；③社会效率，强调整个社会成员的生活质量及和谐。

一般认为，渠道结构理论奠基人韦尔达（1916）最早提出流通渠道效率问题，并指出渠道结构中中间结构的存在理由。奥德森和马丁通过对集中交换和分散交换的效率比较，认识到中间商的这种分布因实现了较高效率而得以存在。

交易费用理论采用体制（机制）比较分析的思想，它给渠道结构研究提供了新视角（Heide，John，1992）。它最初强调企业的边界问题，讨论"企业生产还是市场购买"，进而分析公司采取直接或间接渠道的理论依据（Aithal and Vaswani，2005）。Anderson 和 Rangan（1997）指出，高交易费用情形下往往要求对专用资产的高投入，从而倾向于采用直接渠道的结构形式。而 Ingrid 和 Guido（2001）在论述比利时农场主对六种渠道创新模式的参与情况时指出，存在交易费用的情形下，协作运营减低了交易费用，避免直接渠道下的一些不足，使得创新及参与可以在非市场机制中产生，从而论证了间接渠道及多类型渠道并存的可能性。

职能变迁（functional spin – off ）理论主要阐述规模不经济活动（或规模经济活动）对渠道系统中职能外包（或职能代理）的作用机理。因为职能专门化（专业化）能实现规模经济，而职能细分后出现的渠道中间成员保障了这种规模经济（Whthey, 1985）。规模不经济活动促成职能的外包，从而倾向于产生渠道中间成员和复杂渠道组合类型（Mallen, 1973; Michman, 1990）。

（3）渠道结构变化及其推动——内外合力

怎么才能认为渠道结构发生了变化？渠道结构变化似乎无时无刻不在发生。最常见的解释是，渠道长度发生变化，渠道密度发生变化，那么渠道结构也随之发生变化。假设两种渠道存在，它们的渠道长度和渠道密度，甚至渠道类型及其组合都一样，它们的渠道结构仍然一样吗？因此，如下两点值得引起注意：①区分渠道变化和渠道演进的不同内涵，渠道变化和渠道演进是同时发生的。这就可以解释为什么竞争激烈的市场中，当渠道扁平化为主导趋势时，仍旧有很多企业会采用细长渠道或单一渠道模式。②对上述第二个问题的一个可能解释是：描述渠道结构的变化至少应该包括长度、宽度、类型、治理形式等的界定。

1）环境作为渠道结构变化的力量。达尔文的生态进化观点认为，事物的存在是因为对环境的适应（或"自然选择"）。Buklin 曾指出，零售系统不过是环境的一个"应声虫"。Etgar（1984）研究了渠道结构中多种成员形式（或制度）的出现以及它们如何被环境选择或限制。与以上观点稍微不同，Wilkinson（1990）强调渠道系统具有平衡和自组织（self-organization）能力，认为渠道系统是动态和自我调控的，以此对抗环境的扰动和不确定性。

经济发展水平和技术进步，往往被追溯为渠道变化的根本环境变量。Schary（1970）在分析美国营销渠道的变化时，把区位要素（主要涉及人口、收入、住宅和交通等）、技术要素同市场细分并列为影响渠道变化的三大来源。Sharma 和 Dominguez（1992）试图分析和构建经济发展水平同渠道长度之间的关系。城市化发展使大都市需要大量来自更远距离的大型生产者（Forman and Riegelhaupt, 1970），渠道上游整合更加激烈。

制度变量的影响，包括文化、法律、政府角色、政策稳定性和一致性等。很多营销学者探讨了政府经济角色和不同国家之间相关流通政策因素的影响（Fubara, 1991; Mahmoud and Rice, 1991; Mitchell, 1991; Naor, 1990）。

综上所述，环境变量对渠道结构变化的影响机制得到很多学者的分析。这些研究的不足之处主要表现在：①定性分析多，定量分析少（Sharma and Dominguez, 1992）。②多因素交叉影响没有得到很好控制，研究结论可信度不够。例如，在总结经济发展水平对渠道结构影响的文献时就可以发现，营销学者的研究结论各式各样，甚至截然相反。Wadimambiaratchi（1965）认为，经济发展时渠道变长。相反，Livesay 和 Porter（1969）发现渠道会缩短。Forman 和 Reigelhaupt（1970）以及 Douglas（1971）认为，渠道长度函数是 U 形的，即渠道先变长然后缩短。③在分析渠道结构变化时，前人研究的关注点和侧重点并没有相应的跟进。首先一个明显的不足是，将渠道结构的变化等同于渠道长度的变化（Eugene，2004）。显然，除了渠道结构和密度的变化，单一渠道和多渠道的各种组合在应对复杂和不确定环境方面甚至有更好的解释力。其次，另一个重要的不足是，过度强调环境变量对渠道结构变化的作用，忽略了对渠道系统内生变量的研究。渠道成员的交易行为、主要渠道成员的战略目标，以及不同渠道类型的互补性和替代性等，尚没有在渠道变化的影响方面得到系统和一致的论证。

2）渠道战略作为渠道结构变化的力量。把注意力转移到渠道系统内部来探寻渠道结构变化，很多学者已经做出了有益的工作。Corvey 等（1989）提出，渠道战略是渠道成员的长期目标和实现手段的有机结合体；它需要对各种行为、市场变化、产品线能力、新机会的感知等做出快速反应。Guiltinan（1974）认为，渠道结构的变化很大程度上可以用主要渠道成员战略目标的改变来加以解释。

有关渠道战略的更细致和具体的工作也开始展开。Aithal 和 Vaswani（2005）建立的研究框架列出了渠道成员战略对渠道结构影响的四个准则，包括：①效率性；②规模经济，专业化细分；③可进入性；④战略尝试行为。产品变量自然地决定了不同行业差异迥然的渠道结构特征，主要分析的产品变量包括重量、易腐性、单位价值、标准化、技术性、耐用性、生命周期等。

因此，渠道战略是决定渠道结构变化力量的内生集合体，它包括产品变量、中间机构变量、企业变量和行为变量等（李飞，2003）。这不仅是渠道结构理论的核心和关键，而且也是扩展到渠道行为理论研究的基础。剖析渠道战略这个黑匣子，系统化其内部作用机理，运用各种分析工具科学地衔接黑匣子内外的关系，这将是对营销渠道理论的一次有益整合。

9.2.2 渠道结构整合的途径：多样化和动态化的选择

（1）垂直渠道整合：三种模式

垂直渠道整合，是指在某一渠道链条中，某一特定的渠道领导者（制造商、分销商或零售商）控制了上下游的制造商、分销商和零售商，或者直接持有（全部或部分的）所有权，或者进行特许授权，从而实现渠道链条成员的统一协调和彼此合作。按照渠道成员之间的关联方式和紧密程度，垂直渠道整合具体又有三种形式。

1）企业式垂直渠道整合。企业式垂直渠道整合是指渠道中某一层的企业成员以所有权的方式，通过拥有和统一管理若干工厂、批发机构、零售机构等单位，控制分销渠道的若干层次或整个分销渠道，综合经营生产、批发、零售业务，获得对整个渠道的控制权。依据所有权的主体来源，企业式垂直渠道整合可分为两种方式：一种是以大工业公司为渠道所有者的垂直整合，如可口可乐的渠道系统；另一种是以大零售商或批发商为渠道所有者的垂直整合，如沃尔玛的渠道系统。依据渠道控制者对渠道各成员的产权拥有程度，企业式垂直渠道整合又可分为两种方式：一是完全产权型垂直整合，即渠道内各个成员的产权完全归某一特定渠道成员所有，现实中一般表现为上下游合并或自建渠道；二是部分产权型垂直整合，即渠道控制者对其他上下游渠道成员进行控股或参股，现实中主要表现为出资共建渠道系统。而且无论是控股还是参股，这种渠道所经销的产品都必须具有排他性，即不能经销其他厂家的同类产品。否则，就不是真正意义上的企业式垂直渠道整合。

来自新制度经济学的观点表明，企业式垂直渠道整合的本质是重新确立企业边界问题，与企业内部交易相比，当市场交易费用更高时，则可考虑企业式的垂直渠道整合。因而这一整合模式具有渠道成员联系紧密、内部统一指挥的特点，其主要优点有：分销效率高、渠道结构稳定；与消费者直接接触、反馈信息快；有利于确立公司的统一形象和品牌声誉；实施长期战略、避免短期行为；降低分销成本、提供利润水平。同时，进行企业式垂直整合也存在一些常见的风险，包括渠道建设投资高、加大公司资金压力；渠道结构和体制易于僵化、调整较困难；渠道管理难度较大、管理成本高。

2）管理式垂直渠道整合。管理式垂直渠道整合是指由渠道系统中力量最强、或规模最大、或品牌资产优良的某一成员来管理和协调渠道链条中的各个生产和分销环节，而不是以共同的所有权来实现渠道控制。简言之，管理式垂直渠道整合的结果是渠道系统会出现一个"重心"，其对渠道其他成员发挥作用主要通过不平衡的市场力量来实现。

关于管理式垂直渠道整合，需要明确几点认识：其一，渠道"重心"的角色可以由渠道链条中的任一层级上的成员来担当，既可以是大规模的生产厂商，也可以是本地实力雄厚的经销商，现在更多的还可能是触角无处不在的巨无霸零售商。有的学者对此还经验性地提出一些"重心下移"或"对角线下移"的观点，认为零售商统领渠道的时代已经到来。实际上，这样的论断并没有充分的理由和证据，事实是管理式垂直渠道的"重心"在渠道链条的各个层面都会出现，只是行业间的差别较为明显而已。其二，管理式垂直渠道整合的实现，与其说是企业主观战略部署的结果，不如说是行业或经济环境演化下的直接产物更为恰当。与企业式的垂直整合不同，它并无渠道结构外在的直观改变。

管理式垂直渠道整合主要优势有：因有核心企业的统一管理和协调，所以渠道系统具有一定的稳定性；同时，又因渠道成员产权的独立性，所以渠道结构调整具有一定的灵活性；渠道成员既具有经营上的相对独立性，又具有整体利益的协调性。管理式垂直渠道整合的主要不足是：存在渠道成员之间发生冲突的可能性；存在渠道成员退出的可能性。

3）契约式垂直渠道整合。契约式垂直渠道整合由从事制造和分销的不同层次的相互独立的企业组成，它们以契约的形式联合起来，可取得各自独立经营时所不能实现的较高经济效益和销售绩效。契约式垂直营销渠道系统有三类：特许经营组织、连锁店（包括一般连锁店和自愿连锁店）、零售商合作社（科特勒，1991）。

（2）水平渠道整合：扁平化热潮过后的理性回归

渠道扁平化，即俗称的"渠道下沉"，是通过减少渠道中间环节，使商品和服务更加接近消费者的一种渠道整合思想。"扁平化"最早来源于组织管理理论，20世纪90年代中后期以后，这一思想开始在营销渠道结构管理中得到普遍推崇和广泛应用。渠道扁平化同时包含对渠道垂直结构和水平结构两个方面的整合。在传统营销理论中，它实际上是属于渠道长度和渠道宽度（也叫渠道密度）的四种组合中的一种特殊模式。因此，渠道扁平化的一个较为直观的概括就是，缩短渠道层级、增加渠道密度。

概括来看，"渠道扁平化"整合主要有两种做法：一是完全剔除中间商，厂商与零售商合作，或者厂商自建终端直接面向消费者。其中，厂商自建终端、实施"分公司制"（直营制）、"自营连锁"和"直销"是最彻底的"扁平化"手笔，戴尔公司就是典型代表之一。二是部分保留中间商，弱化其职能，渠道重心逐步转向超级零售终端或强力控制的生产厂商。这些扁平化渠道管理思想至少在如下几个方面取得了广泛赞赏：其一，提高产品和服务的分销效率；其二，便于信息传播和沟通；其三，减少渠道成员的机会主义行为。

然而，随着渠道扁平化管理实践的逐步推广，这一思想开始受到不断挑战。其一，渠道扁平化的界限在哪里？即怎样才算是在做渠道扁平化？很多实践家开始泛化"渠道扁平化"，脱离其渠道结构设计的内涵，只要涉及渠道优化的便都归之为渠道扁平化。例如，水平渠道优化中出现了"区域精耕"、"渠道瘦身"，纵向渠道优化中则出现了"渠道重心下移"（郑锐洪，2005）。这些说法要么是出于技术细节角度，要么是脱离渠道结构而从渠道职能来"借壳"渠道扁平化管理理念。其二，渠道越扁平越好吗？与扁平渠道相对应的是传统渠道，即多层级渠道，它常常受到"尾大不掉"、"丧失控制权"、"孵化冲突的温床"、"低效率"等批判。然而，事实经验表明，传统渠道模式并未因之而被淘汰出局，反而在某些行业中占据统治地位。相反，渠道扁平化的很多尝试却屡屡遭受"滑铁卢"式的惨败收场，扁平化不仅没有带来预期的经济效率，也未能实现渠道的真正可控性，消费者投诉和渠道冲突问题层出不穷。

鉴于此，渠道扁平化成立的前提开始得到关注。人们开始意识到，渠道扁平化整合是有条件的，必须根据具体情况加以考察。其一，考虑企业自身及其行业环境。扁平化的成功是要有一定支撑基础的，包括企业组织特点、渠道历史性、产品特征、自身服务能力、管理能力以及营销资源可用度等，还需要在这一过程中建立相关的支持机制。其二，考虑产品特征。一般来讲，如果产品是高增值的，市场拉力大、相对利润比较丰厚，适合走长渠道路线。当市场已被充分开发、产品成长放慢、趋向大众化消费且利润空间下降时，适合压缩渠道层级，削减渠道运营成本确保渠道体系及自身的利润，更符合厂商双方的利益。一般的日用消费品，易流通、顾客分散，大多是标准化的产品、没有很高的技术服务要求，可采用多层分销的渠道结构；如果产品面对的是企业市场，客户数量少、需求量大、需要经常的和特殊的技术服务，这种情况下则适合短而窄的渠道，甚至是直销这种最短的渠道模式。其三，考虑市场情形。市场地理区域宽广，宜用较宽、较长渠道；地理范围较小的市场，可用较短、较窄的渠道。在我国，中西部地区地广人稀，需求规模有限，适合长窄渠道；东部沿海市场拉力较强劲的地区则较适合于扁平化渠道。

9.3 基于渠道关系的农产品营销渠道整合

9.3.1 农产品营销渠道关系整合的理论背景

渠道关系整合作为营销渠道整合的重要内容之一，是通过各种关系管理方法提高渠道关系质量，推动渠道关系由松散型、冲突型向紧密型、协作型转变，实现渠道关系良性发展的管理过程。通过渠道关系整合，渠道成员间可以建立长期友好关系，从而化解渠道冲突、提高渠道整合程度，进而提升整个渠道系统的运作效率和绩效产出。然而，从前述我国生鲜农产品营销渠道的发展特征中我们可以发现：一方面，渠道成员对渠道关系本身以及渠道关系的作用缺乏清晰的认识。尽管有强烈的发展意愿，但对到底什么是渠道关系、该如何衡量渠道关系还十分模糊，对高质量的渠道关系到底能带来多大程度的合作、多少比例的受益还没有信心，从而造成利益投机、破坏渠道关系的行为频频出现。另一方面，渠道成员对如何实施关系型渠道管理、如何管理渠道关系进而提高渠道关系质量缺乏足够的了解。尽管有实施渠道关系管理的先例，但渠道成员对到底该如何在国内生鲜农产品营销渠道中管理渠道关系、提高渠道关系质量、促进渠道合作还十分茫然。

自 Converse 和 Huegy（1940）首次讨论营销渠道纵向一体化的潜在收益和

风险后，营销渠道整合研究逐渐受到重视。早期的渠道整合研究主要以交易成本理论为指导，在整合方法上强调产权交易，在整合对象上主要是分析垂直渠道。其初衷是为了控制渠道成员的行为，减少他们因各自追求自己的目的而导致的冲突，以降低交易成本，加强对环境或渠道的控制（Scherer，1980；佩尔顿，2004）。如库尔斯和乌尔（2006）研究了营销渠道纵向一体化的潜在优势，同时也指出纵向一体化带来的相应的管理和协调问题。Abernathy 和 Utterback（1978）探讨了营销渠道纵向一体化的基本前提，认为纵向一体化要建立在渠道权力水平差异大、渠道成员相互依赖、关系紧密的基础上，否则渠道成员间就会缺乏合作动机，渠道内部的权力结构和利益分配就会失衡，从而导致渠道整合的失败。

基于交易成本分析的营销渠道纵向一体化整合研究开拓了营销渠道管理的理论和实践。在渠道整合方法上，McCammon（1965）最先进行了系统研究并指出，由于营销过程日益复杂，协调营销体系的潜在经济效益日益明显，可以用公司型、契约型和管理型三种方式有效地协调营销渠道体系。他的观点突破了传统交易成本理论的束缚，指出除了可以通过产权交易进行渠道整合外，还可以通过契约和管理的方法来整合。在渠道整合对象上，随着实践的发展和多渠道系统的出现，与垂直渠道系统、水平渠道系统和多渠道系统分别对应的垂直一体化整合、水平一体化整合和多渠道系统整合日趋明晰（科特勒等，2006）。其中，垂直一体化整合是对同一渠道系统的上下游渠道成员进行整合，水平一体化整合是对同一渠道系统的同一层级渠道成员进行整合，多渠道系统整合是对多个同类渠道系统进行整合。

然而，伴随渠道纵向一体化带来的巨大专用性资产投资，渠道系统出现成本快速增加、市场灵活性缺乏、市场机会丧失和创新能力受限等（Hayes，William，1980）。因此学者们开始借鉴关系营销理论工具来分析渠道整合问题，并提出渠道关系整合框架。目前，对渠道关系整合的研究主要集中在对渠道联盟的研究上，研究内容主要包括以下几个方面：①依靠渠道关系整合建立渠道联盟的必要性。例如，佩尔顿（2004）认为，由于渠道成员间大多是离散型交易关系，渠道组织间的合作常以失败告终，因此渠道的长期协作战略（即渠道联盟）显得至关重要，而开发和维护这种关系的关键要依靠渠道关系整合。②通过渠道关系整合建立渠道联盟的策略。例如，Mohr 和 Nevin（1990）发现，沟通和信任可以提高渠道关系的整合程度，进而加强渠道联盟。③利用渠道关系整合建立渠道联盟的后果。例如，Stern 和 EI-Ansary（1992）指出，渠道联盟背后的动机是提高渠道营销价值和（或）减低渠道总成本，从而提高渠道的绩效。Siguaw、Simpson 和 Baker（1998）证实，经销商与供应商结成联盟将在财务绩效上取得显著改进。由上可知，现有对渠道关系整合主要集中在渠道联盟的研究上，而这只是渠道关系整合范畴的一个很小领域，还有待更多的理论扩展。

9.3.2 农产品营销渠道关系整合机制及假设

（1）渠道关系整合模型

根据国内外相关研究成果，我们建立了"渠道关系整合模型"，并提出了11个研究假设（图9-3）。模型构建了前置变量（即影响因素，包括沟通、适应性、机会主义和分享价值）、中间变量（即介导因素，包括渠道满意、渠道信任和渠道承诺）和后置变量（即结果因素，包括渠道合作）三个层面，试图深入说明渠道关系整合的实现机理，即通过加强沟通、增加适应性、减少机会主义和增加分享价值来提高渠道满意、渠道信任和渠道承诺，从而提高渠道关系的整合程度，增加渠道合作，进而提升整个渠道系统的整合程度。11个研究假设中，H_1 和 H_2 是中间变量内的作用关系，全部为正向假设；$H_3 \sim H_8$ 为前置变量对中间变量的作用关系，除 H_6 为负作用假设外其余全部为正向假设；$H_9 \sim H_{11}$ 为中间变量对后置变量的作用关系，均为正向假设。

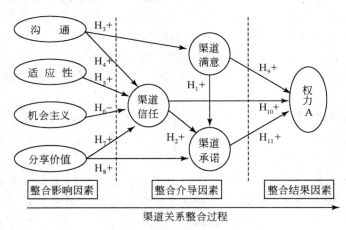

图9-3 渠道关系整合模型

（2）测度渠道关系整合的水平

一般来说，渠道关系的整合程度与渠道关系质量是密切相关的。渠道关系质量低，渠道关系的整合程度就低；渠道关系质量高，渠道关系的整合程度就高。因此，可以用渠道关系质量来度量渠道关系整合。作为感知总质量的一部分，渠道关系质量至少有三个维度：渠道满意、渠道信任和渠道承诺（Keith 等，2003）。所以，本书认为，渠道关系整合也至少有三个维度：渠道满意、渠道信任和渠道承诺。渠道满意是指渠道成员评价与其他渠道成员关系的正向情感状态，主要包括经济满意和社会满意两个维度（Geyskens，Steenkamp，2000）。渠道信任是指渠道成员相信其他成员诚实或善意的程度（Geyskens，Steenkamp，Kumar，1998），主要包括善意和正直两个维度。渠道承诺指渠道成员间尽最大努力去维持双方有价值关系的意愿（Moorman，Zaltman，Deshpande，1992），主要包括经济性承诺、情感性承诺和时间性承诺三个维度。

在"企业－顾客"关系中，满意被认为是形成关系承诺的重要前提。例如，Gruen（1995）在"B to C"背景下的研究指出，顾客满意正向影响关系承诺；张艳辉（2005）在保险业的研究中证实，满意度是顾客关系承诺的决定因素。在渠道上下游关系中，渠道满意和渠道承诺也是密切相关的。Geyskens 等（1999）对渠道满意问题的元分析（meta-analysis）表明，渠道满意可以通过渠道信任间接影响渠道承诺。进一步的研究则发现，渠道的经济满意可以直接正向影响渠道承诺（忠诚度）（Geyskens，Steenkamp，2000）。事实上，正如 Thibaut 和 Kelley（1959）在社会交易理论中指出的那样，继续一种关系的倾向取决于对关系的满意比较水平和可替代关系的比较水平。对现有关系满意度越高，其关系承诺水平越高。

信任和承诺是两个高度相关的概念，信任是履行承诺的前提，承诺是信任的结果。Reve（1986）指出，信任作为渠道关系的关键组成部分，是承诺影响因素中所包含经济成分最少的因素。Ganesan（1994）认为，信任是渠道各方长期合作的必要条件和关系持续性的关键因素，当厂商与其经销商间都存在着诚实与善意的态度时，双方必定会有良性的互动、较高程度的信息分享和更多的沟通。因此，对制造商信任的经销商很自然地会在感情上产生共鸣，这种共鸣会导致更多的情感依赖，从而使情感性承诺水平较高。王桂林和庄贵军（2004）也认为，信任对情感性承诺有很强的正面影响，可以大大增强情感性承诺，从而增加渠道成员间维持关系的强烈愿望，使各成员更多地专注于积极的动机，减少彼此联结的可算计性因素。信任对承诺的这种一增一减的影响，最终可以提高渠道承诺的水平。因此，在 Morgan 和 Hunt（1994）的实证研究中，尽管没有明确区分关系承诺的维度，信任与关系承诺也是显著正相关的。因此，我们假设：

H_1：渠道满意对渠道承诺有显著的正向影响；

H_2：渠道信任对渠道承诺有显著的正向影响。

（3）影响渠道关系整合的因素

沟通是企业之间有意义的、及时的与正式或非正式的信息分享（Anderson，Narus，1990）。多数实证研究都证实沟通可以增加关系双方的满意度。Mohr 和 Sohi（1995）认为，沟通对改变渠道成员的态度和信念是十分重要的，并在未来的行为中成为满意的基础。通过沟通，经销商和供应商关系变得更加亲密，供应商的信息分享有助于形成更高质量的渠道关系。Rodríguez、Agudo 和 Gutiérrez（2006）也指出，供应商的渠道沟通可以增加分销商的渠道（经济和非经济）满意。事实上，双方对渠道关系的满意程度越高，越倾向于加强沟通；而双方沟通的强化反过来又有利于提高双方对渠道关系的满意程度，从而形成一种良性循环。

渠道成员的沟通行为，还可以促进双方的期待和认知趋于一致，减少角色模糊和彼此间的误解，有利于解决争端，从而形成渠道成员彼此之间互相支持与信任的氛围（Anderson and Weitz, 1992）。Anderson 和 Narus（1990）从供应商角度进行的实证研究发现，企业间的沟通活动对于信任关系有正向的影响。Kumar（1996）在探讨制造商与零售商策略联盟时指出，经常性的沟通与良好的沟通质量是促进对伙伴了解、进而提高对伙伴信任程度的关键因素。Simpson 和 Mayo（1997）认为，经过沟通所获得的交换意见和达成的共识有助于提升对伙伴的信任与评价。Bruce、Leverick 和 Wilson（1995）认为，例行性的沟通有利于联盟间信任关系的建立。Geyskens、Steenkamp 和 Kumar（1998）对渠道信任问题的元分析（meta-analysis）也表明，沟通是渠道信任的重要前置因素。Mohr 和 Kevin（1990）则认为信任和沟通相互加强，更多的沟通产生更多的信任，更多的信任巩固更多的沟通。而互不信任的情况将阻碍信息交流和知识共享（Gulati，1998）。因此，我们假设：

H₃：沟通对渠道满意有显著的正向影响；

H₄：沟通对渠道信任有显著的正向影响。

适应性类似于关系专用投资和特性投资。具体到渠道情景下，适应性投资可以认为是渠道成员在与其他渠道成员的特定关系上所投入的资源、精力和行动。适应性具体表现为两种行为，一是适应性投资，二是对特定行为的调整和修正。因此，适应性行为是从两个方面影响渠道信任的。一方面，适应性投资包含为了专用交易行为进行的投资以及随着时间变化而逐渐发生的适应投资（Hakansson，1982），这些投资仅在存在关系时才具备经济价值，是反映交换关系的一个经济维度。渠道双方在整个营销过程中为特定产品投入的专业性投资越多，双方被"锁进"特定关系的程度就越深，彼此的信任程度就越高。另一方面，对特定行为的调整和修正包含合作双方为了共同利益的最大化，随着外部环境的变动，调整各自行动和采取措施适应环境变化的各种行为（Niklas Myhr, 2001）。每一方都随着外界环境的变化而做出相应的调整，明确显示了双方的真诚和善意，从而能够极大地提高双方的信任程度，保证了双方交易关系的可持续发展（Walter，2003；Gunnarsson，Jonsson and 2003；Jeffrey and 2003）。

机会主义一般被定义为"交易中缺乏坦诚和诚信，包括运用欺诈的方式来追求自我利益"（Williamson，1985）。在市场营销领域，机会主义的具体表现形式主要包括歪曲申报费用报告（Phillips，1982）、有意对分销协议进行拓展和引申（Dutta et al.，1994）、玩弄引诱与掉包手段（Wilkie et al.，1998）、质量欺诈（Hadfield，1990），以及违反促销协议（Murry and Heide，1998）等。很明显，这些行为是对既有渠道关系的破坏，会极大地影响渠道关系的稳定性，增加双方的猜测，从而降低双方的信任程度。事实上，这个推论被多数学者的研究结论所支持，他们都认为机会主义对交易关系是有害的（Williamson，1985；Johanson and Mattssan，1997；Donaldson，1990；Ghoshal and Moran，1996）。因此，我们假设：

H_5：适应性对渠道信任有显著的正向影响；

H_6：机会主义对渠道信任有显著的负向影响。

分享价值是指关系各方关于行为、目标、政策是否重要、是否合适、是否正确的共同的信念。显然，分享价值可以起到类似共有组织文化的作用，即通过软性管理来增强群体的凝聚力。"当一个社群分享同一套共享价值观，借此建立对彼此规律与诚实行为的期望之后，这个社群的信任度也会跟着提升"（福山，1998）。因此，对渠道成员而言，共享价值观会促成双方的相互认同、增强彼此的信任。而相关实证研究表明，在道德规范与价值观一致的基础上，情感性承诺才能得以建立（Gundlach、Achrol 和 Mentzer，1995）。具体到营销渠道范畴，分享价值的程度显然是与渠道承诺水平正相关的。渠道成员间的共享价值观念越多，彼此间行动的一致性就越高，持续发展现有关系的愿望就越强烈。因此，我们假设：

H_7：分享价值对渠道信任有显著的正向影响；

H_8：分享价值对渠道承诺有显著的正向影响。

（4）渠道关系整合的结果

渠道合作被认为是渠道成员为了共同及各自的目标采取共同且互利性的行为的意愿。对渠道关系整合与渠道合作间的关系，相关研究结论没有太大分歧，多认为渠道关系整合与渠道合作正相关，即渠道满意、渠道信任、渠道承诺对渠道合作有显著的正向影响。首先，渠道满意对减少渠道冲突、促进渠道合作、提高渠道绩效都有着积极的意义。如 Hunt 和 Nevin（1974）认为，在一个契约式的关系中，低渠道满意度的交易伙伴会阻碍士气、妨碍合作、增加诉讼。Lusch（1976）认为，满意度能缩小渠道成员之间的分歧、减少非建设性冲突，从而提高渠道效率。Schul、Little 和 Pride（1985）则发现，对交易伙伴的渠道满意度将影响渠道关系的长度和品质。而 Mohr 和 Nevin（1990）则指出，一个对供应商满意度高的分销商相比满意度比较低的分销商来说，会希望与供应商进行更多的交易。其次，信任被视为渠道合作的"基础"（Anderson and Narus，1990）。只有渠道信任度高，关系中一方才会为了长期利益而放弃短期收益，采取合作行为。

这是因为，在一个高度信任的环境下，可以避免极其耗费成本的谈判和签约过程（Dyer，1996），简化繁琐的订立、监督和执行合同过程（Hill，1990），降低交易成本，并可以促成双方之间的矛盾以一种双方都满意的方式在早期得到解决（Kemp and Ghauri，2001），从而提高双方合作的水平。最后，渠道承诺被理解为渠道成员之间尽最大努力去维持双方的价值关系的意愿。可见，只要渠道成员间相互承诺，双方必定会保持一定的合作，以维持彼此有价值的关系。所以，在某些学者眼中，渠道成员的合作关系往往被视为一种对未来行为的承诺（Barney and Hansen，1994）。这就是说，在一个渠道承诺水平较高的环境下，渠道关系双方的合作水平也会高。因此，我们提出最后三个假设：

H_9：渠道满意对渠道合作有显著的正向影响；

H_{10}：渠道信任对渠道合作有显著的正向影响；

H_{11}：渠道承诺对渠道合作有显著的正向影响。

9.3.3　农产品营销渠道关系整合的实证分析

（1）数据来源和分析方法

根据前面建立的垂直渠道关系整合概念模型，我们调查了生鲜农产品渠道中代理商、批发商、批零兼营商家等不同渠道成员的意愿和行为，试图从第一手数据的分析中解决问题。本研究调查共发放问卷 260 份，有效问卷 212 份，问卷有效率为 81.5%。调查地点为武汉、长沙、广州、深圳四城市，调查对象为生鲜农产品批发市场内（主要是蔬菜、水果批发市场）的各类经销商（代理商、批发商或批零兼营的商家），采用结构化问卷了解其对生鲜农产品垂直渠道链条上的交易参与方渠道关系整合的认知和态度。本研究主要利用 Amos7.0 软件进行结构方程模型分析，以检验前述提出的"渠道关系整合模型"并检验相关理论假设。

（2）测量量表和信度检验

各测量量表均参考国内外相关研究成果，并采用专家判断法就指标恰当与否进行评价，基本可以保证测量量表的内容效度。验证性因子分析表明，所有项目在其预期潜变量上有显著载荷，载荷值较高。配对检验的结果得出，各潜变量约束模型与非约束模型的卡方差异值在 0.01 水平上显著，说明各潜变量具有显著的区分效度。对各测项进行信度检验，结果表明绝大多数量表的克朗巴哈 α 系数都大于 0.6，有的还超过了 0.8（表9-2）。因此，本研究开发的测量量表具有较高的内部一致性。

表 9-2 测量量表

变　量	信度检验	测量项目
沟通	0.78	对方及时向我们通报新进展（X1） 对方向我们通报出现的问题，并提供解决方案（X2） 对方的人员经常访问我们（X3） 对方花许多时间了解我们公司和员工（X4） 对方经常和我们讨论新机会的可能性（X5） 我们有机会参与双方的目标制定（X6）
适应性	0.72	对方愿意为我们调整其工作程序（X7） 我们愿意为对方调整自己的工作程序（X8） 对方愿意在工具/设备上投资以更好地适应我们的程序（X9）
机会主义	0.85	为达到自己的目标，有时对方不给我们适当和重要的数据/事实（X10） 对方承诺做的事情后来实际上没有做（X11） 仅仅关心他们自己及其利润（X12） 对方仅有一个诚实的名声（X13）
分享价值	0.55	为使这种业务/关系成功，常常需要了解和分享对方的伦理、习惯和规范（X14） 对方公司的员工具有与我们公司员工同样的价值（X15） 为了关系的成功，常常需要有共同的目标与政策（X16）
渠道满意	0.65	我将推荐另外的人和对方做生意（Y1） 即使有机会从其他人那里购买，我也不会停止从对方那里购买（Y2）
渠道信任	0.74	我们总是信任对方（Y3） 对方信守承诺（Y4） 对方作重要决策时考虑我们的利益（Y5） 我们公司和对方的人员之间已发展了高水平的信任（Y6） 对方认为我们公司的成功是重要的（Y7）
渠道承诺	0.77	我们对对方有强有力的承诺（Y8） 我们打算保持和发展这种关系（Y9） 这种关系要求最大限度的努力和投入（Y10） 对方花费了足够的精力在我们的关系上（Y11） 我们很满意与对方的合作（Y12）
渠道合作	0.63	对方了解我公司的业务战略，建立紧密的业务伙伴关系（Y13） 我们共同制定未来业务发展计划，定期进行业务回顾和探讨（Y14）

（3）结构模型分析

通过建立结构方程模型，我们分析得到"渠道关系整合模型"的模型拟合情况，如表9-3所示。综合各项指标的判断，可以认为该模型整体拟合度较好，可以用来检验所提出的理论假设。

表9-3　模型拟合指数

类　别	指　标	模型估计	解　释
绝对指数	概度比率卡方考验值（χ^2）	660.33	
	卡方值与自由度的比值（χ^2/df）	1.676	$1 < \chi^2/df < 3$
	近似误差均方根（RMSEA）	0.09	可以接受，接近0.08
	拟合优度指标（GFI）	0.681	可以接受，大于0.6接近0.7
	调整拟合优度指标（AGFI）	0.623	可以接受，大于0.6
相对指数	规范拟合指标（NFI）	0.523	可以接受，大于0.5
	相对拟合指标（RFI）	0.473	基本可以接受，接近0.5
	增值拟合指标（IFI）	0.713	较好，大于0.7
	Tucker-Lewis指标（TLI）	0.69	可以接受，接近0.7
	比较拟合指标（CFI）	0.719	较好，大于0.7
简约指数	简约规范拟合指标（PNFI）	0.473	可以接受，接近0.5
	简约比较拟合指标（PCFI）	0.651	很好，大于0.5

"渠道关系整合模型"的结构方程分析的路径系数和假设检验结果如表9-4所示。中间变量之间的关系中，渠道信任显著地正向影响渠道承诺（H_2），但渠道满意对渠道承诺的关系假设（H_1）没有通过检验。前置变量对中间变量的关系中，沟通对渠道满意和渠道信任具有极显著的正向影响作用（H_3和H_4），且系数较大（达到0.64）；适应性对渠道信任（H_5）、风险价值对渠道信任（H_7）和渠道承诺（H_8）的作用关系呈显著的正向作用；而机会主义对渠道信任的关系假设（H_6）没有通过检验。中间变量对后置变量的关系中，渠道满意和渠道信任分别显著地正向影响合作（H_9和H_{10}），尤其是信任对合作的路径作用系数高达0.79；但是渠道承诺对合作的关系假设（H_{11}）没有获得检验支持。

表9-4　理论模型的路径系数和假设检验

变量间的关系		路径系数	P值	对应假设	检验结果
中间变量之间的关系	满意→承诺	0.032	0.834	H_1	不支持
	信任→承诺	0.687**	0.004	H_2	支持

变量间的关系		路径系数	P 值	对应假设	检验结果
前置变量对中间变量的关系	沟通→满意	0.640 ***	< 0.001	H_3	支持
	沟通→信任	0.649 ***	< 0.001	H_4	支持
	适应性→信任	0.335 *	0.027	H_5	支持
	机会主义→信任	− 0.068	0.551	H_6	不支持
	分享价值→信任	0.309 *	0.033	H_7	支持
	分享价值→承诺	0.242 *	0.047	H_8	支持
中间变量对后置变量的关系	满意→合作	0.264 *	0.041	H_9	支持
	信任→合作	0.789 *	0.022	H_{10}	支持
	承诺→合作	− 0.144	0.703	H_{11}	不支持

＊＊＊表示 $P < 0.001$，＊＊表示 $P < 0.01$，＊表示 $P < 0.05$

（4）结论

通过使用我国生鲜农产品营销渠道成员关系感知调查的数据分析生鲜农产品营销渠道关系整合问题，研究结果表明：①渠道关系整合的作用机制包括整合影响因素、整合介导因素和整合结果因素三个环节，且相互影响。②渠道关系整合的水平可以通过三个变量来测度，即渠道满意、渠道信任和渠道承诺；其中，渠道信任对渠道承诺有显著正向影响，而渠道满意对渠道承诺没有显著影响。③前置影响因素中，沟通对渠道满意和渠道信任有显著正向影响，适应性对渠道信任有显著正向影响，分享价值对渠道信任和渠道承诺有显著正向影响，而机会主义对渠道信任没有显著影响。④整合介导因素对渠道合作有显著正向影响，这种影响主要是通过渠道满意和渠道信任来实现的。我们在对深圳布吉农产品批发市场以及广州、长沙和武汉的各大蔬菜和水果市场的调查中就发现，生鲜农产品垂直渠道成员中，尤其是中小批发商认为垂直供货销货渠道关系的长期协作和默契极为重要，他们与一些老客户（零售商）往往能形成信任并做出继续合作的承诺，这一般也构成经营收益稳定的主要因素，可以有效避免许多市场不确定因素。同时，很多零售商（如生鲜超市）也表示，他们也会在不同中间商之间进行跳转，或干脆选择避开中间商而直接同农户生产基地联系，更多是考虑到信息沟通的不对等、企业文化差异、相互适应困难和机会主义行为防不胜防等。这些现象与前述主要结论基本相符。

另外，渠道关系整合的三个环节中分别有一个假设未能通过实证数据检验（H_1、H_6 和 H_{11}），这与生鲜农产品渠道的实证背景密切相关。首先，渠道满意并未如研究假设所预期的引起渠道承诺（H_1）。这是因为从整体上来说，我国生鲜农产品营销渠道的市场化、现代化程度还不高，渠道成员的组织化程度还很低，小农户、小商贩与大市场的矛盾并没有从根本上解决。在小规模商贩、非现代企业占据渠道成员主体地位的情况下，渠道成员间充斥着短期的交易行为，普遍缺乏对未来的共同规划，彼此尽最大努力去维持双方有价值的关系的意愿也不强烈，渠道承诺水平总体较低。因此，渠道成员间彼此对相互关系再满意，也不会出现高水平的渠道承诺。其次，渠道成员的机会主义行为负向影响渠道信任的原假设（H_6）也没有得到实证支持。考虑到我国生鲜农产品营销渠道的现实状况，小规模、非正式渠道成员的机会主义惩罚成本很低，渠道成员间采取机会主义行为的现象比较常见。因此，在一个高度机会主义行为的渠道环境中，垂直渠道成员的某些欺骗、违约事实并不会马上带来渠道信任程度的降低。调查发现，除深圳布吉农产品批发市场中交易主体经营规模相对较大、市场交易的合约意识普遍较高，其他调查市场中的渠道成员则规模偏小（年经营收入在100万元以下的占64.3%）、民营企业居多（占60.9%）、经营年限短（只有3年左右的占94%），并伴随机会主义盛行的情况。最后，渠道承诺正向影响渠道合作的假设（H_{11}）检验也未能通过。生鲜农产品，尤其是蔬菜、水果等产品的生产和销售，各环节的不确定性水平极高，受气候条件、病虫灾害、供需变动、食品安全以及国内外粮食政策干预等的影响非常大。因此，正如大多数调查对象所普遍反映的，生鲜农产品经营风险高、收益不稳定，所以对未来市场活动多只是表示一种"走着看"的姿态，至于能不能实现合作最终还是由市场环境来确定。

总的来说我们认为当前我国生鲜农产品垂直关系整合需要重点从前述四大影响因素上着手：①建立统一的信息交流平台，加大渠道上下游成员的信息沟通。②构建彼此循环的"专用资产"投入机制，加强渠道上下游成员的适应性。③培育渠道系统的共有文化，增强上下游渠道成员的共享价值。④健全法律规范，形成行业契约意识，有效规制各种违约违法的机会主义行为。

9.4　本 章 小 结

本章主要阐述农产品营销渠道冲突的整合内容和整合模式，重点从渠道结构整合、渠道关系整合两个方面加以论述。营销渠道整合要以消费者价值创造为导向，通过对渠道系统内部和外部要素进行综合协调来提高营销渠道的服务质量和效率，它是一个系统化的管理过程。考虑到产品特性，农产品营销渠道整合的环境影响因素将更为广泛，也更加复杂。农产品营销渠道结构整合尤其需要注意其结构的决定机制以及结构的演化发展，与之相应的结构整合也必须采用多样化和动态化的应用模式。农产品营销渠道关系整合，是通过各种关系管理方法来提高渠道关系质量，推动渠道关系由松散型、冲突型向紧密型、协作型转变，实现渠道关系良性发展的管理过程。通过渠道关系整合，渠道成员间可以建立长期友好关系，从而化解渠道冲突、提高渠道整合程度，进而提升整个渠道系统的运作效率和绩效产出。这里，渠道运行中的非经济因素将更多地得到分析和讨论，各种观念、价值、机会主义与信任、承诺、满意和合作等的关系也会得到进一步明晰。

参 考 文 献

安妮·T. 科兰等 . 2003. 营销渠道（第六版）. 蒋青云，孙一民等译 . 北京：电子工业出版社 .

彼得·布劳，马歇尔·梅耶 . 2001. 社会生活中的交换与权力 . 马戎译 . 上海：学林出版社 .

伯特·罗森布洛姆 . 2006. 营销渠道：管理的视野（第 7 版）. 宋华等译，北京：中国人民大学
    出版社 .

陈敏 . 2004. 渠道冲突的关系型解决方案 . 中南民族大学学报 . （4）：25 – 26.

菲利普·科特勒 . 1995. 未来营销渠道的职能与发展 . 张强译 . 成都大学学报（社会科学
    版），1.

菲利普·科特勒 . 2005. 营销管理（第 11 版）. 梅汝和，梅清豪，周安柱译 . 北京：中国人民
    大学出版社 .

菲利普·科特勒等 . 2006. 市场营销原理 . 何志毅等译 . 北京：机械工业出版社 .

弗朗西斯·福山 . 1998. 信任：社会 道德和繁荣的创造（中译本）. 呼和浩特：远方出版社 .

郭国庆 . 1999. 市场营销学通论 . 北京：中国人民大学出版社：45.

郭国庆 . 2009. 营销理论发展史 . 北京：中国人民大学出版社 .

郭毅等 . 2005. 渠道治理与研究深化——渠道管理研究及其创新途径 . 管理学报，（1）：
    105 – 114.

贺和平 . 2005. 范式之外：渠道反应类型的本土化研究 . 营销科学学报，（2）：72 – 86.

黄丽莉 . 1996. 中国人的和谐观/冲突观：和谐化辩证观之研究取径 . 本土心理学研究，（5）：
    47 – 70.

贾春增 . 2000. 外国社会学史 . // 达伦多夫 . 社会冲突理论 . 北京：中国人民大学出版社：272.

蒋青云，陈家瑶，郑勇强 . 2006. 产业生命周期与渠道治理战略的选择 . 市场营销导刊，（5）：
    35 – 38.

科塞 . 1989. 社会冲突的功能 . 孙立平等译 . 北京：华夏出版社 .

李崇光 . 2004. 农产品营销学 . 北京：高等教育出版社 .

李春苗 . 2001. 人际关系协调与冲突解决 . 广州：广东经济出版社：13 – 15.

李飞 . 2003. 西方分销渠道问题研究 . 南开管理评论，（5）：52 – 57.

理查德·库尔斯，约瑟夫·乌尔 . 2006. 农产品市场营销学 . 第 9 版 . 孔雁译 . 北京：清华大
    学出版社 .

卢 E. 佩尔顿等 . 2004. 营销渠道——一种关系管理的方法 . 第 2 版 . 张永强，彭敬巧译 . 北
    京：机械工业出版社 .

曼瑟尔·奥尔森. 2003. 集体行动的逻辑. 上海：上海三联书店.

内格尔. 2005. 科学的结构. 上海：上海译文出版社：596 – 603.

帕米拉· E. 奥立佛. 2002. 集体行动的动员技术：社会运动理论的前沿领域. 北京：北京大学出版社.

戚译，王颢越. 2005. 营销渠道扁平化发展动因及其理论阐释. 商业经济与管理，（2）：53 – 57.

沙振权，王建华. 2005. 营销渠道整合模型及对我国企业的启示. 商业经济文荟，（3）：17 – 19.

孙伟，陈涛. 2006. 营销渠道冲突管理理论研究述评. 武汉科技大学学报（社会科学版），8（1）：27 – 31.

汪凤炎. 2004. 中国文化心理学. 广州：暨南大学出版社：11.

王朝辉. 2003. 营销渠道理论前沿与渠道管理新发展. 中央财经大学学报，（8）：64 – 68.

王方华，奚俊芳. 2005. 营销渠道. 上海：上海交通大学出版社：143.

王桂林，庄贵军. 2004. 中国营销渠道中企业间信任的概念模型. 当代经济科学，（1）：39 – 43，69.

夏春玉. 2003. 渠道建设理论的经典研究及其评价. 管理科学，（3）：55 – 60.

薛彩云，郑克丽，成静已等. 2001-7-9. 中国家电生产商与销售商对商业流通领域控制权的争夺. 经济观察报，10.

杨国枢. 2004. 中国人的心理与行为：本土化研究. 北京：中国人民大学出版社.

杨政. 2004. 营销渠道成员的整合模型. 南开管理评论，（2）：64 – 70.

杨中芳. 2001. 中国人的人际关系、情感与信任. 台北：远流出版社，131 – 157.

袁方. 2004. 社会学方法教程. 北京：北京大学出版社

袁方，王汉生. 2004. 社会研究方法教程（第二版）. 北京：北京大学出版社.

张闯. 2006. 营销渠道控制：理论、模型与研究命题. 商业经济与管理，（3）：52 – 59.

张闯，夏春玉. 2005. 农产品流通渠道：权力结构与组织体系的构建. 农业经济问题，（7）：28 – 34.

张庚森，陈宝胜，陈金贤. 2002. 营销渠道整合研究. 西安交通大学学报（社会科学版），22.

张艳辉. 2005. 对保险业客户满意度、信任度与关系承诺的实证分析. 经济科学，（6）：113 – 123.

赵霓君. 2004. 营销渠道冲突博弈分析. 市场周刊，（4）：36 – 37.

郑锐洪. 2005. 厂商渠道纷争：从"竞争"走向"竞合". 经营与管理，5：35 – 36.

中国社会科学院日本研究所"中日流通业比较研究"课题组. 1994. 中日流通业比较研究. 北京：中国轻工业出版社.

周筱莲，庄贵军. 2004. 营销渠道成员之间的冲突与解决方法，北京工商大学学报，（1）：22 – 26.

周雪光. 2003. 组织社会学十讲. 北京：社会科学文献出版社 Wasserman S, Galaskiewicz J. 1994. Advances in social network analysis. Sage Publications Inc Scott. 2009. Social network analysis. Sage Publications Inc；阮丹青，周路等. 1990. 天津城市居民社会网初探. 中国社会科学，（2）：157 – 176；罗家德. 2005. 社会网分析讲义. 北京：社会科学文献出版社.

朱赛，李立. 2007. 营销渠道功能性冲突转化途径研究. 消费导刊，（3）：192.

朱秀君. 2002. 从博弈论看营销渠道的冲突与合作. 商业经济与管理，（4）：14 – 17.

庄贵军. 2000. 权力、冲突与合作——西方的渠道行为理论. 北京商学院学报，（1）：8－11.

庄贵军. 2004. 中国营销渠道中私人关系对渠道权力使用的影响. 管理科学学报，（12）：53－58.

庄贵军. 2007. 中国企业的营销渠道行为研究. 北京：北京大学出版社：16－22.

庄贵军，周南. 2003. 营销渠道中依赖的感知差距对渠道冲突的影响. 系统工程理论与实践，（7）：117－124.

庄贵军，周筱莲. 2002. 权力、冲突与合作：中国工商企业之间渠道行为的实证研究. 管理世界，（3）：57－63.

庄贵军，周筱莲，王桂林. 2004. 营销渠道管理. 北京：北京大学出版社.

Abernathy W J, Utterback J M. 1978. Patterns of industrial innovation. Technology Review, 7 (80)：40－47.

Aithal R K, Vaswani L K. 2005. Distribution channel structure in rural areas：a framework and hypotheses. Decision, 32 (1)：191－206.

Alberto V, Erin A. 2005. How potential conflict drives channel structure：concurrent (direct and indirect) channels. Journal of Marketing Research, 42 (4)：507－515.

Anderson E, Day G S, Rangan V K. 1997. Strategic channel design. Sloan Management Review, (summer)：59－69.

Anderson E, Weitz B. 1992. The use of pledges to build and sustain commitment in distribution channels. Journal of Marketing Research, 29 (2)：18－34.

Anderson J C, Gerbing D W. 1988. Structural equation modeling in practice：a review and recommend two-step approach. Psychological Bulleton, 103 (3)：411－423.

Anderson J C, Hakansson H, Johanson J. 1994. Dyadic business relationships within a business network context. J Mark, 58 (10)：1－15.

Anderson J C, Narus J A. 1990. A model of distributor firm and manufacturer firm working partnerships. Journal of Marketing, 54 (1)：42－58.

Arrdt J, Ogaard T. 1986. A comparative study of channel conflict；preliminary findings. // Educators. conference proceedings. American Marketing Association：191－194.

Assael H. 1969. Constructive role of interorganizational conflict. Administrative Science Quarterly, 14：573－582.

Bagozzi R P, Yi Y. 1988. On the evaluation of structural equation models. Journal of the Academy of Marketing Science, 16 (Spring)：74－94.

Barney J B, Hansen M H. 1994. Trust worthiness as a source of competitive advantage. Strategic Management Journal, 15：175－190.

Brester G W, Biere A, Armbister J. 1996. Marketing identity preserved grain products：the case of american white wheat producers association, Agribusiness, 12 (3)：301－308.

Brown J R. 1977. Toward improved measures of distribution channel conflict//Barnett A. Greenburg and Danny N. Bellenger. Contemporary Marketing Thought. Chicago：American Marketing Association.

Brown J R, Chekitan S D, Lee D J. 2000. Managing marketing channel opportunism：the efficacy of alternative governance mechanisms. Journal of Marketing, 64 (2)：51－65.

农产品营销渠道冲突与整合研究

Brown J R, Day R L. 1981. Measures of manifest conflict in distribution channels. Journal of Marketing Research, 18 (3): 263 – 274.

Bucklin L P. 1965. Postponement, speculation and the structure of distribution channels. Journal of Marketing Research, 2 (1): 26 – 31.

Bucklin L P. 1966. A theory of distribution channel structure. Berkeley, CA, IBER Special Publications.

Condliffe P. 1998. 冲突事务管理：理论与实践. 何云锋等译. 北京：世界图书出版公司，49 – 70.

Cadotte E R, Stern L W. 1979. A process model of inter-organizational relations in. marketing channels. Research in Marketing, (2): 127 – 158.

Coase R H. 1988. The Nature of the firm: Origin. Journal of Law, Economics & Organization, 4 (1): 3 – 47.

Collins R. 1975. Conflict sociology: toward an explanatory science. Academic Press.

Converse P D. and Huegy H W. 1940. The elements of marketing. NY: Prentice – Hall.

Corvey R, Cespedes F, Rangan V K. 1989. Going to market: distribution systems for industrial products. Boston, Massachusetts: Harvard Business School Press.

Crosby L A, Evans K R, Cowles D. 1990. Relationship quality in services selling: an interpersonal influence perspective. Journal of Marketing, 54 (3): 68 – 81.

Csipak J J, Chebati, Charles J, Venkatesan, Ven. 1995. Channel structure, consumer involvement and perceived service quality: an empirical study of the distribution of a service. Journal of Marketing Management, 11 (1 – 3): 227 – 241.

Dahrendorf R. 1959. Class and class conflict in industrial society. Stanford University Press.

Donaldson L. 1990. The ethereal hand: Organizational economics and management theory. Academy of Management Review, 15 (3): 369 – 381.

Douglas S P, 1971. Patterns and parallels of marketing structures in several countries. MSU Business Topics, 19 (spring): 38 – 48.

Duarte M, Dvis G. 2003. Testing the conflict-performance assumption in business-to-business relationships. Industry Marketing Management, 32: 91 – 99.

Dutta S, Bergen M and John G. 1994. The governance of exclusive territories when dealers can bootleg. Marketing Science, 13 (1): 83 – 99.

Dwyer F R, Walker O C. 1981. Bargaining in an asymmetrical power structure. Journal of Marketing, 45 (4): 104 – 115.

Dyer J. 1996. Does governance matter? Keiretsu alliances and asset specificity as sources of japanese competitive advantage. Organization Science, 7 (6): 649 – 666.

EI-Ansary A I. 1975. A model for evaluating channel performance//Douglas M. Lambert. The Distribution Channel Decision. NY: Nation Association of Accountants of Management Accounts.

Eliashberg J, Michie D A. 1984. Multiple business goals sets as determinants of marketing channel conflict: an empirical study. Journal of Marketing Research, 21 (February): 75 – 88.

Forman S, Riegelhaupt J F. 1970. Market place and marketing system: toward a theory of peasant economic integration. Comparative Studies in Society and History, 12 (January): 188 –212.

Frazier G L. 1983. Inter-organizational exchange behavior: a broadened perspective. Journal of Marketing, 47 (fall): 68 –78.

Frazier G L, Gill J D, Kale S H. 1989. Dealer dependence levels and reciprocal actions in a channel of distribution in a developing country. Journal of Marketing, 53 (1): 50 –69.

French John R P Jr, Bertram Raven. 1959. Bases of social power//Dorwin Cartwright. Studies in social power. University of Michigan, Ann Arbor, University of Michigan Press.

Fubara B. 1991. Socializing grain distribution in kongi statistics for the international market. Sociopolitical Aspects of International Marketing. New York: The Haworth Press: 243 –256.

Funkhouser R, Parker R R. 1986. The consumer cost matrix: A new tool for product service, and distribution channel design. The Journal of Consumer Marketing, 3 (3): 35 –42.

Ganesan S. 1994. Determinants of long – term orientation in buyer – seller relationship. Journal of Marketing, 58 (2): 1 –19.

Gary F, Sawhney K, Shervani T, 1990. Intensity, functions, and integration in channels of distribution. Review of Marketing. Chicago: A. M. A. 4: 263 –298.

Gaski J F, Nevin J R. 1985. The differential effects of exercised and unexercised power sources in marketing channel . Journal of Marketing Research, 22 (2): 130 –142.

Geyskens I, Steenkamp J B EM. 2000. Economic and social satisfaction: measurement and relevance to marketing channel relationships. Journal of Retailing, 76 (1): 11 –32.

Geyskens I, Steenkamp J B EM, Kumar N. 1998. Generalizations about trust in marketing channel relationships using meta-analysis. International Journal of Research in Marketing. 15 (3): 223 –248.

Geyskens I, Steenkamp J E M, Kumar N. 1999. A meta-analysis of satisfaction in marketing channel relationships. Journal of Marketing Research, 36 (May): 223 –238.

Ghoshal S, Moran P. 1996. Bad for practice: A critique of the transaction cost theory. Academy of Management Review, 21 (1): 13 –47.

Goldkuhl L. 2007. Multiple marketing channel conflict with a focus on the internet: a dual perspective. Lulea University of Technology.

Goldman R M. 1966. A theory of conflict processes and organizational offices. The Journal of Conflict Resolution, 10 (3): 328 –343.

Gruen T W. 1955. The outcome set of relationship marketing in consumer markets. International Business Review. 4 (4): 447 –469.

Guiltinan J. 1974. Planned and evolutionary changes in distribution channels. Journal of Retailing, 50 (2): 79 –103.

Gulati R. 1998. Alliance and network. Strategic Management Journal. (19): 229 –248.

Gundlach G T, Achrol R S, Mentzer J T. 1995. The structure of commitment in exchange. Journal of Marketing, 59 (1): 78 –92.

Gunnarsson C, Jonsson S. 2003. Charge the relationships and gain loyalty effects: turning the supply link alert to it opportunities. European Journal of Operational Research, 144 (2): 257 –269.

Hadfield G. 1990. Problematic relations: Franchising and the law of incomplete contracts. Stanford Law Review, 42 (4): 927 – 992.

Hadjikhani A, Hakansson H. 1996. Political actions in business networks: a Swedish case. International Journal of Research in Marketing, 13 (5): 431 – 447.

Hakansson H. 1982. International marketing and purchasing of industrial goods. NY: John Wiley.

Hayes R, Williams A. 1980. Managing our way to economic decline. Harvard Business Review (United States), 58 (4): 67 – 77.

Heide J B. 1994. Inter-organazational governance in marketing channels. Journal of Marketing, 58 (1): 71 – 85.

Heide J B, John G. 1992. Do norms matter in marketing relationships? Journal of Marketing, 56 (2): 32 – 44.

Hill C. 1990. Cooperation, opportunism, and the invisible hand: implications for transaction cost theory. Academy of Management Review, 15 (3): 500 – 513.

Hunger J D, Stern L W. 1976. An assessment of the functionality of the super ordinate goal in reducing conflict. Academy of Management Journal, 19: 591 – 605.

Hunt S D, John R. Nevin. 1974. Power in a channel of distribution: source and consequences. Journal of Marketing Research. 11: 186 – 193.

Inderst R, Miller H M, Warneryd K. 2007. Distributional conflict in orgnizations. European Economic Review, 51 (2): 385 – 402.

Jaffe E D. 2004. What are the drivers of channel evolution? distribution reform in the People's Republic of China (working paper). Institute for AFSAETNING, Copenhagen Business School.

Jeffrey E L. 2003. An empirical investigation of the effects of downsizing on buy-seller relationships. Journal of Business Research, 56: 283 – 293.

Jehoshua E, Michie D A. 1984. Multiple business goal sets as determinants of marketing channel conflict: an empirical study. Journal of Marketing Research, 21: 75 – 88.

Johanson J, Mattsson L – G. 1997. Internationalizations in industrial systems: a network approach. // Ford D. Understanding business markets. 2nd ed. London: Dryden Press.

Johanson M, Silver L. 2003. From sick channel to healthy relationship: the development of channel research. Journal of Euro-marketing, 13: 3 – 20.

Johnson J L, Sakano T, Cote J A, Onzo N. 1993. The exercise of interfirm power and its Repercussions in. U. S. -Japanese channel relationships. Journal of marketing, 57: 1 – 10.

Kasulis J J, Spekman R E. 1980. A framework for the use of power. European Journal of Marketing, 14 (4): 180 – 191.

Kelly J S, Peters J I. 1977. Vertical conflict: a Comparative analysis of franchisees and distributions. Contemporary Marketing Thought, 2: 102 – 121.

Kelly S J, Peters J I. 1977. Vertical conflict: a comparative analysis of franchise and distribution// Greenberg BA, Bellenger DN. Contemporary Marketing Thought, Chicago, AMA.

Kemp R, Ghauri P. 2001. Interdependency in joint ventures: the relationship between dependence asymmetry and performance. Journal on Chain and Network Science, 1 (2): 101 – 110.

Kilmann R H, Thomas K W. 1978. Four perspectives on conflict management: an attributional framework for organizing descriptive and normative theory. Academy of Management Review, 3 (1): 59 – 68.

Kim K. 1999. On determinants of joint action in industrial distributor-supplier relationships: beyond economic efficiency. International Journal of Research in Marketing, 16 (3): 217 – 236.

Kim S K, Hsieh P H. 2003. Interdependence and its consequences in distributor-supplier relationships: a distributor perspective through response surface approach. Journal of Marketing Research, 40 (Feb.): 101 – 112.

Kumar N. 1996. The power of trust in manufacturer-retailer relationships. Harvard Business Review, 74 (11): 92 – 106.

Kumar R. 1995. Conflict transformation in protracted internal conflicts: the case for a comprehensive network//Kumar Rupesinghe. Conflict Transformation. London: Macmillan.

Lee D Y. 2001. Power, conflict and satisfaction in IJV supplier-Chinese distribution channels. Journal of Business Research, (52): 149 – 160.

Lewin J E. 2003. An empirical investigation of the effects of downsizing on buy-seller relationships. Journal of Business Research, 56: 283 – 293.

Lin D; Velicera W F; Harlowb L L. 1995. Effects of estimation methods, number of indicators per factor and improper solution structural equation modeling fit indices, structural equation Modeling, 2: 119 – 143.

Livesay H C, Porter P G. 1969. Vertical integration in American manufacturing, 1899 – 1948. Journal of Economic History, 29 (September): 494 – 500.

Lusch R F. 1974. Channel conflict: its impact on retailer operating performance. Journal of Retailing, 52: 3 – 12, 89, 90.

Lusch R F. 1976. Channel conflict: its impact on retailer operating performance. Journal of Retailing, 52 (2): 3 – 12.

Lusch R F. 1976. Sources of power: their impact on intra-channel conflict. Journal of Marketing Research. 13 (11): 382 – 390.

Lusch R F, Ross R H. 1985. The nature of power in a marketing channel. Journal of the Academy of Marketing Science, 13 (Summer): 39 – 56.

Magrath A, Hardy K. 1989. A strategic paradigm for predicting manufacturer – reseller conflict. European Journal of Marketing, 23 (2): 94 – 108.

Mahmoud E, Rice G. 1991. Sociopolitical analysis for international marketing: an examination using the case of Egypt's infitah. //Kaynak E. Sociopolitical Aspects of International Marketing. New York: The Haworth Press: 146 – 164.

Mallen B. 1963. A theory of retailer-supplier conflict, control, and cooperation. Journal of Retailing, 39 (summer): 24 – 32: 51.

Mallen B. 1973. Functional spin-off: a key to anticipating change in distribution structure. Journal of Marketing, 37 (7): 18 – 25.

McCammon B C. 1964. Alternative explanations of institutional change and channel evolution. //

Stephen Greyser. Toward scientific marketing. Chicago: AMA: 77 – 490.

McCammon B C. 1970. Perspectives for distribution programming. // Bucklin, LP. Vertical marketing systems: 32 – 51.

McCammon B C, Little R W. 1965. Marketing channels: analytical systems and approaches. // George Schwartz. Science in Marketing, New York: John Wiley and Sons: 321 – 385.

Michael E. 1978. Intra-channel conflict and use of power. Journal of Marketing Research, 15: 273 – 274.

Michael E. 1979. Sources and types of intra-channel conflict. Journal of Retailing, 55 (1): 61 – 78.

Michael E. 1984. The retail ecology model: a comprehensive model of retail change. Research // Sheth M J. Greenwich, CT: Jai Press: 41 – 92.

Michaelidou N, Arnott D C, Dibb S. 2005. Characteristics of marketing channel: a theoretical framework. The Marketing Review (5): 45 – 57.

Michman D R. 1990. Managing structural change in marketing channels. The Journal of Consumer Marketing, 7 (4): 33 – 42.

Mohr J J, Sohi R S. 1995. Communication flows in distribution channels: impact on assessments of communication quality and satisfaction. Journal of Retailing. 71 (4): 393 – 416.

Mohr J, Nevin J R. 1990. Communication strategies in marketing channels: a theoretical perspective. The Journal of Marketing, 54 (October): 36 – 51.

Moore R A. 1989. Conceptual and empirical developments of marketing channel conflict. Journal of Marketing Management, 4 (3): 350 – 369.

Moorman C, Zaltman G, Deshpande R. 1992. Relationships between providers and users of marketing research: the dynamics of trust within and between organizations. Journal of Marketing Research. 29 (8): 314 – 329.

Murry J P, Heide J B. 1998. Managing promotion program participation within manufacturer – retailer relationships. The Journal of Marketing. 62 (1): 58 – 68.

Naor. Normative and political aspects of socialist marketing policy in transition. European Journal of Marketing, 1990. 24, (1): 44 – 61.

Ock J H. 2004. Lessons learned from a rigid conflict resolution in an organization: construction conflict case study. Journal of Management Engieering, (April): 83 – 91.

Pearson M M. 1973. The conflict – performance assumption. Journal of Purhcasing, 9 (February): 57 – 69.

Pearson M M and Monoky J F. 1976. The role of conflict and cooperation in channel performance. // Bernhardt K L. AMA Educators´Proceedings, Marketing: 1776 – 1976 and beyond: 240 – 244.

Phillips L. 1982. Explaining control losses in corporate marketing channels: an organizational analysis. Journal of Marketing Research, 19 (4): 525 – 549.

Pondy L R. 1967. Organisational conflict, concepts and models. Administrative Science Quarterly, 12 (2): 296 – 320.

Raven B H, Kruglanski A W. 1970. Power and conflict. // Swingle P The structure of conflict. Academic Press: 69 – 109.

Reve T. 1986. Organization for distribution. Research in Marketing, (8): 1 – 26.

Robbins S P. 2001. Organizational behavior (第九版). 北京：清华大学出版社：385 – 395.

Robbins S P, Coulter M. 1999. Management (6thed) . NJ: Prentice Hall: 554 – 564.

Robicheaux R A, El-Ansary A L. 1976. A general model for understanding channel member behavior. Journal of Retailing, 52 (4): 13 – 32.

Rodriguez B, Agudo J C, Gutierrez H S M. 2006. Determinants of economic and social satisfaction in manufacturer – distributor relationships. Industrial Marketing Management, 35 (6): 666 – 675.

Rose G M, Shoham A. 2004. Inter-organizational task and emotional conflict with international channels of distribution. Journal of Business Research, 57 (9): 942 – 950.

Rosenberg L J. 1974. A new approach to distribution. conflict management. Business Horizons, (October): 67 – 74.

Rosenberg L J, Stern L W. 1971. Conflict measurement in distribution channels. Journal of Marketing Research, (6): 437 – 442.

Rosenbloom B. 1973. Conflict and channel efficiency: some conceptual models for the decision maker. Journal of Marketing, 37 (7): 26 – 30.

Rosenbloom B. 1987. Marketing channels (3rd ed) . Chicago: The Dryden Press: 26 – 28.

Rosenbloom B. 1990. Motivating your international channel partners. Business Horizons, 2 (33): 53 – 57.

Rosson P J, Ford I D. 1980. State conflict and performance in export marketing channels. Marketing International Review, 20 (4): 31 – 37.

Sahedey S. 2005. Exploring the role of expert power in channel management: an empirical study. Industry Marketing management, 34: 487 – 494.

Schary P B. 1970. Changing aspects of channel structure in America. British Journal of Marketing, 4 (3): 133 – 145.

Scherer F M. 1980. Industrial Market Structure and Economic Performance. 2nd ed. Chicago: Rand McNally.

Schmidt S M, Kochan T A. 1972. Conflict: Towards Conceptual Clarity, Administrative Science Quarterly, 17: 359 – 370.

Schul P L, Little T E, Pride W M. 1985. Channel climate: it's impact on channel members' satisfaction. Journal of Retailing, (2): 9 – 39.

Schul P L, Pride W M, Little T L. 1983. The impact of channel leadership behavior on intra-channel conflict. Journal of Marketing, 47: 21 – 34.

Sharma A, Domenguez L V. 1992. Channel evolution: a framework for analysis. Journal of the Academy of Marketing Science, 20 (1) : 1 – 15.

Sheth J N, Gardner D M, Garrett D E. 1988. Marketing theory: evolution and evaluation. John Wiley and Sons, New York.

Siguaw J A, Simpsonand P M, Baker T L. 1998. Effects of supplier market orientation on distributor market orientation and the channel relationship: the distributor perspective. The Journal of Marketing, 62 (3): 99 – 111.

Simmel G. 1904. The sociology of conflict. The American Journal of Sociology, 9 (5): 672 – 689.

Simmel G, Etzkorn K P. 1968. The conflict in modern culture and other essays. Teachers College Press.

Simpson J T, Mayo DT. 1997. Relationship management: A call for fewer influence attempts. Journal of Business Research, (39): 209 – 218.

Skaperdas S. 1992. Coorperation, conflict, and power in the absence of property rights. The American Economic Review, 82 (4): 720 – 739.

Slater C. 1968. Marketing processes in developing Latin American societies. The Journal of Marketing, 32 (July): 50 – 55.

Stank T, Crum M, Arango M. 1999. Benefits of interfirm coordination in food industry supply chains. Journal of Business Logistics, 20 (2): 21 – 42.

Stern L W. 1969. Distribution channels: behavioral dimensions. Boston: Houghton Mifflin Company.

Stern L W, El-Ansary A I. 1992. Marketing channel. London: Prentice Hall (International Editions).

Stern L W, El-Ansary A I, Coughlan A T. 2001. 市场营销渠道（第五版）. 赵平，廖建军，孙燕军译. 北京：清华大学出版社.

Stern L W, et al. 1973. Managing conflict in distribution channels: a laboratory study. Journal of Marketing Research, 10 (May): 169 – 179.

Stern L W, et al. 1996. Marketing channels (5th ed). New Jersey: Prentice-Hall.

Stern L W, Gorman R H. 1969. Conflicts in distribution channels: an exploration; distribution channels: behavioral dimensions. Boston: Houghton Mifflin company.

Stern L W, Heskett J L. 1969. Conflict management in inter-organizational relations: a conceptual framework. Distribution Channels: Behavioral Dimensions. Boston: Houghton Mifflin company.

Stern L W, Sturdivant F D. 1987. Customer – driven distribution systems. Harvard Business Review, July – August: 34 – 41.

Sturdivant F D, Granbois D L. 1968. Channel interaction: an institutional behavior view. The Quarterly Review of Economics & Business, (summer): 61 – 68.

Thibaut J W, Harold H K. 1959. The social psychology of groups. New York: John Wiley & Sons.

Thomas K W. 1976. Conflict and conflict management. //Dunnette M D. Handbook of Industrial and Organizational Psychology. Chicago: Rand Mcnally College Publishing.

Thomas K W. 1976. Conflict and conflict management. //Dunnette M. Handbook of Industrial and Organizational Psychology. Chicago: Rand Mcnally College Publishing Co, 912.

Thomas K W, Jamieson D W, Moore R K. 1978. Conflict and collaboration: some concluding observations. California Management Review, 21 (2): 91 – 95.

Thomas K W, Pondy L R, 1977. Toward an 'intent' model of conflict management among principal parties, human relations, (20): 108 – 120.

Thomas K W, Schmidt W H. 1976. A survey of managerial interests with respect to conflict. Academy of Management Journal, 19 (2): 315 – 318.

Verhaegen I, Van Huylenbroeck G. 2001. Costs and benefits for farmers participating in innovative marketing channels for quality food products. Journal of Rural Studies, 17 (4): 443 – 456.

Vinhas A S, Anderson E. 2005. The antecedents of double compensation in concurrent channel systems in business-to-business markets Journal of Personal Selling and Sales Management, (28): 133 – 144.

Walter A. 2003. Relationship-specific factors influencing supplier involvement development in customer new product. Journal of Business Research, 56: 721 – 733.

Webb K L. 2002. Hybrid channel conflict, causes and effectives on channel performances. Journal of Business & Industrial Marketing, 17 (5): 338 – 356.

Webb K L. 2004. Managing conflict to Improve the Effectiveness of Retailing Networks. Journal of Retailing, (80): 181 – 195.

Weitz B A, Jap S D. 1995. Relationship marketing and distribution channels. Journal of the Academy of Marketing Science, 23 (Fall): 305 – 320.

Wilkinson I. 1981. Power, conflict and satisfaction in distribution channels: an empirical study. International Journal of Physical Distribution and Management, 11 (7): 20 – 30.

Wilkinson I. 1990. Towards a Theory of Structural Change and Evolution in Marketing Channels. Journal of Macro Marketing, 10 (Fall): 18 – 46.

Wilkinson I. 1990. Towards a theory of structural change and evolution in marketing channels. Journal of Macro Marketing, 18 – 46.

Wilkinson I. 2001. A history of network and channels thinking in marketing in the 20th century. Australasian Marketing Journal, 9 (2): 23 – 52.

Williamson O E. 1985. The economic institutions of capitalism. New York: The Free Press.

Withey J. 1985. Realities of channel dynamics. Journal of Academy of Marketing Science, 13 (3): 72 – 81.

Zhuang G J, Zhou N. 2004. The relationship between power and dependence in marketing channels: a Chinese perspective. European Journal of Marketing, 38 (5/6): 675 – 693.

Zusman P, Etgar M. 1981. The marketing channel as equilibrium set of contracts. Management Science, 27 (March): 284 – 302.